«C'est une histoire incroyablement émouvante… Je croyais y être, avec Cass. On ressent toutes ses émotions, tellement qu'on a l'impression d'être dans sa peau. Le meilleur livre de Mummert à ce jour!»

— Molly McAdams, auteure à succès du *USA Today*

«C'est captivant… j'ai été fortement attirée par le personnage de Cass dès la première phrase de ce livre… C'est une montagne russe d'émotions dont je ne voulais pas descendre. Je n'arrivais pas à poser ce livre.»

— Amanda Bennett, auteure de *Time to Let Go*

«J'ai adoré! C'est une histoire remplie de chagrin et d'espoir. On y parle des difficultés de la vie, mais il y a aussi de l'espoir pour l'avenir.»

— *Romantic Reading Escapes*

«Je suis sans mot… La narration est formidable.»

— *Lives and Breathes Books*

«J'ai adoré ce livre… Mummert a insufflé beaucoup de profondeur et d'âme à ses personnages.»

— *Contagious Reads*

«Sombre, chargé à bloc, plein d'émotions… je ne voulais pas que ce livre se termine!»

— *Belle's Book Blog*

LA MISÈRE DU SUD

Beauté

LA MISÈRE DU SUD

Beauté

Teresa Mummert

Traduit de l'anglais par
Lynda Leith

éditions

Éditeur : François Doucet
Traduction : Lynda Leith
Révision linguistique : Féminin pluriel
Correction d'épreuves : Nancy Coulombe, Carine Paradis
Conception de la couverture : Matthieu Fortin
Photo de la couverture : © Thinkstock
Mise en pages : Sébastien Michaud
ISBN papier 978-2-89733-937-1
ISBN PDF numérique 978-2-89733-938-8
ISBN ePub 978-2-89733-939-5
Première impression : 2014
Dépôt légal : 2014
Bibliothèque et Archives nationales du Québec
Bibliothèque Nationale du Canada

Éditions AdA Inc.
1385, boul. Lionel-Boulet
Varennes, Québec, Canada, J3X 1P7
Téléphone : 450-929-0296
Télécopieur : 450-929-0220
www.ada-inc.com
info@ada-inc.com

Diffusion
Canada :   Éditions AdA Inc.
France :   D.G. Diffusion
                  Z.I. des Bogues
                  31750 Escalquens — France
                  Téléphone : 05.61.00.09.99
Suisse :   Transat — 23.42.77.40
Belgique :   D.G. Diffusion — 05.61.00.09.99

Imprimé au Canada

Participation de la SODEC. SODEC
Nous reconnaissons l'aide financière du gouvernement du Canada par l'entremise du Fonds du livre du Canada (FLC)
pour nos activités d'édition.
Gouvernement du Québec — Programme de crédit d'impôt pour l'édition de livres — Gestion SODEC.

**Catalogage avant publication de Bibliothèque et Archives nationales du Québec et Bibliothèque
et Archives Canada**

Mummert, Teresa

   [Beautiful. Français]
   Beauté
   (La misère du Sud ; t. 1)
   Traduction de : Beautiful.
   ISBN 978-2-89733-937-1
   I. Leith, Lynda. II. Titre. III. Titre : Beautiful. Français.

PS3613.U45B4214 2014   813'.6   C2014-940980-X

Empty sheets
de Teresa Mummert

Couchée défaite, en morceaux sur les draps déserts,
je sens la douleur s'installer profondément en moi.
Je me lève pour entreprendre le combat d'une
nouvelle journée, je me prépare aux coups,
Debout sur mes jambes tremblantes.
Je prends ce stylo et trouve ma voix, je remplis les
pages de mots bruyants,
Mon cœur s'emballe, donne le rythme pendant que
je livre mon âme sur les feuilles vierges.

Ils ignorent comme leurs mots m'ont déchirée,
M'ont fait saigner et laissée pour morte; mais vous ne
pourrez plus me blesser.
Jamais...
Je refuse de me laisser briser. Mon âme est meurtrie, mais
vous ne pouvez m'ébranler.
Si je meurs seule dans mon lit, prisonnière de mes pensées,
de ma tête,
Je vous pardonnerai tout le mal. Armée d'un stylo et de
papier, je laisserai s'élever mon chant.
Je remplirai ces pages de ma douleur et, un jour, je
réapprendrai à aimer.
Encore.

La vérité, je la dis à travers ma vision brouillée, c'est
le monde dans lequel je dois vivre,

J'ai tout perdu pour toi, mais ces mots me donneront la force de continuer,

Si tu me prends cette vie, je volerai de mes ailes brisées,

Laisse-moi remplir ces pages vides, de ces mensonges d'amour que tu m'as racontés.

Ils ignorent comme leurs mots m'ont déchirée,

M'ont fait saigner et laissée pour morte ; mais vous ne pourrez plus me blesser.

Jamais...

Je refuse de me laisser briser. Mon âme est meurtrie, mais vous ne pouvez m'ébranler.

Si je meurs seule dans mon lit, prisonnière de mes pensées, de ma tête,

Je vous pardonnerai tout le mal. Armée d'un stylo et de papier, je laisserai s'élever mon chant.

Je remplirai ces pages de ma douleur et, un jour, je réapprendrai à aimer.

Encore.

Les anges se sont retrouvés avec des ailes battues et abîmées après t'avoir survécu.

Le monde était cruel et sans pitié,

Un endroit où les anges n'avaient pas leur place.

En noircissant cette feuille de mon passé, je pense à la manière dont tu m'adorais,

Disais que je ne serais jamais seule,

Allongée sur des draps nus dans un lieu qui n'est pas mon foyer.

Ils ignorent comme leurs mots m'ont déchirée,
M'ont fait saigner et laissée pour morte; mais vous ne pourrez plus me blesser.
Jamais...
Je refuse de me laisser briser. Mon âme est meurtrie, mais vous ne pouvez m'ébranler.
Si je meurs seule dans mon lit, prisonnière de mes pensées, de ma tête,
Je vous pardonnerai tout le mal. Armée d'un stylo et de papier, je laisserai s'élever mon chant.
Je remplirai ces pages de ma douleur et, un jour, je réapprendrai à aimer.
Encore.

CHAPITRE 1

*J*e ne suis pas naïve. Je sais que la phrase «et ils vécurent heureux jusqu'à la fin des temps» n'est pas pour moi. Mon preux chevalier sur son cheval blanc a emprunté le détour sur l'autoroute pour éviter ce trou à rat de merde. J'ai fait la paix avec ça. Mais ça ne signifie pas que je vais me laisser marcher dessus comme un paillasson et permettre à tous les connards prétentieux du parc à roulottes de faire ce qu'ils veulent de moi.

— J'arrive tout de suite, grognai-je à l'intention de Larry.

Il est le cuisinier ici, au Aggie's Diner, et également le mari d'Aggie. Ses cheveux sont longs et graisseux, ils pendent en épaisses touffes grises autour de son visage buriné. C'est un vieil homme presque toujours méchant et mauvais.

Je me retournai et envoyai un bref sourire à mon client costaud d'âge moyen pendant qu'il continuait à lorgner ma poitrine. Je fis glisser le lait pour son café sur la table en m'assurant qu'il se renverse un peu sur ses cuisses «accidentellement».

— Je suis une serveuse, pas une putain, le prévins-je à travers mes dents serrées.

Je coinçai derrière mon oreille une mèche de mes cheveux châtains (certains diraient couleur de blé mûr) qui s'était échappée de ma queue de cheval et je poussai un gros soupir. Cass Daniels était bien des choses, mais pas ça.

C'était toujours pareil. Un gars quitte l'autoroute principale et décide d'essayer une petite gargote du coin, peut-être de tenter sa chance avec la serveuse. Certaines ont même déjà accepté son offre. Mais je n'étais pas ce genre de fille. J'avais mon homme à moi. Mes cheveux châtains et mes yeux bleus n'étaient parfois qu'une malédiction.

Je me dirigeai droit vers le fond de la salle, serrant les doigts très fort sur mon plateau tandis que j'essayais de me convaincre de ne pas frapper Larry sur le côté de sa maudite tête.

— J'ai sonné la cloche il y a cinq minutes, Cass, me réprimanda-t-il.

Je l'ignorai pendant qu'il parlait et parlait alors que je déposais les assiettes chaudes sur mon plateau, me brûlant les doigts. Je levai les yeux au ciel et passai la porte tandis qu'il continuait, augmentant le volume lorsque je sortis.

— N'agis pas comme si tu étais la seule dans le parc à roulottes qui peut transporter un plateau de nourriture. T'es pas spéciale !

Je fis claquer mon plateau sur la table 4 avec un peu plus de force que prévu en retenant mes larmes. Je n'avais pas besoin qu'un cuisinier de second ordre dans un restaurant délabré me dise que je ne valais pas un clou. Je m'obligeai à sourire à la vieille dame devant moi.

Sa main se déplaça sur la mienne quand je déposai son plat devant elle. Ça m'étonna et je dus combattre mon envie de la retirer.

— Ne laisse personne te dire que tu n'es pas spéciale, dit-elle d'une voix étouffée.

Je souris alors qu'une unique larme s'échappait de mon œil et glissait sur ma joue. Je libérai ma main et l'essuyai rapidement en regardant les murs défraîchis peints d'une teinte pêche pour dissimuler mes pleurs.

— Bon appétit.

Ma voix craqua sous mes mots.

Je pivotai vivement et me frayai un chemin dans la salle à manger jusqu'à l'entrée au fond portant l'inscription *EMPLOYÉS SEULEMENT*. Je sortis mon paquet de cigarettes de mon tablier et fixai l'emballage en marchant vers le coin du bâtiment. Je n'en avais pas fumé une seule depuis quatre jours, mais je n'arrivais pas à me convaincre de jeter le paquet.

Je contemplai au loin les roulottes qui se trouvaient de l'autre côté du stationnement. Une clôture en piteux état entourait l'endroit avec une série de panneaux qui clamaient *DÉFENSE D'ENTRER*. Je pouffai de rire.

Personne ne s'aventurait là-dedans à moins d'avoir le choix. La clôture servait uniquement à nous écarter des gens importants.

Je tins le briquet au bout de ma cigarette et fermai les yeux en inhalant profondément, remplissant mes poumons de la délicieuse fumée.

— Ça va t'tuer, tu sais, lança une voix grave devant moi.

Mes yeux s'ouvrirent brusquement. Un homme, vêtu d'un jeans foncé délavé et usé et d'un t-shirt gris foncé portant l'inscription *JE SUIS AVEC LE GROUPE*, se tenait devant moi, un casque de motocyclette dans la main. Sa tête était penchée d'un côté et un demi-sourire étirait ses lèvres. Sa chevelure brun foncé était indisciplinée, mais quelque chose me disait qu'il prenait son temps pour lui donner cette allure naturellement ébouriffée. Ses bras avaient des tatouages compliqués jusqu'aux poignets et ses yeux bleus étaient vifs sous le soleil. C'était le genre de gars contre qui votre maman vous aurait prévenu ; si votre maman n'était pas trop défoncée pour jouer son rôle. Il mesurait au moins un bon quinze centimètres de plus que mon mètre soixante. Je supposai qu'il approchait mes vingt-trois ans ou qu'il était plus vieux de quelques années.

— Pas assez vite.

Je levai les yeux au ciel et pris une autre bouffée. Il rit en faisant courir ses doigts dans ses cheveux de l'avant vers l'arrière, il hocha la tête, puis il se tourna pour marcher vers l'entrée principale du café. Il s'arrêta un moment, dos à moi, comme s'il avait quelque chose à dire, mais il ne parla pas. Il ouvrit la porte et disparut à l'intérieur sans un regard en arrière.

Au moins, ma vie pourrie amusait quelqu'un d'autre. Je tins ma cigarette en angle, la fixant d'un air méchant avant de la jeter d'une chiquenaude dans la poussière du stationnement. Je me redressai, replaçai mon tablier en essuyant les larmes qui séchaient à présent sur mon visage et je retournai au boulot.

Monsieur Sombre-et-dangereux était assis dans un box de ma section et je jurai intérieurement. J'étais un aimant à mauvais garçon ; sauf que dans mon univers, ça signifiait des raclées et des peines d'amour.

— Bienvenue au Aggie's Diner. Je m'appelle Cass et je serai ta serveuse. Puis-je t'offrir quelque chose à boire pour commencer ?

Je fis claquer le menu devant lui. Je fis de mon mieux pour sourire, mais celui-ci n'atteignit pas mes yeux. C'était toujours ainsi. Je balayai du regard ses tatouages qui rampaient hors des manches de son t-shirt en motifs compliqués et en vrilles.

— Tucker White.

Il se fendit d'un sourire. Ce sourire devait lui permettre d'obtenir tout ce qu'il voulait.

Mes yeux revinrent sèchement sur les siens.

— Veux-tu quelque chose à boire, Tucker White?

J'essayai de ne pas avoir l'air impatient. Je ne voulais pas échanger des réparties amusantes avec un gars fraîchement sorti de l'autoroute. Je voulais rentrer à la maison et prendre une douche chaude, si jamais nous avions la chance d'avoir de l'eau chaude. Ce boulot servait tout juste à payer les factures et à nourrir ma mère; nous étions loin d'avoir les moyens de nous offrir du luxe comme l'eau, encore moins des repas consistants ou le câble.

— Je vais prendre une bière, mon cœur. Ce que tu m'recommandes.

Son sourire ne vacilla pas.

Je balayai le café du regard avant de revenir à lui. J'étais sûre qu'il pouvait lire sur mon visage : « Tu te fous de moi? » Ce n'était pas l'endroit pour les mets exotiques ou les bières de luxe.

— Je ne suis pas ton « cœur ».

— Défi accepté.

Il rit.

Ces gars étaient tous les mêmes. Je soupirai.

— Je vais te chercher une Bud.

Je tournai les talons et me frayai un chemin vers l'arrière pour aller prendre sa Bud dans le réfrigérateur.

— Cass, que fais-tu avec ma bière ? lança Larry derrière son passe-plat.

— C'est pour un client, lançai-je par-dessus mon épaule. Je vais te payer lorsqu'il aura réglé son addition.

Je poussai les portes de la cuisine et m'éloignai de Larry avant qu'il puisse se remettre à crier.

Je déposai la bouteille devant Tucker et essuyai ma main mouillée par la condensation sur mon tablier.

— Merci.

Il me décocha un clin d'œil et décapsula la bouteille. Il l'inclina vers ses lèvres et commença à boire, ses yeux toujours fixés sur les miens.

Je sortis mon stylo et mon carnet de commandes de la poche de mon tablier et j'attendis qu'il termine sa boisson.

— As-tu fait un choix ?

Je déplaçai mon poids d'un pied sur l'autre. J'étais dessus depuis sept heures maintenant et ils étaient douloureux.

— Oh, ouais.

Ses yeux suivirent lentement la ligne de mon corps pendant que sa langue donnait de petits coups sur ses lèvres pour les humecter.

— Un hamburger et des frites.

Il déposa sa bouteille sur la table et il la fit tourner entre ses doigts. Son téléphone portable sonna et il leva les yeux au ciel en le prenant pour répondre.

— Tucker à l'appareil.

— Je t'apporte ça tout de suite.

Je souris poliment et partis passer la commande. Larry fulminait. Il était à quelques secondes de m'arracher les yeux quand la cloche au-dessus de la porte sonna. Je me tournai et aperçus Jackson.

— Salut, Jax.

Je souris et marchai vers lui pour le rejoindre au centre de la salle. Il passa ses mains dans ses longs cheveux bruns et sales. Sa peau était rougie et ses yeux émeraude étaient vitreux. La drogue l'avait sérieusement amoché. Il était mince, mais pas musclé ; grand, mais avait toujours le dos voûté.

— J'ai besoin de fric.

Sa mâchoire était serrée et sa voix ne dépassait pas le murmure. Il s'essuya les mains sur son t-shirt blanc taché.

— Jax, je n'ai pas d'argent.

Jackson m'attrapa le bras juste au-dessus du coude, m'attirant plus près de lui. Son souffle empestait l'alcool.

— C'est foutrement important, Cass. J'en ai besoin maintenant.

Je savais qu'il n'avait pas de patience. Il était impossible de lui faire entendre raison quand il consommait. Je reculai d'un pas.

— Puis-je en avoir une autre, mon cœur ?

Tucker m'appela de sa table, la bouteille dans les airs.

— Merde, qui c'est, ce gars ?

Les yeux de Jackson brillèrent de colère.

— Un client, c'est tout, murmurai-je.

— Juste une minute ! répondis-je à Tucker qui, à présent, nous observait Jackson et moi. Je n'ai pas d'argent avant la fin de mon quart, Jax. Tu le sais.

Je posai légèrement mes mains son torse et il les chassa d'une claque.

Tucker s'était avancé à côté de moi. Il effleura mon dos du bout des doigts, me faisant sursauter.

— Je dois m'en aller, alors je ne pourrai pas manger, mais voici ce que je te dois et plus qu'il en faut pour compenser les *ennuis.*

Ses yeux se tournèrent rapidement vers Jackson, prenant sa mesure.

J'étais sans voix. Je n'avais jamais connu personne qui eût donné quoi que ce soit sans vouloir quelque chose en retour. Le simple contact du bout de ses doigts mit mon corps dans tous ses états et je m'efforçai de ralentir les battements de mon cœur pour qu'ils retrouvent leur rythme normal, inquiète que Jax puisse les sentir dans mon bras.

— On se voit plus tard, mon cœur.

Tucker me décocha un clin d'œil avant de faire tomber le cure-dent qu'il tenait dans sa bouche et de sourire à Jax, en se glissant entre nous pour sortir par la porte d'entrée.

Jackson se foutait de ce gars. Tout ce qu'il voyait, c'était la pile de billets dans ma main.

— Merci. Bonne journée ! lançai-je dans le dos de Tucker pendant qu'il balayait ses cheveux d'une main et passait la porte.

J'ignorais s'il l'avait fait par pitié ou gentillesse, mais ma foi en l'humanité était momentanément restaurée, même si le gars était un connard prétentieux. La cloche signalant que la commande était prête retentit et mes yeux revinrent lentement à Jackson.

— Moment parfaitement choisi.

Jax sourit et s'empara du billet de vingt dollars sur le dessus de la petite pile de billets dans ma main.

— Jax, attends, criai-je derrière lui, mais il avait déjà pivoté pour partir aussi vite que possible.

Je comptai l'argent qu'il me restait. Juste assez pour payer le repas. Foutrement parfait. Une motocyclette vrombit furieusement derrière la porte et démarra, devenant de moins en moins bruyante en s'éloignant.

— La commande attend, Cass, siffla Larry depuis la cuisine.

Merde. Je pris le hamburger et les frites et les déposai sur la table la plus reculée dans ma section. Au moins, j'allais avoir un peu de vrais aliments aujourd'hui. Je pris une frite chaude et la fis tomber dans ma bouche, balayant du regard les rideaux bleus défraîchis qui n'étaient assortis à rien ici. Je voulais être égoïste et manger jusqu'à la dernière bouchée, mais mon esprit me ramena à ma mère. Je m'emparai d'une boîte pour mets à emporter et glissai la nourriture à l'intérieur. Dès que je pourrais prendre une nouvelle pause, je lui apporterais le repas. Elle avait faim, j'en étais sûre, et elle ne faisait pas grand-chose pour elle-même, la cuisine encore moins.

Une autre heure s'écoula. J'étais occupée, mais jamais suffisamment pour que ce boulot en vaille la peine financièrement. Cependant, je n'avais pas d'autre choix.

— J'prends une pause!

Je retirai mon tablier et croisai le regard de Marla, l'autre serveuse chez Aggie's. Elle acquiesça d'un signe de tête, et je pris la boîte de nourriture que j'avais conservée et sortis par l'arrière. Je traversai le stationnement poussiéreux et franchis la clôture du parc à roulottes.

— Maman! criai-je en poussant la porte de notre roulotte. Maman?

Je m'avançai dans le couloir étroit, évitant le seau qui était posé sur le plancher pour recueillir l'eau de pluie. Je m'appuyai contre le lambris en bois pour me glisser de l'autre côté. J'ouvris la porte de la chambre principale d'une poussée. Je stoppai net. Jax et ma mère étaient assis dans un nuage de fumée de cigarette, hébétés et désorientés. Un mince tube de caoutchouc était attaché autour du bras de ma mère et une aiguille sortait de sa veine.

— Je t'ai dit de ne plus apporter de cette merde ici, Jax, criai-je.

Les yeux verts de Jax étaient brillants et vitreux sur le fond blanc injecté de sang entourant ses iris.

Dégoûtée, je lançai la nourriture sur le plancher devant moi, puis je me précipitai vers ma mère qui était pratiquement catatonique.

J'étais son portrait tout craché, sauf que mon corps était plus mince, j'avais quelques années en moins sur le visage et plus d'estime pour moi-même.

Est-ce que mon avenir ressemblerait à ça?

Ma mère était une bonne personne avant que son cerveau ne la lâche. Quand papa nous a quittées, il a emporté la raison de ma mère avec lui. Elle a vite perdu l'éclat qu'elle avait dans ses yeux, puis la raison et la logique ont suivi de près. Elle ne se lavait pas et ne se nourrissait pas. Elle restait assise dans sa propre crasse jusqu'à ce que je m'en occupe.

— Tu m'avais promis de plus faire ça. Tu avais promis.

Des larmes s'accumulèrent dans mes yeux, mais je luttai pour les empêcher de couler.

Jax m'ignora et resserra la ceinture autour de son bras. Je serrai les poings et sortis en trombe de la roulotte, faisant claquer la porte fragile derrière moi. Une image apparut soudain dans mon esprit : je voyais toutes les autres filles de mon âge qui recevaient en ce moment leur diplôme universitaire, s'avançant vers un avenir prometteur rempli de possibilités.

Je ne me permettrais pas de regarder encore une fois la roulotte derrière mon épaule. Je n'avais pas besoin d'un rappel de ce que j'étais.

CHAPITRE 2

*J*e m'essuyai les yeux en passant de nouveau l'entrée des employés du café. J'attrapai mon tablier et le nouai rapidement sur mon uniforme entièrement noir, puis je commençai à nettoyer mes tables inoccupées. Je frottai, passant ma colère sur le vieux Formica beige et vétuste qui les recouvrait. Je détestais cet endroit, ma vie… je me détestais. Je soupirai enfin et me laissai choir dans un box, la tête entre les mains. La cloche tinta au-dessus de la porte, mais je n'avais plus d'énergie pour regarder qui entrait.

— Puis-je avoir ce hamburger maintenant, mon cœur ?

Je regardai à travers mes mains et fixai les yeux bleus, sombres et orageux de Tucker qui semblaient encore plus brillants que la dernière fois que je les avais vus, à peine deux heures plus tôt.

— Tu sais, il y a de bien meilleurs restaurants dans les environs, et je ne suis toujours pas ton « cœur », dis-je sèchement.

— Mais le service ici est épatant.

Il sourit et me décocha un clin d'œil, dévoilant de profondes fossettes dans ses joues, tandis qu'il se glissait sur le banc du box en face de moi. Ses fossettes combinées à sa superbe chevelure et à ses sourcils foncés au-dessus de ses beaux yeux, il était un délice pour les yeux, capable de faire naître des papillons dans le ventre de n'importe quelle femme. Avant, Jax me donnait des papillons quand il me souriait. Mais ils s'étaient depuis longtemps envolés avec mes rêves.

— Ça va, Cass ? demanda doucement Tucker.

Comment connaissait-il mon nom ? Oh, oui, je le lui avais dit en prenant sa commande. J'étais étonnée qu'il s'en souvienne encore. La plupart des gens quittaient cet endroit sans jamais se retourner. Ça m'apparaissait incroyablement intime qu'il s'adresse à moi autrement que par « mademoiselle » ou « hé ! toi ».

— Je vais te chercher ce hamburger.

Je soupirai tandis que je mettais la main sur la table pour m'aider à me relever. Sa main atterrit sur la mienne et je sursautai devant ce contact inattendu. C'était peut-être à cause de ces années où j'avais eu à me protéger du petit ami « de la semaine » de ma mère, mais de toute façon je détestais être touchée, même si ce contact amenait mon cœur à s'affoler comme maintenant. Ce tressaillement était devenu ma réaction normale à tout contact humain. Il jeta un coup d'œil à ma main, puis il me regarda et retira lentement ses doigts dans un glissement. Il avala et il hocha la tête.

Je ne pouvais pas m'éloigner de lui assez vite. Voulait-il me voir pleurer ? N'en avait-il pas eu assez de mon humiliation la première fois qu'il s'était arrêté ici ? C'était sans doute pourquoi il était parti avec autant de hâte. Je passai la commande tandis que Larry me contemplait avec curiosité, mais il ne dit rien.

Je m'attardai au poste de travail des serveuses, ne voulant pas retourner à la table de Tucker. Il était mon seul client. J'étais certaine qu'il voyait clairement que je l'évitais. Je lui jetai un coup d'œil par-dessus mon épaule. Il regardait fixement par la fenêtre sale, perdu dans ses pensées. Je m'accordai une minute pour l'examiner de la tête au pied. Son jeans paraissait sale et fatigué, mais après une observation plus attentive, Tucker avait dû payer pour que ses vêtements aient l'air de tomber en lambeaux. Je levai les yeux au ciel et regardai de nouveau mon poste. Quel connard. Il payait pour avoir l'air pauvre. Je regardai encore une fois par-dessus mon épaule et cette fois mes yeux atterrirent directement dans les siens. Je rougis et m'emparai d'une bouteille de ketchup, que j'allai déposer devant lui.

— Veux-tu une bière ?

Je coinçai une longue mèche raide de mes cheveux derrière mon oreille. Qu'est-ce que je faisais ? Larry allait piquer une crise.

Tucker sourit et hocha rapidement la tête.

— C'est *vrai* que tu m'en dois une pour tantôt.

Je tournai les talons et allai dans la cuisine. Larry leva sa spatule quand j'ouvris le réfrigérateur pour attraper deux bières et je le regardai d'un air mauvais pour le prévenir silencieusement de ne pas m'emmerder. Il essuya sa spatule sur son tablier en loques et il retourna la boulette de viande. J'étais redevable à Tucker pour sa générosité. C'est ce que je me disais. J'étais gentille seulement pour le remercier de sa gentillesse.

J'avais enduré toute la merde dont j'étais capable en une journée. En haussant mentalement les épaules, je me glissai par la porte. J'espérais que Larry n'avait pas vu les bières et qu'il ne réaliserait pas sa menace de me renvoyer. Sa femme était seulement à moitié moins méchante que lui et j'étais certaine que c'était la seule raison pour laquelle j'occupais encore ce boulot. C'était mon unique échappatoire à cette vie qui attendait de l'autre côté du stationnement poussiéreux. Cet endroit pouvait bien donner l'impression d'être un resto qu'on aurait dû fermer depuis bien des années déjà, c'était quand même mon sanctuaire.

Je déposai les bières sur la table de Tucker et me glissai dans le box, en face de lui. Il se fendit d'un sourire et saisit ma bouteille, la décapsula pour moi avant de s'occuper de la sienne. Je réussis à produire un sourire sincère et pris ma bière.

Tucker but une longue lampée de sa bière avant de soupirer et d'incliner la bouteille dans sa main pour lire l'étiquette.

— Alors… cet enculé, plus tôt , sa voix s'estompa et ses yeux restèrent fixés sur l'étiquette de la bouteille comme si elle possédait les réponses à ses questions.

J'avalai une gorgée et le contemplai d'un regard méfiant. Qu'est-ce que ça pouvait lui faire ? Faisait-il simplement la conversation ? C'était ça. Clairement, j'étais son divertissement pour la soirée.

— Mon petit ami, soupirai-je.

Je commençai à peler l'étiquette de ma bière. L'alcool réchauffa rapidement mon corps. L'estomac vide, les effets se faisaient sentir bien plus vite.

Tucker hocha la tête et il but sa bière jusqu'à ce que la bouteille soit vide.

— C'est dommage.

— Il jappe plus qu'il ne mord.

Ce n'était pas vrai le moins du monde, mais je n'étais pas sur le point d'avouer ma faiblesse devant un parfait étranger.

— Il faut peut-être que quelqu'un le muselle.

— Et toi ? As-tu une petite amie ?

Il rit et fit tourner la bouteille dans sa main avant que ses yeux entrent en contact avec les miens.

— Ça dépend.

Il se pencha en avant sur les coudes.

— Vas-tu quitter l'enculé ?

Je me calai dans mon siège, totalement choquée par son audace.

La cloche sonna, indiquant que sa nourriture était prête, et je bondis.

— Je vais aller chercher ça.

Je souris d'un air gêné tandis que je me précipitais vers la cuisine.

— T'essaies d'faire un peu de fric supplémentaire ce soir ?

Larry mima un geste dégoûtant avec ses hanches qui me fit monter la bile dans la gorge.

Je secouai la tête.

— Va te faire foutre, espèce de vieux pervers !

Je m'emparai de la nourriture puis m'en allai, furieuse. J'étais surtout en colère contre moi-même. D'abord, pourquoi m'étais-je assise avec ce gars ? Si Larry décidait de jaser de ça avec Jax, ça allait chauffer.

Je posai la nourriture sur la table et je fis un signe de tête poli à Tucker avant de me tourner pour partir.

— Attends ! Tu ne vas pas me tenir compagnie ?

Je pouvais entendre le sourire qu'il avait dans la voix. Ça me mit hors de moi. Je savais ce que voulaient les gars comme lui ; c'était ce que voulaient tous les gars.

Je pivotai et avançai de trois pas, réduisant la distance entre nous. Je posai les mains sur la table et me penchai vers lui. Il sentait la noix de coco. Ça me déstabilisa. C'était la plage, le parfum de la liberté s'élevant de ses cheveux comme un effluve.

— Je ne suis pas une putain, merde. Tu ne peux pas acheter mon temps.

Il se cala dans son siège, pris de court par ma répartie. Je savais que je passais ma colère contre Larry sur lui, mais c'était plus fort que moi.

— Je voulais seulement de la compagnie et tu avais l'air...

— L'air de quoi? D'un coup facile?

Je me croisai les bras sur la poitrine.

— Il n'y a rien de facile chez toi, ça, je le vois déjà.

Il se fendit d'un sourire tandis qu'il levait son hamburger pour en prendre une grosse bouchée, puis il le lâcha sur son assiette, ses yeux regardant fixement devant lui.

Mon estomac affamé gronda et je me tournai, puis partis en trombe, totalement déconcertée par sa réaction.

Je ne m'approchai plus de Tucker jusqu'à ce que je sois certaine qu'il ait terminé son repas. J'apportai l'addition sans un mot. Je l'observai depuis la cuisine pendant qu'il cherchait l'argent dans son portefeuille, qu'il laissa tomber sur la table. Il regarda autour de lui une dernière fois, puis il partit. Le son de sa motocyclette gronda au loin.

Je soupirai et me rendis à sa table pour ramasser l'argent afin de pouvoir encaisser ma dernière addition de la soirée. Je pris l'argent et tendis la main vers son assiette. Épelé avec du ketchup, il y avait le mot «*désolé*». Je soupirai et essuyai la table. J'avais besoin de sommeil.

Je fis rapidement les comptes et criai à Larry que je partais, puis je me mis en route vers la maison à travers le stationnement poussiéreux et sombre. La roulotte était calme et je savais que maman et Jax étaient probablement dans les vapes. Du moins, je l'espérais.

J'entrai sur la pointe des pieds et m'avançai dans le couloir. Exactement comme je l'avais souhaité, ils dormaient tous les deux. Ils étaient dans un coma provoqué par la drogue, pour être plus juste. Je retirai mes chaussures de sport rouges Chuck Taylor et les lançai dans ma chambre, puis je revins vers la porte d'entrée et sortis en attrapant mes cigarettes au passage.

Cette fois, je n'hésitai pas à en allumer une. Quel était le but de rester en bonne santé ? Voulais-je vraiment vivre encore longtemps dans ce trou à rats ? C'était une nuit relativement paisible. Si je fermais les yeux, je pouvais presque prétendre être quelqu'un d'autre. Presque. Au loin, un chien jappa furieusement et, à quelques roulottes d'où j'étais, je pouvais entendre les Hanson se battre ou… faire ce qu'ils faisaient pour qu'elle crie comme ça. Dégoûtant.

Après une dernière bouffée, je jetai ma cigarette dans une flaque sur la route et pris le chemin du retour. Je patientai quelques minutes jusqu'à ce que mes nerfs ne puissent plus le supporter. Ils dormaient. Personne ne regardait. J'entrai dans ma chambre sur la pointe des pieds et sortit doucement mon vieil ourson en peluche piteux de ma commode. Mon père me l'avait offert quand j'étais enfant. C'était avant qu'il ne m'oublie. Je glissai les doigts dans une fente dissimulée dans son dos et en sortis une petite liasse de billets. J'économisais depuis ce qui me semblait une éternité. J'avais besoin d'une somme suffisante pour le premier et le dernier mois de loyer d'un nouvel appartement. Un endroit à quelques villes d'ici. Je souris. Encore quelques semaines et je réussirais peut-être mon coup. Quelqu'un remua et je rangeai l'argent en sécurité à l'intérieur de mon ourson.

Je me faufilai en douce dans le salon et allumai le téléviseur. Quelques minutes plus tard, Jax sortit de la salle de bain dans un état de torpeur.

— Salut, dit-il en se frottant les yeux avec ses paumes.

— Salut.

Je ne le regardai pas. Ses yeux étaient vides de toute façon. C'était l'air qu'il avait toujours lorsqu'il consommait. Il m'avait promis d'arrêter un million de fois. Des mensonges. Toujours des mensonges. Je fis le tour des trois chaînes que nous recevions, cherchant quelque chose à part le bulletin de nouvelles.

— Tu as de l'argent?

Il se grattait le ventre sous son maillot de corps.

— Quand ai-je de l'argent? répliquai-je sèchement.

J'éteignis le téléviseur. Je me levai et passai devant lui, le frappant durement avec mon épaule.

— Merde, Cass, t'es pas obligée d'être vache à cause de ça.

Je claquai la porte de ma chambre et me laissai tomber sur le lit, enfouissant mon visage dans mon édredon fleuri. Pour la énième fois, je m'endormis en pleurant.

CHAPITRE 3

— *A*argh...

Je tendis la main vers le réveille-matin et lui donnai quelques petites tapes jusqu'à ce qu'il cesse enfin de sonner. Je ne voulais pas ouvrir les yeux. Les rêves étaient toujours plus beaux que la réalité. La nuit dernière, j'avais de nouveau quatre ans et j'étais avec ma mère et mon père. Il était grand et fort et il avait des cheveux blonds fins clairsemés. Ma mère avait encore cette étincelle dans l'œil qui s'était éteinte depuis. Dans mes souvenirs, elle était identique à moi maintenant. Elle souriait et riait alors qu'elle et mon père se tenaient par la main. À tous les deux ou trois pas, ils levaient les bras pour me soulever du sol. J'avais l'impression de voler, c'était si bon! La Cass adulte se rappelait ces beaux moments et ils lui manquaient.

Résignée, je m'étirai et m'assis, en regardant ma chambre. Les murs étaient d'un vert terne et le tapis, bleu et taché. C'était hideux. Je la gardais propre, mais aucun effort de récurage ne pouvait la rendre agréable pour l'œil. Tout mon ameublement était usagé et brisé.

— Cass! cria Jax depuis le salon.

Je bâillai et m'accordai un autre moment de paix avant de m'habiller pour le boulot et d'entrer dans le salon pour l'y trouver. Affalé sur le divan brun, il se frottait les tempes.

— Je ne me sens pas bien, gémit-il, les sourcils collés ensemble.

— Qu'est-ce qui ne va pas?

Je m'assis à côté de lui et mis la main sur son front. Il n'était pas fiévreux.

— Un mal de tête?

Il acquiesça d'un signe et il m'attira contre sa poitrine. J'aurais voulu lui résister. Je lui en voulais terriblement de m'avoir à nouveau menti. Mais au lieu de ça, je posai ma tête sur son torse et écoutai les battements de son cœur.

Il passa une main dans ma chevelure.

— Je ne voulais pas, Cass. J'ai merdé.

Je savais qu'il ne voulait pas être un toxicomane. Il était dépendant et il n'avait aucun moyen de s'en sortir. J'avais essayé de le convaincre de rejoindre un groupe. J'avais pensé que ça pourrait l'aider à passer au travers de ça. J'avais même apporté un dépliant à la maison. Mais il l'avait déchiré et me l'avait lancé au visage. Il avait dit que les groupes étaient pour les mauviettes. Qu'il pouvait arrêter tout seul. Je levai les yeux vers son visage et il ferma les siens en serrant très fort les paupières. *Il avait tort*, pensai-je avec un soupir.

— Je dois me préparer pour le boulot.

Je m'assis, mais Jackson m'attrapa les poignets et il essaya de me ramener contre lui.

— Reste.

Il tira plus fort jusqu'à ce que mon corps tombe sur lui.

Je lui donnai une petite tape sur le torse et me relevai.

— Je dois aller travailler. Je ne veux pas être coincée ici pour toujours.

Ses yeux s'ouvrirent brusquement et je sus que j'avais dit ce qu'il ne fallait pas dire.

— Qu'est-ce que t'aimes pas *ici*, Cass? T'es trop bonne pour cet endroit? Tu vivrais dans la rue en ce moment si je n'avais pas trouvé cette roulotte.

Sa voix était basse et froide.

Je reculai d'un pas.

Il se redressa et il se leva lentement.

— Tu veux sucer des queues pour gagner ta vie comme ta maman dans le passé?

Il s'approcha plus près. Mes jambes étaient appuyées sur la chaise à présent et je luttais pour ne pas tomber dessus à la renverse.

— Je parie que c'est comme ça que tu gagnes tes pourboires.

— Je suis désolée.

Ma voix était à peine un murmure. Ma gorge s'était asséchée et je pouvais tout juste parler. L'attitude que j'adoptais pour me protéger du monde disparaissait en présence de Jax. Toujours. Il était plus fort que moi physiquement, mais ce n'était pas ça qui finissait par avoir le dessus sur moi. Ses paroles étaient ce qui me blessait le plus. Après m'être fait répéter pendant si longtemps que je ne valais rien et que personne d'autre ne voudrait de moi, j'avais commencé à croire que c'était vrai. J'affichais toujours du courage devant les autres. J'essayais de prouver que je n'étais pas la petite fille faible que j'avais l'impression d'être en mon for intérieur, mais Jax, lui, voyait à travers mon masque, il le faisait fondre sous son regard pénétrant.

Il n'était pas toujours comme ça. Seulement lorsqu'il consommait et avait besoin d'une nouvelle dose. Sa main vola et il agrippa le haut de mon bras. Il serra et je criai de douleur tandis que mes genoux cédaient sous moi.

Son visage était à présent au-dessus du mien; sa mâchoire, contractée.

— Espèce de petite bonne à rien de putain ingrate.

Je tressaillis sous ses mots. Ils me blessaient plus que ses mains.

— J'essaie juste d'améliorer les choses pour nous, murmurai-je.

— Oh, je ne suis pas assez homme pour te faire vivre?

— Je dois partir. Je dois...

Il rapprocha son visage du mien jusqu'à ce que nos nez se touchent.

— Tu n'es qu'une paumée de merde.

Il lâcha mon bras, me repoussant sur la chaise. Je tombai sans aucune grâce. Je couvris rapidement mon visage de mes mains pour me protéger de coups qui allaient pleuvoir sur moi. Rien. Je regardai discrètement entre mes doigts et soupirai. J'étais seule. J'attrapai mon tablier et partis aussi vite que possible.

Ce jour-là, je faisais les quarts du matin et du soir. Même si je détestais mon travail, c'était mieux que ce qui m'attendait autrement. Je ferais n'importe quoi pour ne pas me retrouver à la rue. De plus, j'avais réussi à économiser six cents dollars jusqu'à maintenant. Je pouvais presque sentir le goût de la liberté. Une nouvelle vie. Il fallait juste que je me pousse encore plus et j'allais réussir à améliorer les choses pour nous. J'allais obtenir de l'aide pour Jackson et peut-être aider ma mère à se faire des amis, à se créer un réseau de soutien. Je voulais une maison à moi. Je voulais être fière de la personne que j'étais et ne pas avoir à me demander si j'avais les moyens d'acheter de la nourriture ou d'avoir de l'eau chaude. Pour une fois, je voulais tenir ces besoins de base pour acquis.

— Tu as une demi-heure d'avance, cria Larry de la cuisine.

Je continuai en direction de la salle à manger et commençai ma mise en place pour mon quart de travail.

— Je ne vais pas pointer plus tôt. J'avais seulement besoin d'air.

Je haussai les épaules et entrepris de remplir les salières et les poivrières. Il ne répondit pas, il n'émit aucune remarque déplaisante. Il savait ce qui se passait chez moi. Tout le parc à roulottes était au courant. Pas qu'on s'en souciait. Chacun avait ses problèmes et les miens n'étaient pas différents. En fait, bien des gens en bavaient encore plus.

Quand le café ouvrit enfin, il fallut une demi-heure avant qu'un client se pointe. Larry prépara des œufs et des rôties pour nous. De temps à autre, il était gentil. J'appréciais ces moments-là. Je savais que j'étais impolie et que j'attaquais verbalement presque tout le monde, mais c'était le seul moyen de me protéger. Je ne voulais pas être blessée par les autres. Si je m'ouvrais, j'invitais une personne à me déchirer, à me quitter.

Je mangeai mon petit déjeuner en roulant des ustensiles dans des serviettes en papier et en les attachant avec de petites languettes de papier. Je n'avais qu'un remplissage de café à faire de temps en temps à ma seule table, de sorte que le matin s'étirait en longueur.

Pendant un temps mort, j'allai dans la salle de bain et tressai mes cheveux sur un côté, tout en examinant mon reflet. J'étais une fille ordinaire avec des taches de rousseur sur le nez et un visage en forme de cœur qui me donnait trop l'air d'une adolescente. Je détestais ça.

Je soupirai et levai ma manche pour regarder les ecchymoses en dessous. *Super.* Elles n'allaient pas disparaître bientôt, loin de là. Mes yeux, habituellement bleu ciel, paraissaient ternes et délavés. On aurait dit que ma vie s'écoulait littéralement par eux. Je commençais à devenir comme ma mère. Tout ce qu'il me fallait de plus, c'était une dépendance à la drogue et dix-huit kilos supplémentaires. Je levai les yeux au ciel et pouffai de rire devant ma propre plaisanterie. Un néant aux cheveux châtains et aux yeux bleus. Le minuscule sourire causé par ma blague privée s'estompa rapidement tandis que je me contemplais une dernière fois avant d'éteindre la lumière et de retourner au boulot.

J'entrai dans la salle à manger et ma mâchoire faillit se décrocher : Tucker était installé confortablement à l'une de mes tables, menu en main. Je jetai un coup d'œil à Larry, qui était appuyé contre le poste de travail des serveuses. Il sourit largement et regarda de nouveau Tucker. Je replaçai mon tablier et fit courir une main dans mes cheveux. Étais-je nerveuse ? Pourquoi diable ? Ce gars allait m'attirer seulement des ennuis et il était avide de punitions s'il pensait que traîner dans cet endroit était amusant.

— Allô.

Je lui offris mon meilleur sourire fabriqué, mais je n'eus pas à me forcer autant que d'habitude.

— Salut, mon cœur.

Son sourire était rayonnant.

Mon cœur fit un bond dans ma poitrine et j'avalai péniblement.

— Puis-je t'offrir à boire pour commencer ?

— Du jus d'orange, ce serait bon.

Je me dirigeai vers la cuisine pour aller lui chercher un verre.

— Qui est ton nouvel ami ? demanda Larry avec un sourire stupide sur le visage.

Je levai les yeux au ciel et l'ignorai en versant le jus de Tucker.

— Jax va devenir fou.

Larry s'esclaffa. J'aurais voulu frapper sa bouche stupide. Il n'avait aucune idée de ce que faisait Jax lorsqu'il perdait la tête. Je jetai un regard noir à Larry et retournai dans la salle à manger apporter à Tucker son verre de jus d'orange.

— Alors, tu n'es pas du coin, n'est-ce pas ?

Je ne l'avais jamais vu avant. Je me souviendrais d'un visage comme le sien. Il n'était pas à sa place ici. Il était couvert de tatouages, ça c'était normal, mais ils avaient tous l'air de chefs-d'œuvre. Pas les gribouillis faits maison ordinaires ni les tatouages de prisonnier que la plupart des gens arboraient ici. Tucker se passa une main dans ses cheveux en bataille. Ils formaient des pics dans toutes les directions.

— Je suis seulement en ville quelques jours pour le travail. Je demeure temporairement à Savannah.

— Savannah ? Il y a toutes sortes d'endroits où manger là-bas. Qu'est-ce qui t'amène à Eddington ?

J'étais indiscrète. Je ne savais même pas pourquoi je m'en souciais. La curiosité, j'imagine. Personne ne faisait jamais d'effort ou ne s'écartait de son chemin pour venir ici.

— J'aime son atmosphère de petite ville.

Il haussa les épaules.

Ça me rendit furieuse. Je ne sais pas trop pourquoi, mais ce fut le cas. Je me tuais presque pour me sortir de ce lieu paumé, et il venait ici pour se sentir dans une ambiance douillette?

— As-tu choisi quelque chose?

Je levai un sourcil et il me dévisagea un moment comme s'il ne me comprenait pas. Apparemment, ma frustration devant son commentaire était évidente.

— Ouais, je vais prendre le jambon avec deux œufs. Tournés avec tes mains expertes, les jaunes coulants.

Il me tendit le menu.

— Tu aimes les expertes, j'ai compris.

— En fait, j'aime les défis.

Mes joues brûlèrent tandis que je rougissais de gêne. Je pivotai et partis vers la cuisine. *Super, foutrement super.*

Larry prit la commande avec un immense sourire sur le visage. Pendant que j'attendais la nourriture, j'allumai le poste de radio dans le restaurant. Je syntonisai ma station favorite et commençai à chanter en chœur pendant que j'essuyais les menus. La musique était une échappatoire pour moi. Elle me sortait de ma vie quotidienne et me transportait dans un autre monde comme par magie. J'adorais ça. Je continuai à chanter tandis que les chansons s'enchaînaient les unes à la suite des autres.

Larry lui-même semblait de meilleure humeur, fredonnant la chanson qui jouait à la radio alors qu'il déposait l'assiette de nourriture pour ma table. J'étais encore perdue dans la chanson quand je l'apportai à Tucker.

— Tu aimes cette chanson? demanda-t-il en déballant ses ustensiles.

— Elle est belle.

Tucker se fendit d'un sourire et je répondis à son geste.

— Tu veux t'asseoir ? On dirait que tu n'es pas très occupée.

Je balayai la salle vide du regard. Il avait raison. La journée allait s'écouler lentement et après lui avoir sauté à la gueule la veille, je lui devais au moins ça.

Je soupirai et me glissai sur la banquette devant lui. Il mangeait pendant que je marquais le rythme de la musique avec mes doigts sur la table.

Il m'observa en mâchant.

— Damaged.

— Quoi ?

— Le groupe. Tu l'as vu en concert ?

Il prit une autre bouchée de jambon et l'enfourna. Il avait de belles lèvres.

Je secouai la tête, me rendant compte qu'il m'avait dit quelque chose.

— Je suis désolée… quoi ?

— Ils jouent à Savannah dans quelques jours.

Il sourit.

— Je ne vais pas souvent en ville.

— Pourquoi pas ?

— Je ne sais pas. Les taxis sont coûteux, je suppose. Mais qu'est-ce que c'est ? Le jeu des vingt questions ?

— Bien… tu n'es pas tout à fait un livre ouvert.

— Peut-être parce que ma vie ne te regarde pas.

Je haussai un sourcil dans sa direction tandis que je m'emparais de son jus d'orange pour en boire une gorgée.

Il rit et il posa ses ustensiles.

— Demande-moi quelque chose. N'importe quoi.

— D'accord.

Je reposai le verre sur la table alors que j'essayais de trouver quelque chose à lui demander.

— Que fais-tu pour gagner ta vie?

Il fit la grimace et il prit une autre bouchée de nourriture.

— Demande-moi autre chose.

Je soupirai et je posai ma tête dans ma main.

— Quelle est ta couleur préférée?

— C'est *ça* que tu veux savoir?

— C'est la seule chose qui m'est venue à l'esprit.

Je haussai les épaules en froissant le papier de sa paille entre mes doigts.

Il se pencha encore une fois vers moi, ses yeux bleus scrutant les miens.

— Demande-moi pourquoi je suis ici. Demande-moi pourquoi je reviens sans cesse.

La cloche au-dessus de la porte sonna et Jackson entra en trébuchant. Ses yeux se plissèrent de rage.

— Merde, murmurai-je en coinçant nerveusement mes cheveux derrière mon oreille.

Tucker regarda par-dessus son épaule pour voir ce qui m'avait soudainement bouleversée à ce point.

— Espèce de sale petite putain!

Jackson bouillait de fureur.

J'agitai les mains devant moi, le suppliant d'arrêter. À l'évidence, il était défoncé et il ne savait plus ce qu'il disait.

— Jax, ce n'est pas ce que tu penses.

Il empestait l'alcool.

— Tout va bien?

Les yeux de Tucker étaient fixés sur les miens. Il avait l'air de mourir d'envie de se battre.

— C'est pas tes putains d'oignons, l'enculé.

Jackson se pencha vers Tucker, les bras tendus. Jax saisit mon bras pour me tirer hors du box. Sa main s'enroula autour de mes ecchymoses encore sensibles. Je tressaillis et un petit cri perçant s'échappa de mes lèvres.

Tucker bondit de son siège et se retrouva nez à nez avec Jackson en moins de deux.

— Ôte tes sales pattes de sur elle.

La voix de Tucker était basse et d'un calme effrayant. Les muscles de sa mâchoire tiquèrent pendant qu'il attendait.

Jax desserra momentanément sa prise sur moi. Je frottai ma chair tendre, essayant de faire disparaître la douleur.

L'attention de Jackson était à présent sur Tucker.

— De quoi tu te mêles? C'est *ma* copine. Je mettrai mes mains où je veux sur elle.

Jax avait l'avantage de quelques centimètres sur lui, mais Tucker était svelte et en forme. À l'évidence, il passait du temps à s'entraîner, au contraire de Jackson.

— Tu veux te battre avec quelqu'un? Je suis juste ici, enfoiré.

Tucker dansait d'un pied sur l'autre. Ça me rappelait la façon dont un boxeur sautille autour du ring pendant un combat, mais en plus subtil.

Je m'imposai entre eux, me positionnant face à face avec Tucker.

— Arrête ça! Je vais bien.

« Dieu qu'il a de belles lèvres. Merde. Cesse de fixer ses lèvres. »

— S'il te plaît…, murmurai-je.

— Tu es bien avec un enculé qui te maltraite?

Tucker fulminait et il chercha autour de moi pour fusiller Jax du regard.

Je bougeai afin que mon visage soit à nouveau dans la ligne de mire de Tucker, à quelques centimètres de son visage seulement.

— Ce n'est pas ce que tu penses. Il est contrarié, c'est tout.

Je tentais désespérément de désamorcer la situation.

— Je n'ai pas besoin que tu prennes ma défense, Cass. Je n'en ai rien à foutre de ce qu'il pense de moi.

Je savais que Jax était sur le point de vraiment exploser.

— Tu veux savoir ce que je pense ?

Tucker s'avança d'un pas et son torse se retrouva collé sur le mien. Je pouvais sentir la chaleur irradier de son corps.

— Je pense que tu es un pauvre connard qui aime battre les pauvres filles sans défense pour avoir l'impression que sa queue est plus grosse.

— Arrête, Tucker.

Il me semblait que mon univers implosait. Je savais qu'il pouvait sentir mon cœur battre la chamade dans ma poitrine tandis que je le poussais pour qu'il recule, dans un effort désespéré pour ne pas que la situation dégénère. Je fermai les yeux, me préparant mentalement à recevoir un coup par derrière. Je ne savais pas si Jax avait les couilles pour se battre avec Tucker, mais je savais qu'il n'aurait aucun scrupule à passer sa colère sur moi.

— S'il te plaît, arrête ça. Merci de t'inquiéter pour moi, mais c'est entre mon chum et moi.

Je regardai fixement les yeux de Tucker, le suppliant de lâcher le morceau.

Il recula d'un pas. Son expression était maintenant triste.

— Cass ? Qu'est-ce qui se passe là-bas ?

Larry se tenait dans l'embrasure de la porte de la cuisine.

Je pris une profonde respiration.

« La noix de coco. Je reconnais cette odeur. »

— Rien ! lançai-je en réponse avant de me retourner pour saisir Jax par le poignet.

Je le tirai vers la porte tout en gardant le regard fixé sur Tucker, espérant qu'il ne nous suivrait pas. Il ne ferait qu'empirer les choses pour moi.

Une fois dans le stationnement, je commençai à perdre mon calme.

— Que fais-tu ici, Jax ? lui demandai-je en me croisant les bras sur la poitrine.

— J'avais besoin d'un peu de fric, mais j'imagine que t'étais occupée avec le p'tit con.

Sa voix enflait à mesure qu'il parlait.

— J'espère qu'il te donne de bons pourboires.

— Rentre à la maison, Jax. Je n'ai pas les moyens de perdre ce boulot.

— Merde, à qui tu crois parler, Cass ?

Il s'avança, nos nez se touchèrent. Je refusai de céder. Je serrai les poings très fort de chaque côté de mon corps et priai pour avoir du courage.

— S'il te plaît, Jax. J'ai besoin de ce boulot. S'il te plaît ?

— Je pensais que tu avais besoin de moi.

— Tu sais bien que oui, Jax. Je serai à la maison dans quelques heures.

Il recula d'un pas et, d'un coup de pied, envoya un nuage de poussière dans ma direction avant de s'en aller vers la roulotte. Je lâchai la bouffée d'air que j'avais retenue tout ce temps et m'en retournai vers le restaurant.

Je me glissai à l'intérieur, soudain terriblement nerveuse.

Tucker sortait de l'argent de son portefeuille lorsque j'entrai. Il lança les billets sur la table. Ses yeux croisèrent les miens pendant un bref moment, puis il secoua la tête.

— Tu mérites mieux que ça, Cass.

Il marcha droit devant, puis franchit la porte.

Je me sentais terriblement mal. Pourquoi Tucker m'avait-il défendue aussi ? Il ne me connaissait même pas. Pourquoi s'énervait-il ? Je m'obligeai à prendre trois profondes respirations et à compter jusqu'à dix. Je ne voulais pas pleurer. Larry ne me laisserait jamais oublier cet incident et s'il en avait envie, il était bien placé pour me faire virer.

CHAPITRE 4

$\mathcal{L}$es heures suivantes s'étirèrent douloureusement en longueur. Je n'avais jamais plus de deux tables en même temps. Larry ne me parlait pas. Il se contentait de secouer la tête et détournait les yeux chaque fois que je m'approchais de lui. C'était atroce. Je passai le temps à imaginer le décor de mon nouveau foyer. J'inventai une maison immaculée de deux étages, blanche du plancher au plafond. Je cultiverais un potager dans ma cour et apprendrais à vivre de ma terre autant que possible. Même en mettant beaucoup d'efforts pour imaginer Jax avec moi, je n'y arrivais plus. Toutes les fois où je rejouais cette scène dans ma tête, elle se terminait toujours mal entre lui et moi. C'était de plus en plus difficile pour moi de voir ma propre mère comme elle était lorsque j'étais enfant. Le monde réel ne ressemblait en rien au conte de fées qu'elle m'avait dépeint quand j'étais enfant.

Le son d'une motocyclette percuta mon cœur, qui commença à battre follement. Je m'étirai au-dessus d'une table pour regarder par la fenêtre poussiéreuse. Ce n'était pas Tucker, alors je me détournai, déçue. Pourquoi même m'en souciai-je? Un homme venu de nulle part avait fait preuve de gentillesse envers moi pour la première fois depuis des années et j'attendais près de la fenêtre comme un chiot?

L'homme qui entra semblait être au début de la vingtaine. Il fit courir une main dans ses cheveux qui tombaient en cascades de boucles noires sur ses épaules. Il semblait beaucoup trop vêtu par ce temps chaud. Il portait une veste de cuir et un casque de motocyclette couronné d'une crête rouge à la mohawk sous son bras. Il retira ses lunettes de soleil miroir et regarda autour de lui. Ses yeux tombèrent sur moi et il sourit avant de se glisser dans un box beaucoup trop grand pour lui seul. Il avait un air exotique avec ses yeux pâles et sa mâchoire forte et angulaire.

Exactement ce dont j'avais besoin. J'attrapai un menu et me frayai un chemin jusqu'à sa table. Il examinait le décor et si l'endroit avait été plus beau, j'aurais pensé qu'il avait l'intention de nous voler. Ici, évidemment, ce serait inutile. Aucun idiot qui se respecte ne s'en donnerait la peine.

— Salut. Je m'appelle Cass. Puis-je commencer par t'offrir quelque chose à boire ?

Il retira la veste qui lui collait au corps, dévoilant un maillot de corps en dessous. Ses tatouages étaient visibles à travers comme s'il était fait de gaze plutôt que de coton. Il était extrêmement musclé et intimidant.

— Une bière ?

Je me contentai d'acquiescer d'un signe de tête. J'aurais pu lui dire non, mais il ne semblait pas que « non » soit une réponse qu'il avait l'habitude d'entendre. J'espérais que ça ne dérangerait pas Larry. Je me glissai dans la cuisine et j'attrapai une bouteille au long col dans le réfrigérateur. Tant qu'on la payait, ça ne devrait pas poser de problème. Du moins, c'est ce que je me dis pendant que je m'emparais de la maudite bière.

Quand je remis les pieds dans la salle à manger, je n'en croyais pas mes yeux. Il s'était multiplié.

« C'est quoi ce bord... »

Un homme absolument identique était assis directement en face de lui.

— Salut. Je suis...

Je déposai lentement la bière devant le premier motard.

— Je vais prendre une bière aussi, Cass. Merci.

Il sourit et je restai abasourdie, le dévisageant un moment avant d'aller piger encore une fois dans la réserve de Larry.

Quelle putain de journée étrange ! J'apportai la boisson au sosie et je leur demandai s'ils voulaient commander quelque chose à manger. Ils refusèrent, alors je les laissai se débrouiller seuls pendant que je m'occupais de mes autres clients.

Larry gardait l'œil sur eux et s'assura de me faire comprendre qu'il pensait qu'ils préparaient quelque chose de pas net, mais ils ne causèrent pas d'ennuis. L'unique bruit s'échappant occasionnellement de leur box était quelques éclats de rire.

Rires qui stoppèrent net avec l'arrivée de Jackson, qui surgit environ quarante-cinq minutes plus tard. Il entra dans la salle à manger en chancelant et il balaya la salle du regard à ma recherche. Il lui fallut une bonne minute avant d'arriver à former une image claire devant lui, mais quand il m'aperçut enfin, il cria dans le café en articulant mal :

— Ramène ton cul ici, Cass.

Je me précipitai vers lui, ne voulant pas qu'il fasse une autre scène.

J'avançai de quelques pas vers lui avant qu'une main ne m'attrape par l'épaule, me tire vers l'arrière et que les jumeaux à l'air menaçant se placent devant moi. Jackson était en état de choc, tout comme moi.

— Merde, qu'est-ce qu'y s'passe, Cass?

Il tenta de crier vers moi en se penchant d'un côté, mais ils lui bloquaient la vue. Je savais que j'allais le payer cher plus tard.

Ils ne lui dirent pas un mot, ils se contentèrent de se croiser les bras sur le torse jusqu'à ce que Jax abandonne et fasse demi-tour.

J'étais sans voix. La cloche au-dessus de la porte d'entrée tinta quand la porte se referma, et les hommes reprirent leur place dans le box et continuèrent à parler comme si rien ne s'était passé. Je me hâtai vers la cuisine et me glissai à l'intérieur. Je pris une bière pour chacun des jumeaux. Larry me décocha un regard furieux, mais je l'ignorai et emportai les bouteilles aux gars. L'un d'eux était au téléphone, mais il interrompit sa conversation pour me remercier. Je hochai la tête, ne voulant pas le déranger.

— Elle est là, dit le gars et il me tendit le téléphone pour que je le prenne.

Je le regardai comme s'il allait exploser dans ma main, mais je le saisis tout de même et l'approchai lentement de mon oreille.

— Cass, désolé de ne pas avoir été là cette fois-ci. J'ai quelques trucs à faire pour le boulot. Mes gars m'ont promis de veiller à ce qu'il ne t'arrive rien.

C'était Tucker, la voix teintée d'inquiétude.

— Attend… quoi?

Je passai une main dans mes cheveux tandis que j'essayais de comprendre ce qui pouvait bien se passer.

— Tu ne devrais pas laisser ce gars-là te traiter comme ça. Tu mérites mieux, mon cœur.

Il y eut un long silence, lourd de sens, pendant que j'écoutais sa respiration à l'autre bout du téléphone. J'aurais dû lui dire que je n'étais pas son «cœur». J'aurais dû lui dire que ma vie, ce n'était pas son problème.

— Merci… murmurai-je, ma voix se faisant à peine entendre.

«Pourquoi s'en soucie-t-il?»

Il ne me connaissait pas. Il ne connaissait pas ma situation. Ma main libre remonta le long de mon bras jusqu'aux ecchymoses fraîches du matin. Il comprenait peut-être mieux ce qui se passait que je ne le pensais.

— Pas de problème. Je vais passer dès que je peux sortir d'ici. Tu travailles jusqu'à la fermeture?

Je me mordillai la lèvre tout en regardant les gars assis devant moi.

— Ouais… oui.

— Bien. Je te vois plus tard.

— Bye.

Je remis le téléphone au jumeau et me dirigeai droit vers les toilettes.

Une fois à l'intérieur, je m'appuyai contre la porte et pris une profonde respiration. Personne ne s'était jamais soucié de moi. Depuis des années. Pas même mes parents. Pas même mon petit ami. C'était bouleversant.

Je passai les heures suivantes dans la brume. J'étais nerveuse de revoir Tucker. Je ne comprenais pas pourquoi. Il était la seule personne un étranger pour qui je comptais. J'aurais dû être excitée, mais je me surpris à m'interroger sur ses motifs. On ne gagnait pas facilement ma confiance, même si personne n'avait fait l'effort d'essayer avant.

Je nettoyai l'une après l'autre les tables inoccupées du restaurant. Quand l'endroit fut suffisamment propre, j'utilisai l'argent de mes pourboires pour m'acheter une frite. J'étais affamée et je ne voulais pas m'évanouir devant Tucker. Il me voyait déjà comme une demoiselle en détresse.

Je mangeai seule à l'autre bout du restaurant, gardant les yeux sur les jumeaux. Ils devaient être de très bons amis de Tucker pour perdre toutes ces heures précieuses de leur journée à me protéger. Je voulais en savoir plus sur eux, mais je n'allais pas leur poser de questions. Ils appartenaient peut-être à une étrange bande de motards altruistes qui faisaient des pieds et des mains pour défendre la veuve et l'orphelin. Je pouffai et ris en moi-même. J'aurais aimé qu'ils partent. Je m'étais occupée de moi toutes ces années, je n'avais certainement pas besoin d'avoir une gardienne maintenant. Tout de même, c'était bon de savoir que quelqu'un pensait à moi. Je souhaitais quand même que ce quelqu'un, ce soit Jackson.

Je terminai mes frites et saisis un balai et un ramasse-poussière dans le placard pour nettoyer les vieux carreaux. Je n'avais jamais mis autant d'efforts à m'occuper du café, même si ça ne faisait pas de différence. Il ne brillait pas comme un sou neuf et tout ce que j'avais réussi à faire, c'était de m'épuiser.

La cloche au-dessus de la porte sonna, et je stoppai net, retenant mon souffle tandis que Tucker entrait. Il balaya le restaurant du regard et quand ses yeux croisèrent les miens, il sourit. Je lui souris en retour et sentis mon visage s'enflammer pendant que je rougissais. Ce gars était synonyme d'ennuis, mais comme ça m'était égal maintenant !

Il se glissa dans le box avec ses amis et je me dirigeai vers la cuisine pour aller lui chercher une bière, laissant là le balai, appuyé contre le mur. Mes paumes étaient moites et je me sentais excitée. C'était nouveau pour moi. Je ne me rappelais pas la dernière fois où j'avais été excitée par quelque chose.

Je m'emparai d'une bouteille dans le réfrigérateur et pris une profonde respiration avant de revenir silencieusement dans la salle à manger.

Je posai la boisson sur la table devant Tucker et lui souris. Un sourire sincère.

— Merci.

Je baissai les yeux vers le plancher avant de les relever sur lui.

— À ton service.

Il sourit et ses joues se creusèrent de fossettes.

— Voici Chris et Terry.

Il pointa les gars en sa compagnie avec le goulot de sa bouteille.

Je fis un signe de tête.

— Enchantée.

Je me sentais idiote, debout à sourire comme une folle.

Terry ou bien était-ce Chris ? Un des jumeaux rompit le silence.

— On va partir, mec. On n'veut pas manquer la fête, et puis Éric se balance probablement déjà nu au bout d'un lustre. T'es sûr que tu n'viens pas ?

Les yeux de Tucker brillèrent fugitivement vers moi avant de revenir à son ami.

— Ouais, c'est bien c'que j'pensais, dit le jumeau et il me fit un petit sourire en coin.

Les gars se levèrent de table et marchèrent en direction de la porte d'entrée.

Nous nous dévisageâmes avec gêne pendant un moment, Tucker et moi, tandis que la cloche tintait, signalant leur départ.

— Tu veux t'asseoir ?

Il désigna la banquette devant lui.

Je n'avais aucun client, alors je me glissai sur la banquette en me tortillant nerveusement les doigts.

— Pourquoi fais-tu ça ?

Il me fit un demi-sourire.

— Bien, je ne pouvais pas être ici. J'avais du travail.

Il prit une gorgée dans sa bouteille.

— Je ne te demande pas pourquoi tu as envoyé quelqu'un ici, je veux savoir pourquoi tu essaies de me protéger, point.

Il me regarda comme si je parlais une langue étrangère.

— Pourquoi je n'le ferais pas ?

Il semblait insulté. Il but une longue gorgée de bière, les yeux fixés sur les miens.

Ça me rendit nerveuse. Je mordis ma lèvre inférieure et regardai fixement mes mains. Il devait vouloir quelque chose de moi. Personne ne se donne autant de mal pour être gentil envers quelqu'un sans vouloir quelque chose en retour.

— Et tu ne vas toujours pas me dire ce que tu fais pour gagner ta vie ?

Il déposa sa bière sur la table et il me fit signe que non.

— Je ne vais pas te juger.

Je ris.

— Je suis serveuse, pour l'amour de Dieu.

— Ne fais pas ça.

— Quoi?

— Donner l'impression que tu as moins de valeur que tout le monde.

— Je ne sais même pas pourquoi ça t'intéresse.

— C'est parce que tu ne m'as pas posé la question.

— Recommences-tu à jouer au jeu des vingt questions? Je ne pense pas que ça se soit bien terminé, la dernière fois.

Il rit et il but le reste de sa bière.

CHAPITRE 5

— *V*iens faire un tour avec moi.

Je levai les yeux vers lui, sous le choc.

— Sur ma moto. Promenons-nous dans la ville. Tu peux me servir de guide.

J'en eus des palpitations dans le ventre.

— C'est pas possible.

Je coinçai les mèches folles qui tombaient sur mon visage derrière mon oreille tandis que je secouais la tête.

— Pourquoi pas?

Il afficha ce sourire malicieux bien à lui et mes yeux se collèrent à ses lèvres boudeuses. Il se pencha vers moi et il baissa la voix.

— Qu'as-tu à perdre?

«Tout. Je pourrais tout perdre.»

— Je ne te connais même pas.

— Que veux-tu savoir?

— Pourquoi perds-tu ton temps ici à parler avec moi?

— Tu penses que tu es une perte de temps?

— Je pense qu'un gars comme toi a mieux à faire.

— Mieux à faire qu'être avec *toi*, mon cœur?

Il me décocha un clin d'œil et ma peau s'enflamma immédiatement; pour une fois, je ne savais pas du tout quoi répondre.

— Tu as un stylo?

— Ouais.

Je pris le stylo dans mon tablier et le glissai sur la table jusqu'à lui, perplexe. Il déplaça sa serviette de table devant lui et il commença à écrire.

— Que fais-tu ?

Ma curiosité l'emportait.

— Je prends ça en note. J'imagine que ce n'est pas fréquent qu'une fille comme toi reste sans voix.

Il rit alors que j'attrapais la serviette et la froissais en boule avant de la lui lancer. Il l'évita d'un mouvement amusé.

Je jetai un coup d'œil à l'horloge. Nous allions fermer dans quelques minutes et toutes mes tâches avaient été accomplies ce matin avant mon quart de travail. Ma mère et Jax devaient être dans un coma artificiel à cause de la drogue. Ils ne remarqueraient même pas que j'étais partie. De toute façon, je n'avais vraiment pas hâte de voir Jax après les menaces qu'il m'avait faites. Je quittai la table d'un bond et me rendis à la cuisine.

— Où vas-tu ? Je te taquinais, c'est tout ! cria Tucker derrière moi.

Je me souris à moi-même.

— Je m'en vais, Larry.

Je dénouai mon tablier et le jetai sur le comptoir. Il me lança un drôle de regard, mais je l'ignorai et repris la direction de la salle à manger.

— Partons avant que je ne change d'avis.

Tucker sourit jusqu'aux oreilles. Il sauta sur ses pieds et posa sa main dans le creux de mon dos tandis que nous sortions dans le stationnement.

— Tu sais que je ne recule pas devant un défi.

J'étais épuisée par cette journée pleine de tensions, mais je sentis une poussée d'adrénaline au contact de ses doigts qui faisaient courir un frisson le long de ma colonne vertébrale. Nous rejoignîmes sa moto et je m'accordai un moment pour l'examiner. Je n'étais jamais montée sur un de ces engins et j'eus soudainement peur.

Tucker lâcha un petit rire et me tendit un casque.

— Ça ira, promis. Je ne permettrai pas qu'il t'arrive du mal.

J'acceptai le casque et le mis sur ma tête. Plusieurs personnes m'avaient fait des promesses dans le passé et j'étais assez avisée maintenant pour ne plus les prendre au sérieux, mais pour une raison inconnue, je crus Tucker. Il se donnait du mal pour assurer ma sécurité, pour me protéger même quand il ne pouvait pas s'en charger lui-même, et ça devait peser dans la balance.

Il passa sa jambe par-dessus la moto et la redressa, donnant un coup sur la béquille avec sa botte.

— Viens.

Il enfila son casque et me tendit la main.

Le bout de mes doigts s'électrisèrent quand ils entrèrent en contact avec les siens. Je ne pouvais honnêtement pas me rappeler avoir déjà expérimenté cette sensation avec Jax, même lorsque les choses n'allaient pas si mal. C'était à la fois effrayant et incroyablement excitant. Je levai ma jambe par-dessus le banc arrière de la machine noire géante et collai mon corps contre le sien. C'était étrange de se retrouver aussi près d'un inconnu.

— Où dois-je m'accrocher ?

Il tendit les bras en arrière et m'attrapa les mains, les enroulant autour de sa taille.

— Accroche-toi à moi, mon cœur.

Il caressa ma main, puis reprit vite le guidon. La moto rugit, mais je l'entendis à peine par-dessus le bruit de mon cœur battant dans mes oreilles. Son corps était dur comme la pierre sous mes doigts et je pouvais sentir le contour des muscles de son abdomen alors qu'ils s'étiraient et se contractaient.

Nous roulâmes quelques kilomètres dans la ville, plongée dans l'obscurité. Tout était tellement plus beau la nuit. Les boutiques et les restaurants étaient éclairés par des enseignes luisant doucement. Nous remontâmes l'autoroute Interétat 95 pendant environ vingt minutes, mais ça ne me parut pas assez long. Je n'étais pas prête à abandonner mon siège à l'arrière de la moto de Tucker, même s'il m'appartenait seulement pour la soirée.

Je le guidai dans River Street. La moto bondit sur les pavés ronds de la rue et nous dûmes ralentir pour atteindre une vitesse près de celle de la marche pour ne pas voir nos cerveaux secoués dans tous les sens.

River Street est un lieu touristique populaire le jour, mais le soir, il prend vie sous l'impulsion des habitants locaux sortis pour s'amuser. La musique envahissait la rue au rythme du flot de gens venus pour boire et faire la fête. Des vendeurs itinérants s'alignaient à l'extérieur des boutiques pour vendre leurs pièces artisanales et leurs peintures.

— Allons boire un verre! cria-t-il par-dessus son épaule tandis qu'il arrêtait sa moto sur le stationnement situé le long de la rivière.

Je retirai mon casque et arrachai mon attache à cheveux, les libérant afin qu'ils tombent en cascade sur mon dos.

« À quoi avais-je pensé : sortir en uniforme de travail ? »

Mes yeux balayèrent la foule de femmes portant des mini jupes et des shorts coupés, qui les aidaient à supporter la chaleur de cette douce nuit.

Tucker retira le casque de mes mains et l'attacha à l'arrière de sa moto tout en me regardant jouer avec mes cheveux.

— Je ne suis pas vraiment habillée pour ça.

Je baissai les yeux sur mon polo noir et mon pantalon noir. J'étais affreuse.

Les yeux de Tucker scrutèrent les devantures des boutiques.

— Regarde !

Il pointa l'une des petites boutiques le long de la rivière. Un auvent rouge était suspendu au-dessus de la porte. Le mot « SCARLETT'S » était écrit en lettres cursives, grasses et noires. Il m'attrapa la main et m'entraîna de l'autre côté de la rue. La propriétaire de la boutique rentrait les présentoirs à robes avant de fermer pour la soirée.

— Attendez ! Une seconde ! Nous avons besoin d'une robe.

Il lui lança le sourire remarquablement séduisant que je lui connaissais et il la dépassa en me tirant derrière lui. Je lui fis un sourire contrit pendant que nous nous glissions dans la boutique, mais elle était déjà en train de saliver de plaisir à la vue de Tucker. Il semblait avoir cet effet sur tout le monde. La boutique était petite et bourrée de présentoirs où abondaient les robes de style bohème et les bijoux. Les murs étaient en pierre et peints d'une belle couleur dorée.

Tucker commença à passer les robes en revue sur les présentoirs et il en choisit enfin une, qu'il me tendit.

— Essaie celle-ci.

— Ce n'est pas une robe, c'est une écharpe.

Je lui jetai un regard mauvais.

Il sourit et la remit sur le présentoir, en regarda quelques autres.

— Et celle-ci?

Je tins la robe devant mon corps. Elle était belle, mais pas du tout de mon style. Pas que j'aie un style. Je portais des vêtements de seconde main et des trouvailles sorties des boutiques d'occasions. Ce vêtement était élégant, de couleur crème et décoré de fleurs violet pâle. Le décolleté dans le dos me rappelait Marilyn Monroe.

— Je n'en ai pas les moyens.

Je lui fis une grimace.

Il leva les yeux au ciel.

— Je vais l'acheter, contente-toi de l'essayer.

J'hésitai, me hérissant soudain devant sa générosité non sollicitée. Que voulait-il de moi? Pensait-il à moi comme à une personne à qui il faut faire l'aumône? Je n'avais pas besoin de sa charité. Je me débrouillais très bien toute seule. Je m'apprêtais à lui remettre la robe entre les mains. Je n'avais pas besoin, ni ne voulais, qu'une personne vienne me sauver de ma propre vie. Tout a un prix et il allait sûrement attendre quelque chose de moi que je n'étais pas prête à donner.

— Non, ça va ce n'est pas vraiment mon style

— Cass. S'il te plaît, essaie cette robe. Je n'ai aucune idée derrière la tête, je suis juste certain qu'elle sera belle sur toi. Et tu tu mérites de porter quelque chose d'aussi splendide que tu l'es ce soir, mon cœur.

Je scrutai son visage, tentant de percer son mystère.

Ses doigts s'enroulèrent autour de ma main qui tenait la robe tandis qu'il soupirait.

— Je sais que tu ne veux pas qu'on t'aide.

Il rit.

— Tu es aussi têtue que moi, mais je vais gagner.

Je lui fis la grimace, frustrée qu'il soit capable de me deviner aussi bien. J'étais habituellement très douée pour me protéger. Je n'étais toutefois pas encore prête à céder. Je soutins son regard, le poussant silencieusement à en dire davantage.

— Bien.

Il s'éclaircit la gorge.

— Je sais ce que c'est, Cass, de sentir que personne n'en a rien à cirer de toi. Je sais aussi que parfois, on a besoin que quelqu'un nous donne l'impression de valoir quelque chose... nous fasse sentir spécial, tu sais ?

— Je n'le suis pas.

Tucker pencha la tête d'un côté, un petit sourire nerveux jouant sur ses lèvres. Il marqua une pause avant de poursuivre.

— Quand j'étais enfant, mes parents étaient toujours trop occupés pour s'occuper de moi. Ils s'inquiétaient davantage de leur prochaine défonce que de savoir si oui ou non leur fils avait appris son alphabet ou même s'il avait fait ses premiers pas.

Son regard tomba sur nos mains jointes. Je lui pressai la main d'une manière réconfortante afin qu'il continue.

— J'espérais si fort qu'on me remarque, qu'on me montre que j'étais important pour eux, que j'ai passé mon quatrième anniversaire dans un hôpital.

Ses yeux se tournèrent brusquement vers les miens, guettant ma réaction.

— Que s'est-il passé?

Je retins mon souffle tandis que j'attendais le reste de son histoire.

— Tu te souviens de la bande dessinée *Underdog*?

J'acquiesçai d'un signe de tête.

— Bien, j'étais décidé à apprendre par moi-même à voler comme lui. Je me suis dit que si je pouvais voler, je pourrais devenir un superhéros et sauver ma famille. Sauf qu'il s'est avéré que je ne le pouvais pas et je me suis cassé la jambe en tombant de l'arbre qu'on avait dans la cour.

— Oh mon Dieu.

Je me couvris la bouche avec ma main libre.

— Le pire dans tout ça, c'est que ça leur a pris une bonne heure avant de s'en rendre compte.

— Je suis tellement désolée, Tucker.

— Ne le sois pas. Ce que j'essaie de te dire, c'est qu'on ne peut pas toujours arranger les choses soi-même. De temps en temps, on a besoin d'un autre que soi pour nous aider. Parfois, il faut seulement que quelqu'un nous remarque. Je ne pouvais pas voler, mais je ne regrette pas d'avoir essayé. Comment aurais-je pu savoir que c'était impossible si je n'avais même pas tenté le coup? D'ailleurs, sans ça, j'aurais pu passer le reste de mon enfance avec eux. On m'a retiré de ma famille et j'ai vécu quelques années dans différents foyers d'accueil avant d'échouer chez Dorris. Ça aura valu la peine, en fin de compte.

Il sourit, ses yeux toujours tournés vers le sol.

— Parfois, il faut tomber avant de pouvoir voler... et parfois on a besoin d'une personne pour nous attraper.

Il leva les yeux.

— Même toi, Cass.

Il avait raison. Je n'essayais jamais de changer ma vie et d'améliorer les choses. Je n'avais jamais couru ce risque. Il avait aussi raison quand il disait qu'il gagnerait. Comment pouvais-je maintenant refuser d'essayer la robe?

— Tu as gagné.

Je jetai un coup d'œil dans le magasin et trouvai une petite aire fermée par un rideau au fond dans le coin droit de la boutique. Je m'y précipitai pendant que Tucker prenait une paire de sandales. Je retirai mes vêtements et enfilai la robe par-dessus ma tête. Il n'y avait pas de miroir, alors je baissai les yeux en essayant de voir si elle m'allait bien.

— Allez, Cass. Je me morfonds ici.

Je pris une profonde respiration, repoussai le rideau et sortis. Les yeux de Tucker s'illuminèrent et il sourit; mais tandis qu'il m'admirait, son expression s'assombrit.

Je ne pus m'empêcher de faire la moue. Avais-je l'air si moche? Ses efforts pour transformer cette pauvre petite serveuse de parc à roulottes en cygne avaient-ils échoué à ce point? Il s'approcha plus près de moi et je me tournai avec gêne pour rentrer dans la salle d'essayage. Il me prit gentiment le bras avant que je puisse m'exécuter. Je tournai les yeux vers sa main et compris ce qui l'avait contrarié. Les ecchymoses violet foncé enveloppaient mon bras comme un tatouage barbare. Ma main vola comme une flèche pour couvrir l'endroit. Tucker serra la mâchoire de colère.

Il se tourna vers un des présentoirs derrière lui, s'empara d'un cardigan léger d'un violet pastel et me le tendit. Je lui fis un petit sourire pendant que je le retirais du cintre et l'enfilais.

— Ma mère en portait un semblable tous les jours.

Il me fit un faible sourire et ramassa ma tenue abandonnée. J'essayai de repousser de mon esprit l'image d'un jeune Tucker voyant sa mère couverte d'ecchymoses.

Je me reconnus à peine dans la glace suspendue derrière la caisse enregistreuse. Je ne ressemblais plus à une de ces filles vulgaires du parc à roulottes. Je levai le menton et me souris à moi-même.

— Tu es belle.

Il me prit la main et il me tira vers la caisse.

Je retirai mes chaussures de sport et enfilai mes nouvelles sandales brunes à lanières, légèrement surprise qu'il ait deviné ma pointure. Personne ne m'avait jamais dit que j'étais belle, même pas Jax. *Sexy*, peut-être, mais jamais *belle*. Je me sentais élégante, femme du monde, en entendant ce mot. Je me demandai s'il l'avait dit par pitié.

Il prit un médaillon d'argent suspendu à côté de la caisse enregistreuse. Je sursautai lorsque je vis le prix, mais Tucker glissa sa carte de crédit vers la vendeuse en insistant.

— S'il te plaît. Je t'ai entraînée à sortir ce soir et c'est le moins que je puisse faire.

Il fourra mes vieilles affaires dans un sac. Nous nous frayâmes un chemin vers sa moto et il rangea mon sac à côté des casques.

— Retourne-toi.

J'hésitai, mais je me tournai lentement vers la rivière.

— Soulève tes cheveux, murmura-t-il près de mon oreille, son haleine chaude au parfum de menthe soufflant dans mon cou.

Je rassemblai mes cheveux et les retins en l'air pendant qu'il passait une chaîne délicate autour de mon cou et l'attachait. Je laissai retomber mes cheveux sur mes épaules et je me tournai face à lui, mes doigts suivant le contour de la petite pièce de métal en forme de cœur.

— Tu es parfaite, dit-il sans jamais me quitter des yeux.

Je ne pus m'empêcher de sourire.

Il reprit ma main et il m'entraîna de l'autre côté de la rue pavée. Nous nous éloignâmes de la boutique Scarlett's et marchâmes quelques pas plus loin jusqu'à l'un des bars les plus animés. Les portes étaient grandes ouvertes et il y avait un taureau mécanique droit devant nous. Je lui décochai un regard défiant et il se contenta de secouer la tête et de sourire.

— Attend ici.

Sa main quitta la mienne quand il se fraya un chemin en serpentant vers le bar.

Je restai seule, l'air gêné en jetant un œil dans le bar. Trois gars regardaient dans ma direction en souriant et en murmurant quelque chose. Je lissai ma robe neuve et, embarrassée, je détournai les yeux. Je ne trompais personne. Je n'avais pas ma place ici.

Tucker revint avec deux bières. Il m'en tendit une et je l'acceptai avec un sourire reconnaissant. Il suivit la direction de mes yeux et il fusilla les hommes du regard, qui se retournèrent vers leur table comme s'ils ne nous voyaient pas.

— Merci.

Je bus une longue gorgée de ma bouteille, en avalant la moitié d'un coup. Il rit en se passant la main dans les cheveux et suivit mon exemple.

Nous restâmes debout ensemble, regardant les autres clients danser. La chanson changea et je reconnus immédiatement la chanson *Loved* du groupe Damaged, celle qui avait joué au restaurant.

Tucker sourit en buvant une gorgée de sa boisson avant de la déposer sur la table derrière lui. Il prit aussi la bière que je tenais dans ma main, la posa et il m'attira au centre du bar.

— C'est notre chanson, dit-il en riant.

— Oh, non... non... non... je ne danse pas.

J'essayai de me libérer, mais il serra ma main plus fort en me décochant un clin d'œil.

— Il ne faut pas que je te raconte une autre de mes histoires pour obtenir ce que je veux, dis, mon cœur ?

Mon ventre se noua de culpabilité tandis que je pensais à Jax m'attendant à la maison. Je savais que même si je sautais d'un arbre, il ne le remarquerait pas. Mon cœur cessa de battre un instant et le monde autour de nous sembla disparaître. Toute pensée rationnelle me quitta alors que je me laissais entraîner vers le plancher de danse.

Une fois que nous nous fûmes suffisamment enfoncés dans la foule, il s'arrêta et m'attira contre lui. Mes mains atterrirent sur son torse musclé tandis que les siennes trouvaient leur chemin jusqu'au bas de mon dos, m'attirant doucement contre lui.

Ses hanches commencèrent à bouger contre les miennes et je fus coincée, figée comme un cerf.

— Fais juste comme moi. Ce n'est pas difficile.

Ses hanches continuèrent à se balancer. Je commençai lentement à bouger contre lui tandis que mes mains remontaient jusqu'à son cou. Il m'attira plus près de lui jusqu'à ce que nos joues se touchent, son haleine chaude soufflant sur mon oreille. À voix basse, il chantait les paroles pendant que nous bougions ensemble — «Je veux que tu te sentes belle grâce à moi» —, et un grand frisson traversa mon corps, malgré la chaleur qui régnait dans la salle.

L'endroit était bondé, mais on aurait dit que tout le monde avait disparu. Je fermai les yeux et écoutai sa belle voix dans mon oreille. C'était mon concert privé à moi.

Sa main caressa doucement mon dos, me détendant. À cet instant, j'oubliai tout. J'oubliai ma vie dans le parc à roulottes. J'oubliai Jackson et ma mère. Tout ce que je voyais, c'était Tucker. Tout ce que je ressentais, c'était sa manière agréable et délicate de me toucher. Personne ne m'avait étreinte de cette façon auparavant. En regardant Tucker de l'extérieur, on ne penserait jamais qu'il avait un côté aussi doux. Je me rendis compte que je l'avais jugé de la même manière que les autres me jugeaient. Ses tatouages sexys cachaient ses qualités profondes.

La chanson qui jouait se fondit dans une nouvelle. Le rythme accéléra et avec la dose de courage que m'avait donné ma boisson, je me mis à danser au rythme de Tucker. Je me sentais libre.

— Où as-tu appris à danser comme ça ? demandai-je d'une voix forte dans son oreille afin qu'il m'entende malgré la musique.

— Tu aimes ça ? Sais-tu ce qu'on dit sur la manière de danser d'un homme ?

— Je ne veux pas savoir ce qu'on dit.

Je ris et secouai la tête tandis que nos corps bougeaient ensemble.

— Je serais heureux de t'en faire la démonstration.

Il haussa un sourcil quand je ris.

— Maintenant, je sais que tu as reçu une bonne éducation qui t'empêche de parler aux femmes de cette façon.

— Buvons un coup, dit Tucker par-dessus les vibrations de la basse.

Je souris et hochai la tête. Il leva deux doigts vers le barman et il cria :

— Cuervo !

Le barman nous versa rapidement deux doses d'alcool.

Mes yeux errèrent sur la foule de gens insouciants qui lâchaient leur fou et faisaient la fête. Je souris en me tournant vers Tucker, qui gribouillait quelque chose sur un bout de papier pour la jeune brunette qui venait de l'aborder. Elle donnait l'impression de lutter de toutes ses forces contre son désir de bondir sur lui. Il donnait son numéro de téléphone pendant qu'il sortait avec moi ? J'essayai de dissimuler mon air renfrogné et la déception qui était allée se loger dans mon ventre comme une pierre.

« Tucker n'est pas ton amoureux, me réprimandai-je. Tu en as déjà un de ceux-là, un fait que tu sembles bien trop prête à oublier ce soir ».

Tucker prit les petits verres d'alcool sur le comptoir et m'en tendit un. J'hésitai un instant, puis je cédai. Pourquoi ne pas laisser le conte de fées se poursuivre, du moins encore un temps ? Je l'acceptai, mes doigts effleurant les siens. Je souris en penchant la tête en arrière et l'avalai en une seule gorgée.

Il sourit, retirant le verre vide de ma main.

— Un autre ?

— Pourquoi pas ? criai-je par-dessus la musique tandis qu'un énorme sourire s'étirait sur son visage.

— Tu essaies de boire plus que moi ? C'est un défi ?

Je ne pus m'empêcher de rire. Boire, c'était dans mon code génétique. C'était un jeu auquel il ne pouvait pas s'attendre de gagner.

— T'as peur ?

— Au contraire. Je suis excité. Ça va m'aider à trouver l'entrée de ta petite culotte plus facilement.

Je le giflai sur le bras du revers de la main de toutes mes forces et me retournai pour partir.

Dans un éclair, d'une main il me saisit par le poignet. Il m'attira contre son torse et je sentis mon souffle se coincer dans ma gorge. Son regard était extrêmement sérieux.

— Je plaisantais, Cass. Je ne veux pas profiter de toi. Je veux qu'on ait du plaisir.

— Que le plaisir commence !

— Voilà ce que je voulais dire !

Sa main retrouva sa place au creux de mon dos pendant que nous nous frayions un chemin vers le bar. Ses doigts glissèrent plus bas et, d'une main, je les repoussai vers le haut jusqu'à leur place, le fusillant du regard en guise d'avertissement. Il me décocha un clin d'œil, pas intimidé le moins du monde par mon attitude.

— Deux autres, cria-t-il au barman qui était un peu plus loin.

Il hocha la tête pour acquiescer.

Le barman s'occupa de ses autres commandes à l'autre bout du bar, puis il revint de notre côté. Je fixais les bouteilles en verre sur le mur derrière lui, observant les lumières du plancher de danse rebondir sur elles, projetant des rayons de lumière colorés dans la glace derrière elles. Je surpris le reflet de Tucker, ses yeux fixés sur moi.

— Cuervo ? cria le barman au-dessus du bruit, me tirant brusquement de ma transe.

— Deux, dit Tucker sans jamais me quitter des yeux.

Je baissai les yeux sur le dessus du vieux comptoir en bois devant moi, pleine de désir. Comment s'y prenait-il pour me rendre nerveuse et m'exciter en même temps ?

— T'en veux deux autres pour poursuivre sur ta lancée ?

Le barman remplit nos deux verres, reversant le liquide sur le comptoir.

— Je poursuis déjà cette fille depuis le début de la soirée.

Tucker rit et je secouai la tête en direction du barman. Je m'emparai de nos deux verres et me tournai pour en lever un vers Tucker. Ses doigts s'enroulèrent autour des miens et, hypnotisée, je savourai chaque seconde de ce moment ; soudain, l'homme derrière moi me rentra dedans, renversant mon verre sur ma poitrine, dans mon décolleté.

Tucker saisit une pile de serviettes en papier et commença à éponger l'alcool sur mon corsage, ce qui me fit rougir jusqu'aux oreilles avant de les lui retirer de la main pour m'en occuper moi-même.

L'homme derrière moi riait avec un ami et ne songea même pas à présenter ses excuses, mais ça ne me surprit pas.

— Hé ! Viens t'excuser à ma nana d'avoir renversé son verre.

— Donne-lui vingt dollars. Elle sera contente.

— C'est moi qui suis pas content, enculé.

La tête me tournait devant la vitesse à laquelle cette soirée de rêve dégénérait dangereusement. Le barman siffla entre ses doigts pour attirer l'attention du videur près de la porte. Il pointa l'homme derrière moi, qui maugréa et fit claquer son verre sur le comptoir.

— Tu te fous de moi, ou quoi?. On me fout à la porte à cause de cette vache?

Le videur arriva à temps pour retenir Tucker qui s'élançait vers l'homme. Le poing de Tucker frappa le côté du visage de l'homme, l'envoyant valser sur son ami.

— Merde! J't'ai dit de t'excuser!

Je saisis le bras de Tucker dans une tentative de l'éloigner du chaos. Je ne voulais pas passer la nuit en prison à cause d'un connard ivre.

— Tu sors d'ici!

Le videur saisit le bras de l'enculé et le traîna vers la porte.

— Tu es le prochain si tu ne te calmes pas!

Le videur pointa Tucker, mais il tentait de dissimuler un sourire.

Je ne trouvais pas de quoi rire. J'avais à vivre avec la violence tous les jours de ma vie. Je voulais y échapper; pas me retrouver encore une fois aux prises avec elle.

— T'inquiète pas. Je pars.

Je commençai à me diriger vers la porte.

Tucker tendit la main et m'attrapa le poignet.

— Où vas-tu?

— Je rentre.

Il retrouva immédiatement son sérieux, posant ses mains sur mes épaules.

— Je te protégeais.

— Non, Tucker. Tu agissais en macho stupide. Je n'ai besoin de personne pour livrer mes batailles. Si je voulais voir quelqu'un se faire mettre le pied au cul, je serais restée à la maison.

Il resta muet, occupé à saisir le sens de ce que je venais de lui dire. Il m'attira dans ses bras et il m'étreignit avec force.

— Merde, Cass. Je ne voulais pas t'effrayer. Je suis tellement désolé.

Je laissai mes bras remonter sur ses flancs, me retenant au tissu de sa chemise.

— Je ne te ferais *jamais* de mal, Cass.

Je hochai la tête dans le creux de son cou. J'aurais voulu être furieuse, mais je ne le pouvais pas. Autant mon esprit s'obstinait à comparer tous les hommes à Jax, autant il n'y avait pas de comparaison possible.

— Ça ne se reproduira plus.

Il me fit reculer afin que je puisse le regarder dans les yeux. Je le croyais. Son regard ne vacilla pas.

— Je te fais confiance.

— Pas encore, mais ça viendra.

Je souris et jetai un coup d'œil autour de nous. Personne n'écoutait notre conversation ; l'accrochage, c'était déjà du passé maintenant qu'une blonde tout en jambes venait de monter sur le taureau mécanique.

— Viens.

Il se fendit d'un sourire et prit ma main pour m'entraîner encore une fois sur le plancher de danse.

Mes doigts remontèrent le long de ses bras musclés et se croisèrent derrière son cou, puis nous dansâmes ainsi sur plusieurs chansons. Je ne savais pas trop si je dansais au rythme de la chanson ou de son cœur. Normalement, je me serais sentie gênée, à tout le moins déplacée, mais avec ses bras forts autour de moi, je me sentais en sécurité. Ses mains ne quittaient jamais mon corps pendant que nous bougions. Sa joue était pressée contre la mienne tandis que son haleine mentholée légèrement aromatisée d'alcool soufflait sur mon cou. Je laissai mes yeux se fermer lorsqu'il recula lentement, certaine qu'il allait m'embrasser. Au lieu de ça, son pouce suivit le contour de ma lèvre inférieure, tirant légèrement dessus, avant que sa paume remonte sur ma joue et la tienne en son creux. J'ouvris les yeux sur le regard avide de Tucker.

— Je ne désire rien de plus que t'embrasser, Cass. Mais il faut d'abord que tu me fasses confiance. Je ne veux pas que tu penses un jour à moi comme à cet enculé que tu gardes à la maison. Tu mérites mieux, Cass, vraiment.

Mes yeux se refermèrent et je hochai la tête, souhaitant à ce moment qu'il prenne simplement ce qu'il voulait. Ses lèvres tombèrent sur mon front et y demeurèrent tandis que le monde tournait autour de nous. La boîte de nuit était bondée et l'air de cette soirée du Sud était lourd et chaud. Nos corps étaient recouverts d'une fraîche couche de sueur alors que nous nous plaquions l'un contre l'autre. Le désir irradiait au bout de chacun des nerfs de mon corps. Le front de Tucker poussait contre le mien pendant que ses mains dessinaient ma clavicule puis descendaient lentement le long de mes bras en repoussant mon cardigan avec ses doigts tandis que sa respiration devenait de plus en plus saccadée. Je glissai mes mains sous sa chemise et fis courir mes doigts sur son ventre. Il frémit quand je suivis le bord de son boxeur qui dépassait de son jeans. Nos regards se soudèrent quand il effleura rapidement mon bras blessé sans le vouloir, mais l'élan de douleur me ramena brusquement à la réalité. Je remontai le cardigan sur mes épaules et reculai d'un petit pas en m'éloignant de lui, gênée. Nous nous tenions à quelques centimètres seulement l'un de l'autre, mais il semblait y avoir la largeur d'un océan entre nous tandis que nous luttions tous les deux pour calmer notre respiration.

— Je devrais rentrer. Tout le monde va se demander où je suis.

J'enroulai mon cardigan plus fortement autour de mon corps, jetant un œil autour de nous pour voir si quelqu'un avait remarqué les ecchymoses. Il sembla déçu, mais il acquiesça d'un signe de tête et il me prit la main. Il me guida hors du bar et nous marchâmes lentement jusqu'à la moto. Nous restâmes silencieux en nous frayant un chemin dans la rue pavée. Sa mâchoire tressaillait continuellement et je voyais qu'il était en pleine réflexion. Je savais qu'il était en colère contre lui, mais, moi, je ne l'étais pas. J'étais furieuse contre Jax, l'auteur de ces ecchymoses.

Je ne voulais pas que cette soirée se termine, mais je savais que ça allait chauffer si quelqu'un découvrait où j'étais allée. Cette soirée de conte de fées devait se terminer. Tucker me semblait être du même avis. Son pas ralentit, prolongeant l'inévitable adieu. Sa main enveloppa la mienne. Je ne comprenais toujours pas pourquoi il voulait passer du temps avec moi. Il était séduisant et il avait un travail qui le payait assez bien pour avoir les moyens de s'offrir du luxe comme des vêtements de designer et une motocyclette. Ce serait facile pour lui de trouver une femme pour partager son lit ; une femme sans tout le passé que je traînais avec moi ; sans, surtout, mon caractère de chien.

J'aurais aimé l'avoir questionné davantage sur lui, mais ça n'avait pas vraiment d'importance. Il serait bientôt parti de toute façon vers une autre ville, me laissant derrière lui, dans sa poussière. C'était mieux ainsi.

CHAPITRE 6

J'enjambai l'arrière de sa moto tandis qu'il faisait vrombir le moteur et nous partîmes dans la nuit.

Il roula lentement, admirant les points de vue de la ville, qui semblait ne jamais dormir. Ça n'avait rien à voir avec Eddington et je ne comprenais toujours pas pourquoi il mettrait le pied dans ma petite ville à moins d'y être obligé.

La grande ville s'effaça derrière des kilomètres d'autoroute déserte. Je l'étreignis avec plus de force alors que nous avancions en périphérie d'Eddington. Nous ralentîmes et roulâmes à la vitesse de l'escargot une fois arrivés au stationnement de terre. La moto résonna comme le tonnerre dans le calme et modeste parc à roulottes.

Il éteignit le moteur et il pressa mes mains dans les siennes, me retenant contre lui encore quelques moments. Ça ne me dérangeait pas. Je pressai ma joue contre son dos et je fermai les yeux, me délectant du parfum de noix de coco et de sueur émanant de son corps. J'aurais voulu que ça ne se termine jamais. Je me détestais pour ça. À quelques roulottes de là, mon mec était à l'intérieur, se demandant probablement où je me trouvais. Et il fulminait sûrement. Toutefois, je gardai les mains serrées autour de Tucker.

Je ne voulais pas rompre le silence, comme si ça pouvait le faire disparaître. Il ignorait totalement ce que ça représentait pour moi qu'il m'ait confié les secrets de son enfance.

Je savais comme il était difficile de révéler les côtés les plus laids de sa vie. Ça modifiait toujours la perception qu'avaient les gens de vous. Ils ne voulaient pas en entendre parler ; pouvait-on les blâmer pour ça ? Tout le monde ne préférerait-il pas vivre dans une bienheureuse ignorance ?

Il finit par parler.

— Merci d'avoir passé du temps avec moi ce soir.

De ses doigts, il caressa doucement les miens.

Je ne savais pas comment réagir. Je voulais le remercier. Je ne me rappelais pas quand je m'étais laissé aller ainsi sans m'inquiéter de rien, ou de personne, le temps d'une soirée.

— Merci, je me suis beaucoup amusée. Je ne me souviens pas la dernière fois

J'essayai d'atténuer le sourire sur mon visage, mais en vain. Mes joues me faisaient mal sous cet effort colossal. Je passai ma jambe par-dessus la moto et retirai mon casque. Je me passai les doigts dans les cheveux, laissant ma phrase en suspens.

Tucker descendit de sa moto et il ôta son casque lui aussi. Il retira le mien de ma main et il le déposa sur la moto, me tendant mon sac avec mes vêtements de travail.

— Je suis désolé à propos

— Non. S'il te plaît, ne t'excuse pas. Cette soirée a été formidable. Je ne veux pas parler de ce qu'il a fait.

Tucker hocha la tête, mais il n'en parut pas moins contrarié.

— Vas-tu repasser par ici ?

Je ne pus m'empêcher de poser la question qui trottait dans ma tête depuis que nous avions quitté le plancher de danse. Je ne voulais pas avoir l'air désespérée, mais ma voix sortit d'un ton aigu. Je m'armai de courage en attendant qu'il me dise qu'il quittait la ville. Je n'espérais pas qu'il reste dans les alentours et je savais que ça ne m'attirerait que des ennuis si c'était le cas. Néanmoins, j'avais le cœur lourd tandis que j'attendais qu'il me confirme l'inévitable. Je voulais en savoir davantage sur lui et il semblait que lui aussi désirait sincèrement en apprendre plus sur moi. Pour une raison inconnue, je ressentais une envie inhabituelle d'ouvrir la chambre forte dans laquelle j'avais entassé des années de souvenirs douloureux et de les lui révéler, sans fard.

Il sourit et regarda le sol, donnant un coup de botte dans la poussière.

— Tu ne peux pas te débarrasser de moi si facilement, Cass.

Il passa une main dans sa chevelure et me fit un demi-sourire.

— Super.

Je me mordillai la lèvre et j'agitai un peu la main pour le saluer en essayant de contenir le bonheur qui me submergeait soudainement, tandis que je reculais de quelques pas. Il remit son casque et démarra. J'observai le nuage de poussière tournoyer autour de lui quand il sortit du stationnement.

Je marchai rapidement jusqu'à ma roulotte, espérant que personne n'avait vu nos adieux. Je m'accroupis vivement derrière ma maison et j'enfilai mon pantalon sous ma robe. Après avoir jeté un dernier coup d'œil autour de moi pour m'assurer que personne ne m'observait, je retirai mon cardigan et relevai la robe par-dessus ma tête, la remplaçant par le polo noir que je portais au travail. Je glissai doucement le petit médaillon sous mon polo. Je n'avais pas le cœur de l'enlever. Ça me donnerait l'impression que toute cette soirée avait été le produit de mon imagination. J'avais besoin de ce signe me rappelant que Tucker était réel, qu'il se souciait de moi, ne serait-ce que pour quelques minutes encore.

J'étais à l'affût de tout son pouvant provenir de l'intérieur de la roulotte pendant que je retirais mes sandales neuves en secouant les pieds et attachais mes chaussures de sport à mes pieds. Je n'entendis rien.

J'ouvris la porte d'entrée et j'eus un mouvement de recul lorsqu'elle grinça bruyamment. J'entrai en douce, mon sac de vêtements derrière le dos.

Jax était allongé sur le divan, sa respiration était profonde et régulière. J'expirai, soulagée, laissant sortir le souffle que je n'avais pas eu conscience de retenir tout ce temps. Je traversai le couloir sur la pointe des pieds et glissai ma nouvelle tenue au fond de mon placard. Je souris tandis que je l'enfouissais sous quelques boîtes de carton. Le souvenir secret d'une soirée parfaite. J'enlevai mon collier et l'enfouis dans la robe.

Je me déshabillai rapidement et pris une douche en vitesse, dansant et fredonnant la chanson *Loved* dans ma tête. L'eau était froide, mais ça n'atténua pas le moins du monde ma bonne humeur.

En me glissant dans le lit, je me demandai si Tucker pensait à moi comme moi je pensais à lui. Cette soirée n'était sûrement pas l'une des plus merveilleuses de sa vie, mais pour moi, elle était tout en haut de la liste.

Je rêvai que je dansais dans une boîte de nuit pendant des heures, mes doigts remontant lentement le cou de Tucker et ses mains caressant mon dos sur toute sa longueur. Je nous imaginai, nos fronts collés l'un contre l'autre. Soudain, une douleur me transperça la tête. Dans mon rêve, je décochai un regard angoissé à Tucker, désorientée, alors que nos corps s'éloignaient brusquement l'un de l'autre.

— Lève-toi, putain de vache !

L'odeur de whiskey et de cigarette envahit mon nez, remplaçant le doux parfum de la liberté. En un éclair, je portai mes deux mains à ma tête pour me protéger, luttant pour arracher un à un les doigts de Jax de mes cheveux.

— Où étais-tu, putain de merde ?

Ses yeux étaient vitreux et injectés de sang.

Je savais qu'il était inutile de le contredire. Mon esprit cherchait une excuse et sa main se resserra.

— Je suis sortie avec Marla après le boulot.

Je m'étirai pour garder mon équilibre sur la pointe des pieds. Jackson était beaucoup plus grand que moi.

— Marla ?

Il me regarda comme s'il ne me croyait pas. Pourquoi est-ce qu'il me croirait ? Marla et moi nous disputions sans arrêt au travail. Je me querellais avec tout le monde. C'était difficile de croire que quelqu'un acceptait de me supporter plus longtemps que nécessaire.

— Où êtes-vous allées ?

Il plissa les paupières et serra la mâchoire, mais sa poigne se desserra légèrement.

Je tentai de calmer ma respiration.

— Elle m'a emmenée en ville. Elle devait aller chercher son garçon chez le père. Je te jure, Jax !

Il m'interrogea du regard et sembla me croire. Ses doigts lâchèrent leur prise, glissant dans ma chevelure encore humide et je frottai ma tête endolorie.

— Je suis désolé, Cass.

Il m'attira contre son torse. Je serrai les poings contre son corps et pleurai silencieusement. Je voulais m'enfuir. Où irais-je? Je ne pouvais aller nulle part, je n'avais rien. Jackson était avec moi depuis le jour de notre rencontre. Je savais qu'il ne me traitait pas bien, mais au moins, il était toujours présent. Et il n'avait pas toujours été ainsi. Mon père nous avait quittées, ma mère et moi, lorsque j'étais jeune. Jax m'avait offert la stabilité et l'amour dont j'avais désespérément besoin. Il m'avait aussi protégée du défilé de mecs qu'avait eu ma mère toute sa vie. Au cours de cette période instable, il était toujours là quand j'avais besoin de lui. Il était le seul être à connaître tous mes secrets et à ne pas me juger. J'eus un mouvement de recul en pensant à la réaction qu'aurait Tucker si je lui disais ce que ma mère avait dû faire pour joindre les deux bouts ou comment ses mecs aimaient me toucher lorsqu'elle tombait dans les vapes après avoir pris de la drogue. Dans ce temps-là, Jax ne me jugeait pas; il n'avait jamais faibli. Pas avant qu'il commence à consommer. Comment pouvais-je le quitter maintenant, au moment où il avait le plus besoin de moi? Le bon gars qu'il était autrefois était encore là quelque part. C'est ce que j'essayais de me rappeler tous les jours. Il avait seulement besoin que je l'aide à retrouver son chemin. Il avait peut-être seulement besoin que je l'aide à apprendre à voler.

Je me détendis et laissai mes bras l'enlacer doucement. Il avait tous les droits de me détester en ce moment, même s'il ne connaissait pas la vérité.

Nous dormîmes dans mon lit, ses bras enroulés serrés autour de moi. J'avais l'impression de ne pas pouvoir respirer dans son étreinte. Qu'avais-je fait? J'étais partie avec un gars qui me considérait comme une sorte de projet. C'était peut-être de la pitié qu'il y avait dans son regard et non le désir ardent que je croyais voir, mais qui était sûrement seulement le reflet du mien. Ma place était ici. Dans cette roulotte, dans les bras de Jax. Mon destin avait déjà été écrit et un gars sur une motocyclette n'allait pas débarquer ici pour me sauver. Ce n'était pas un conte de fées. C'était ma vie. Peu importe combien je la détestais, c'était ma propre création et elle était à moi.

Le lendemain matin, je me réveillai avec un mal de tête lancinant. L'arrière de ma tête était sensible et je sentais mon sang battre d'une douleur sourde et constante, un désagréable rappel de la façon dont j'avais menti à Jax. Je ne pouvais pas lui dire la vérité, bien sûr. Je n'avais pas les moyens de passer un séjour à l'hôpital.

Je me libérai de son étreinte et me rendis dans la petite salle de bain. J'essayai de tourner la poignée, mais elle était verrouillée.

— Maman!

Je frappai à grands coups sur la porte avec la paume de ma main.

— Maman! Ouvre la putain de porte. Certains d'entre nous doivent aller au boulot.

J'attendis, les bras croisés sur la poitrine. Rien.

— Merde, criai-je avant de donner un coup de pied sur la porte.

Je revins dans ma chambre à coucher et m'emparai d'un uniforme propre pour le travail. C'était mon dernier et j'allais bientôt devoir aller faire un tour à la buanderie.

J'évitais cet endroit autant que possible. Il n'y avait rien de sécuritaire là-bas. Tous les toxicomanes du voisinage y traînaient pour acheter ou vendre de la drogue. Quelques semaines plus tôt, Deb, qui vit à trois roulottes d'ici, avait été attaquée et presque violée. Cette pensée me nouait l'estomac.

Je regardai du côté de Jax, qui était encore profondément endormi. J'ouvris silencieusement mon placard et déplaçai les boîtes jusqu'à ce que mes doigts touchent le tissu doux comme de la soie de ma robe neuve. Je ne pus retenir un sourire. Un jour, mon placard serait rempli de jolies robes comme celle-ci. Il me suffisait de travailler juste un peu plus fort. Je l'enterrai de nouveau avec précaution et me levai pour sortir de la pièce, m'arrêtant pour caresser mon ours en peluche qui gardait secrètement mes rêves en lui.

Je me dirigeai vers la cuisine pour trouver quelque chose, n'importe quoi, à manger. Il y avait seulement un pot de moutarde et un pot de mayonnaise sur la tablette du haut du réfrigérateur.. Les deux tablettes du bas étaient vides. Je le refermai.

— Merde, murmurai-je en me frottant le visage avec les mains.

Ma mère arriva dans le couloir en trébuchant, donnant un coup de pied sur le seau qui recueillait l'eau sale qui coulait de notre toit percé.

— Doux Jésus, maman! Regarde ce que tu as fait!

Mon ton devint compatissant lorsque je vis son visage, si triste et vaincu.

— Je vais chercher une serviette.

Je lui tapotai le bras et me fit toute petite pour passer derrière elle pour me rendre à la salle de bain.

Une aiguille gisait sur le lavabo à côté d'un tube en caoutchouc jaunâtre que je reconnus instantanément. Je m'en emparai et j'allai m'en prendre à elle.

— Merde, maman ! Je t'emmerde ! Tu as promis d'arrêter ! Tu as promis !

Des larmes coulaient sur mon visage tandis que je lui lançais le mince tube en caoutchouc.

Elle recula comme si j'allais lui décocher un coup de poing et elle s'appuya de tout son poids contre le lambris de bois derrière elle.

— Je suis désolée, marmonna-t-elle.

Des souvenirs de mon enfance affluèrent dans mon esprit.

— *Je veux ressembler à une princesse !*

J'étais excitée.

— *Reste tranquille, Cass. Maman ne peut pas tresser tes cheveux si tu n'arrêtes pas de te tortiller comme un ver sur ton siège !*

Je ricanai alors que papa passait la porte d'entrée.

— *Papa !*

Je bondis de ma chaise, reprenant mon équilibre avant de courir dans les bras ouverts de mon père.

— *Maman est ma fée marraine et elle va me transformer en princesse !*

Maman rit derrière moi tandis que mon père me reposait sur le plancher. Il gémit en étirant son dos endolori par une longue journée de travail chez Richardson Automotive. Il me caressa la tête, dépeignant mes cheveux fraîchement tressés.

— *C'est bien, Cassie.*

Il se dirigea vers le réfrigérateur et en sortit une bouteille de bière. Il but une longue gorgée et s'appuya contre le comptoir.

— *Tu t'es occupée de la maison aujourd'hui ou t'étais trop occupée à jouer à la coiffeuse ?, demanda-t-il froidement à ma mère en buvant une seconde gorgée.*

Elle se pencha vers moi et me sourit, lissant mes cheveux.

— *Je pourrais avoir une belle carrière dans la coiffure. Les femmes adorent se sentir belles.*

— *La plupart des femmes adorent s'occuper de leur mari.*

Il s'éloigna du comptoir d'une poussée et il se plaça devant ma mère, saisissant son bras de sa main libre. Elle recula légèrement, grimaçante de douleur.

— *Jessie a dit qu'il t'a vue bavarder avec Robbie à l'épicerie. Tu joues les putes dehors pendant que je travaille dur pour mettre du pain sur la table ?*

— *Robbie se demandait seulement pourquoi il ne nous avait pas vus à l'église.*

— *Tout le monde sait ce que tu fais. Tu n'as pas le droit de parler à d'autres hommes. Tu es à moi, tu t'en souviens ? Ou bien dois-je encore te le rappeler ?*

— *Pourquoi n'irais-tu pas chercher ta plus jolie robe de princesse pendant que maman cuisine un festin ?*

Elle se pencha à la hauteur de mes yeux. Je ris nerveusement, sentant que quelque chose avait mis mon père en colère et je lui donnai un rapide baiser sur la joue avant de courir dans le couloir jusqu'à ma chambre à coucher pour y trouver ma plus belle robe.

— *Je suis désolée, l'entendis-je sangloter doucement tandis que ses mots s'estompaient, résonnant dans ma mémoire.*

Je me sentis malade tout à coup. Ce regard dans ses yeux, cette défaite dont je me souvenais de façon si précise, je la reconnus soudain trop bien. C'était le même regard que j'apercevais tous les jours dans la glace.

CHAPITRE 7

*J*e passai la porte d'entrée en trombe. Je n'allais jamais pouvoir me rendre au travail assez vite. J'essuyai les larmes sur mes joues en courant; mes poumons brûlaient. Je stoppai net lorsque j'atteignis la limite du stationnement de terre.

Tucker était assis à demi sur sa moto, s'appuyant dessus. Je m'arrêtai, soudainement furieuse et incapable de prononcer un seul mot. J'étais submergée par ma nouvelle prise de conscience : je revivais la vie de ma mère, je suivais ses traces en m'engageant dans une relation instable. J'étais devenue comme elle sans même m'en rendre compte. Une chose que j'avais apprise des erreurs de ma mère était que je ne devais pas parler à Tucker. Je n'avais pas besoin que Jax me rappelle à qui j'appartenais. Je commençai à doubler le pas. Tucker se leva et attendit que je le rejoigne. Je passai devant lui pour me diriger vers le restaurant.

— Qu'est-ce qui ne va pas ?

Il jogga pour me rattraper.

— Rentre chez toi, Tucker.

Je m'essuyai de nouveau les yeux.

— Hé.

Il m'attrapa doucement le bras et je tressaillis au contact de sa main sur mes ecchymoses.

— Désolé. Je suis désolé. Il t'a encore fait mal ? Cass, dis-le-moi, s'il t'a fait mal. Je vais aller m'occuper de lui tout de suite. Il ne te touchera plus jamais.

Je m'arrêtai et pris le temps de me ressaisir pour retrouver ma voix.

— Toi, tu me fais mal. Oui, toi.

J'enfonçai un doigt dans son torse.

— Pourquoi es-tu ici ? Est-ce amusant pour toi, d'arriver en coup de vent dans ma vie chaotique et de jouer les héros ?

Je tendis les bras vers le ciel de manière théâtrale.

— Tu aimes ça voir les filles pleurer et se faire tabasser ?

Je n'appréciais pas l'idée d'être l'invitée d'honneur d'une fête organisée sur le thème de la pitié. La vue de Tucker ne faisait que me rappeler tout ce que ma pauvreté m'empêchait d'avoir dans ce monde ; un rappel dont je n'avais pas besoin.

Il me regarda comme si j'avais perdu la tête. J'avais bien l'impression que c'était le cas.

— Non… pourquoi tu dis ça, Cass ? Je ne veux pas te faire de mal, évidemment. Je veux t'aider.

Il tendit la main vers moi, mais je levai les miennes devant moi pour le faire reculer.

— Tu n'es pas un chevalier sur son cheval blanc qui peut m'emmener dans un pays enchanté et me sauver en claquant des doigts, Tucker. Tu n'es qu'un connard sur une motocyclette qui disparaîtra aussi vite qu'il est arrivé. Ma vie, ce n'est pas ton problème.

J'avalai péniblement en me préparant pour mon coup bas.

— Je ne suis pas ta mère.

Il tressaillit en entendant ces mots. Il leva les mains en l'air en signe de défaite, laissant tomber un petit bout de papier au sol.

— Fais comme tu veux, mon cœur.

Il retourna à sa moto et il se tourna pour me regarder en face.

— Je pars uniquement parce que c'est ce que tu souhaites. Je ne ferais jamais rien contre ta volonté, Cass. Je n'veux pas te blesser et si c'est ce que je fais en ce moment, alors je vais te laisser seule avec plaisir.

Il détourna la tête et enfourcha sa motocyclette, la faisant démarrer rageusement. Elle rugit et il s'éloigna, me laissant dans un nuage de poussière, de confusion et de tristesse.

— Foutrement super, marmonnai-je en donnant un coup de pied dans un tas de gravier avant de ramasser le petit bout de papier.

On lisait « Damaged » sur le recto. C'était un billet de concert pour ce soir à Savannah. Comment cette journée aurait-elle pu être pire ? Je le fourrai dans mon tablier et m'obligeai à oublier que Tucker était un jour venu dans cette ville. De toute façon, il serait parti avant même que je m'en aperçoive.

— Hé, Larry ! criai-je en entrant dans le restaurant.

Larry regarda par la fenêtre de la cuisine et il me salua d'un hochement de tête. Je montai le son de la radio et commençai à enrouler les ustensiles dans les serviettes. Nous n'avions pas encore de clients… du moins, aucun autre que celui que je venais de faire fuir.

Je fredonnais en suivant la musique pendant que je m'affairais à mes petites tâches. Quelques minutes plus tard, Larry apparut avec deux assiettes chaudes remplies d'œufs et de rôties.

— Merci, dis-je en lui souriant.

Il hocha la tête, mais il ne répondit pas à mon sourire.

Je dévorai chaque bouchée.

— Regarde-toi, Cass. Tu n'es pas enceinte, j'espère?

Il rit, mais je savais que sa question était sérieuse.

— Putain, Larry. Non. J'suis pas enceinte. Il faut pouvoir baiser pour tomber enceinte.

Je levai les yeux au ciel et lançai la dernière bouchée de rôtie dans ma bouche. Je n'arrivais pas à me souvenir de la dernière fois où Jax et moi avions couché ensemble et c'était mieux comme ça. Je n'avais plus un mot à dire dans cette affaire et la seule chose qui me sauvait était les doses de plus en plus grandes qu'il prenait.

— Pourquoi es-tu encore avec ton mec, ce vaurien? Y'est pas bon pour toi.

Comme si Larry venait de m'apprendre quelque chose que j'ignorais. Mais ça ne le regardait pas. Je haussai les épaules, saisis nos deux assiettes et les emportai dans la cuisine. Je les lavai rapidement et les déposai sur l'égouttoir.

Les gens commenceraient bientôt à arriver pour un café. La cloche au-dessus de la porte tinta, alors je lançai la vieille lavette dans l'évier et me frayai un chemin pour retourner dans la salle à manger.

Une femme était assise dans un box avec son fils. Je ne croyais pas les avoir déjà vus ici. Encore d'autres gens qui avaient emprunté la mauvaise sortie sur l'autoroute. J'accrochai à mon visage un beau grand sourire artificiel en prenant quelques menus. Nous n'avions pas de menu pour enfants, mais je m'étais fait un devoir de choisir deux livres à colorier et deux boîtes de crayons de couleur au magasin « où tout est à un dollar ». Ça rendait les enfants heureux et ils étaient ainsi moins portés à faire des dégâts.

— Bonjour et bienvenue chez Aggie's Diner. Je m'appelle Cass et je serai votre serveuse aujourd'hui. Puis-je vous offrir quelque chose à boire pour commencer ?

Je fis un clin d'œil au garçon et lui remis les crayons. Son visage s'illumina. Il semblait avoir environ cinq ans. Je me souvins à quel point la vie était merveilleuse à cet âge, si pleine de promesses. Ça se gâche très rapidement.

— Je vais prendre un jus d'orange et un lait au chocolat pour lui.

Elle ne me regarda même pas. La journée allait être formidable.

Je levai les yeux au ciel et me dirigeai vers la cuisine pour aller y préparer leur boisson. La cloche sonna plusieurs coups avant que je puisse servir les breuvages à mes clients. Je glissai ma tête par la porte de la cuisine ; je restai bouche bée. La cafetière se remplissait. Je jetai un coup d'œil à Larry derrière moi, qui haussa les épaules.

Je pris les verres et les emportai à ma table. Je notai leur commande et allai à la table suivante. Les affaires n'avaient jamais aussi bien marché un jour de semaine. Le restaurant n'avait jamais été aussi occupé, point.

Nous appelâmes Marla une heure plus tard afin qu'elle vienne nous aider à servir cette foule. Elle était la définition même de la paumée du sud et nous ne nous entendions pas très bien. Ses cheveux étaient d'un blond décoloré, secs et crépus avec des repousses foncées, et sa peau bronzée d'une teinte orangée avait l'aspect du cuir. Nous séparâmes le resto en sections. La plupart des clients étaient dans la vingtaine. J'étais loin d'avoir la patience nécessaire pour m'occuper de cette foule beaucoup trop bruyante. Si j'avais besoin d'une preuve supplémentaire pour me confirmer que l'univers se moquait de moi dans un éclat de rire cosmique, le message ne pouvait pas être plus clair.

Pendant que je nettoyais une table, je surpris la conversation des filles à côté de moi à propos du concert de Damaged de ce soir. Ça expliquait pourquoi il y avait une foule folle aujourd'hui. Je glissai la main dans mon tablier, tâtant le billet que Tucker avait laissé tomber par terre plus tôt.

— Oui, la troisième rangée au centre. Tucker White sera pratiquement devant nous, s'extasia une des filles.

Je figeai. Je me rendis jusqu'à leur table et leur demandai si elles voulaient que je leur resserve quelque chose à boire.

Elles refusèrent.

— Excusez-moi, vous ai-je entendu parler de Tucker White ?

J'essayai de garder une voix calme.

— Ouais, le chanteur de Damaged. Il est foutrement sexy.

La fille se retourna vers ses amies et elles continuèrent à parler de la façon dont elles avaient l'intention de se faufiler en douce dans les coulisses après le spectacle et de coucher avec Tucker.

Je reculai et fis de mon mieux pour ne pas me mettre à courir pendant que je m'en allais aux toilettes. Je fermai la porte et me penchai sur le lavabo en essayant de digérer ce que je venais d'entendre. J'avais l'impression d'avoir reçu un coup de poing dans le ventre. Pourquoi ne me l'avait-il pas dit?

J'ouvris le robinet et m'aspergeai le visage avec de l'eau froide. Ça ne changeait rien de toute façon. J'étais certaine que Tucker me détestait après ma crise de ce matin. Et j'avais un petit ami et une vie, à des années-lumière de la sienne, même s'il allait être à quelques coins de rue ce soir.

Je mordillai ma lèvre tout en fixant mon reflet. Peu importe l'opinion que j'avais de moi-même, il était clair que Tucker y voyait autre chose. Je me penchai plus près. Je n'arrivais pas à voir ce que c'était, je ne comprenais pas ce qu'il me trouvait, mais je voulais le découvrir. Je songeai à l'aperçu que j'avais eu de l'enfance de Tucker. Il n'était pas obligé de se confier à moi, de me faire confiance, mais il l'avait fait. J'avais évité de parler de mon passé à qui que ce soit par peur d'être jugée. Mais lui, il avait tout déballé pour moi dans l'espoir que je ferais la même chose et, au lieu de ça, je l'avais chassé, faisant exactement ce que je craignais qu'il fasse avec moi. Soudainement, je sus que je devais le revoir. J'avais besoin de savoir pour quelle raison il ne m'avait pas dit qui il était réellement. Pourquoi me faire confiance en me révélant son passé torturé, mais me cacher cet énorme détail à propos de sa vie actuelle? Ce qui m'importait le plus maintenant était qu'il sache qu'il n'avait pas commis d'erreur en me révélant son secret.

J'eus tout à coup l'impression que le destin voulait que Tucker reste dans ma vie, d'une manière ou d'une autre.

Je fis de mon mieux pour m'occuper le reste de l'après-midi. Le concert était dans trois heures. Si je travaillais comme une dingue, il se pourrait que je réussisse à convaincre Marla de terminer la soirée à ma place. Je pourrais lui donner mes pourboires de la journée. C'était beaucoup d'argent. Plus d'argent que j'en avais déjà gagné en un seul quart de travail, mais ça me semblait en valoir la peine. Après ce spectacle, Tucker partait pour une autre aventure.Si je voulais le voir, c'était ma dernière chance. Ma seule chance. C'était le moment ou jamais d'apprendre à voler, en espérant que je ne tomberais pas.

Dès que j'avais un moment, je m'occupais de mes petites tâches, remplissant les salières et les poivrières et roulant des ustensiles. Quand l'horloge marqua dix-neuf heures, je fus incapable d'attendre plus longtemps.

— Marla, je sais que tu ne peux probablement plus tenir debout, mais je me demandais si tu pouvais me remplacer pour mon quart de travail. Je sais que je t'en demande beaucoup. Je peux te donner tous mes pourboires. J'ai fait près de cent dollars.

Je la suppliais presque à genoux.

Elle me lança un regard acerbe et elle ne me répondit pas tout de suite.

Je perdis tout espoir.

— Tous tes pourboires ?

Je souris jusqu'aux oreilles et enroulai mes bras autour de son cou.

— Merci ! Merci beaucoup !

Je me précipitai hors du restaurant aussi vite que possible. En traversant le stationnement de terre, la tête me tournait. Je ne savais pas du tout à quoi j'avais pensé plus tôt. J'étais certaine qu'il ne voulait plus me voir après la manière dont je l'avais traité ce matin.

En me dirigeant vers ma roulotte, je me glissai derrière et écoutai pour savoir s'il y avait quelqu'un à l'intérieur. Je pouvais entendre ma mère et Jackson dans le salon. Ma chambre à coucher se trouvait au bout du couloir. Je pourrais entrer et sortir sans me faire remarquer si je ne faisais pas de bruit.

J'ouvris en douceur la minuscule fenêtre de ma chambre à coucher. Je pris une vieille caisse en bois abandonnée dans la cour et je l'installai sous la fenêtre. Je n'étais pas certaine qu'elle puisse supporter mon poids, mais je ne voyais pas d'autre solution.

Je montai dessus, m'agrippai à la fenêtre et parvins à me glisser à l'intérieur jusqu'à la taille. Je pensai soudain que si quelqu'un me voyait dans cette position, elle penserait que j'étais une voleuse, car j'étais habillée en noir de la tête aux pieds. Je me tortillai pour m'insérer à l'intérieur par cet espace minuscule et tombai silencieusement sur mon lit en dessous. Je restai allongée, parfaitement immobile, attendant que quelqu'un surgisse par la porte pour voir ce qui se passait. Je retins mon souffle et attendis. Rien.

Je me roulai hors de mon lit et fouillai dans mon placard jusqu'à ce que je trouve le sac qui contenait ma robe et mes sandales neuves. Je me changeai aussi rapidement que possible et passai une main dans mes cheveux. J'attachai le petit pendentif autour de mon cou, laissant mon doigt s'attarder sur le cœur en métal pendant un moment. Je saisis mes vêtements de travail et les fourrai dans le sac, puis je le laissai tomber dehors par la fenêtre, sur le sol.

Je pris mon ourson en peluche sur la commode et en retirai assez de billets pour un taxi et de la monnaie pour téléphoner. Je n'arrivais pas à chasser le sourire stupide que j'avais sur mon visage. J'étais excitée, heureuse même. Je me faufilai par la fenêtre et posai les pieds sur la caisse en bois.

Je pris mon sac de vêtements de travail et le cachai sous la plinthe du revêtement extérieur de la roulotte.

CHAPITRE 8

*J*e marchai jusqu'au téléphone public au coin du stationnement. J'appelai un taxi et patientai, me balançant nerveusement d'un pied sur l'autre. Ça me semblait une éternité. Qu'étais-je en train de faire ? Il ne voudrait pas me voir après toutes les choses que je lui avais dites. Avec toutes ces jolies filles criant son nom, allait-il seulement se rappeler mon existence ?

Je me convainquis de rentrer à la maison. Si je me hâtais, je pourrais reprendre la fin de mon quart de travail et peut-être gagner quelques dollars. Alors que je commençais à traverser le stationnement, une voiture klaxonna derrière moi. Je bondis et pivotai brusquement pour apercevoir un taxi jaune.

Un sourire apparut immédiatement sur mon visage et sans y penser à deux fois, je marchai en sa direction et me glissai sur la banquette arrière.

— Il faut que vous m'ameniez au théâtre de Savannah sur Bull Street.

Le chauffeur de taxi hocha la tête et fonça dans la nuit noire. Mon cœur battait la chamade. Je ne pouvais plus revenir en arrière maintenant. J'ignorais ce que j'allais dire à Tucker, mais je saurais trouver les mots quand je le regarderais droit dans les yeux. C'était la chose la plus folle que j'avais faite de ma vie. Je n'avais jamais assisté à un concert.

Je n'en avais jamais eu les moyens. Pour plusieurs raisons, c'était un rêve devenu réalité.

Savannah était plus animée que d'habitude. Les rues étaient envahies par les touristes et par les gens venus pour le concert. Mes yeux scrutèrent la façade du vieux bâtiment avec son immense enseigne en néon où on pouvait lire : *SAVANNAH*. La marquise qui s'étirait sur toute la largeur du bâtiment épelait *DAMAGED* en grandes lettres rouges. Mon regard glissa plus bas pour contempler la foule des gens qui se pressait dans la rue, devant le théâtre. Les hommes portaient des jeans décolorés et usés avec des t-shirts de style vintage aux slogans accrocheurs, exactement comme Tucker. Les femmes ne portaient presque rien, espérant attirer le regard de l'un des membres du groupe. Les mini jupes et les t-shirts au-dessus du nombril étaient manifestement le code vestimentaire de la soirée. Je baissai les yeux sur ma robe et notai que j'étais la personne vêtue avec le plus de conservatisme. L'excitation qu'il y avait dans l'air était palpable. Tout le monde souriait et le bourdonnement des spectateurs excités se faisait entendre jusque dans le taxi.

— Dix dollars et cinquante-sept cents, dit le chauffeur par-dessus son épaule en freinant doucement.

Je lui donnai quinze dollars et lui dis de garder la monnaie. En ce moment, l'argent était le moindre de mes soucis. Je n'arrivais pas à arracher mes yeux de la façade du théâtre tandis que je sortais du taxi. Je ne pensais pas avoir déjà vu autant de monde dans un même endroit auparavant.

Je tenais le billet taché dans ma main, le serrant de toutes mes forces comme si ma vie en dépendait pendant que je traversais la rue. Je n'étais pas une amatrice de foules et je sentais mon rythme cardiaque s'emballer.

Je me mis à faire la file et fixai mon billet. C'était peut-être une erreur. Peut-être était-ce mieux de rentrer chez moi. La foule commença à avancer lentement. Pourquoi souhaiterait-il revoir mon visage après ce que je lui avais dit ? Mon esprit retourna au bar, pas loin d'ici. Je devais courir le risque de le revoir. Je ne pouvais pas le laisser quitter la ville alors qu'il pensait que je me foutais de lui. Je ne comprenais pas trop ce qui se passait dans mon cœur depuis sa rencontre, mais une chose était sûre : même si je me sentais affreusement coupable à cause de ce qui s'était passé, je savais que j'avais des sentiments pour lui. Et plus que je n'osais l'imaginer.

— Ton billet.

La dame qui était derrière le comptoir me tendit la main.

— Oh… le voici.

Je lui remis mon billet.

— Première rangée, au centre. Bon concert.

Elle me fit un léger sourire.

Je tournai vers elle un visage rayonnant. Je me sentais comme Cendrillon allant au bal. Dans ma robe neuve, j'arrivais presque à me fondre dans la foule. J'avais tout de même encore l'impression d'avoir une grosse affiche sur le front qui proclamait *PAUMÉE DU SUD*, mais ça n'avait pas d'importance. Ce soir, je savais que je vivais vraiment, que je ne faisais pas juste survivre. C'était bon. Tucker se foutait de tout ça et j'étais ici pour lui, pour lui seul.

Je passai les portes à pas lents, parmi la foule d'admirateurs qui criaient et riaient ensemble. C'était bondé, il faisait chaud et je commençais à me sentir étourdie par toute cette excitation. Regardant autour de moi, j'eus l'impression d'avoir été kidnappée par des extra-terrestres et lâchée sur une planète étrangère. Les femmes étaient maquillées avec art comme si elles foulaient le tapis rouge et les gars étaient parfumés comme si on les avait plongés dans une cuve remplie d'eau de Cologne et de gel pour les cheveux.

Je me frayai un chemin dans la salle et suivis les gens qui se dirigeaient vers la première rangée. J'étais pratiquement sur la petite scène qui dessinait une courbe devant la salle géante. Tucker ne pourrait absolument pas me rater. J'espérais ne pas être en train de faire une folle de moi, comme j'en avais l'habitude. Ce théâtre, un superbe monument historique, était un des attraits touristiques les plus importants de la ville. Mais contre toute attente, l'intérieur de la bâtisse était moderne, avec des rangées de sièges et une aire ouverte à l'avant qui servait de piste de danse pour les spectateurs durant les concerts. De lourds rideaux pourpres encadraient la scène, comme si une pièce de théâtre allait commencer plutôt qu'un concert rock.

Les filles autour de moi étaient gaies, survoltées. Elles ne parlaient que d'avoir une relation sexuelle avec Tucker ou avec les Jumeaux Tordus, comme elles appelaient Chris et Terry. Les entendre parler de Tucker de cette façon me retourna l'estomac.

« Je ne devrais pas être ici ».

Manifestement, je n'avais aucune idée de ce que c'était, la vie d'une rock star. Qu'est-ce que ça me faisait qu'il couche avec une femme différente toutes les nuits ? J'avais un amoureux. Jax ne me reparlerait plus jamais s'il découvrait que j'avais filé en douce, surtout s'il savait où. Je ne pouvais m'empêcher de songer à mes pourboires que j'avais donnés pour être ici, de l'argent dont nous avions cruellement besoin. Je sentis la panique s'installer dans chacune de mes cellules. Soudain, je me tournai pour partir, espérant que Jackson était ivre mort quelque part et que je pourrais revenir à la roulotte avant qu'il se réveille.

« Je savais que c'était une mauvaise idée ».

Juste au moment où je commençais à m'avancer dans la foule pour prendre la fuite, les lumières se tamisèrent et tout le monde autour de moi explosa comme un feu d'artifice. La foule était assourdissante. Je pivotai pour faire face à la scène.

Un chanteur du coin s'amena sur la scène. Il portait un tricot vert olive et un pantalon usé. Sans sa barbe hirsute, il aurait eu l'air de sortir tout droit d'une salle de classe. Il s'assit sur un tabouret au centre de la scène avec une guitare acoustique sur les cuisses et il commença à jouer une douce mélodie. Sa chanson était triste, mais, étrangement, elle fit naître un sourire sur mon visage. La foule se tut quand il baissa la voix, murmurant presque. C'était magique de voir tous ces gens réunis tomber sous le charme d'une seule personne. Je me perdis dans mes souvenirs douloureux pleins de nostalgie alors que la chanson changea. Avant de comprendre ce qui se passait, la foule applaudissait et l'homme se levait de sa place avec un rapide hochement de tête et il quittait la scène. Le charme était rompu. J'applaudis avec les autres admirateurs, emportée par fébrilité dans l'air.

Ensuite, les Jumeaux Tordus émergèrent de l'ombre, guitares en main. Ils étaient vêtus de tenues grunge, déchirées et lacérées. Ils portaient plus de bijoux que j'en possédais, mais étonnamment, ça leur donnait un air masculin et même, de durs à cuire. Ils ne ressemblaient en rien aux hommes qui s'étaient assis l'autre jour dans mon restaurant. Quelques moments plus tard, un autre gars entra sur scène et s'assit derrière la batterie. Je ne l'avais jamais vu auparavant. Il avait les cheveux coupés en brosse et il était plus trapu que les autres membres du groupe. Il était torse nu et il n'avait pas les fameux tatouages des autres membres du groupe.

Autant la foule avait été bruyante avant, autant elle semblait avoir été tranquille en comparaison avec le bruit qu'elle fit quand Tucker entra enfin sur la scène. Il portait son jeans bas et un t-shirt bleu poudre avec écrit dessus le mot *GROUPIE*.

Il marcha jusqu'au centre de la scène et il s'empara de son microphone.

— Salut, Savannah !

Il sourit, dévoilant ses séduisantes fossettes pendant que ses yeux balayaient la foule. Ils s'arrêtèrent sur moi et pendant une seconde, j'oubliai de respirer.

— Salut, mon cœur, dit-il doucement, juste pour moi.

Les filles autour de moi devinrent folles, étant absolument convaincues qu'il leur parlait. Je m'en foutais. J'étais trop occupée à supplier mon cœur de recommencer à battre pendant que, sur mon visage, un sourire brillant de mille feux s'épanouissait.

Les jumeaux commencèrent à gratter leur guitare. La salle devint de plus en plus bruyante dans cette attente fébrile, puis la foule se calma subitement quand Tucker s'avança vers le micro.

Tucker commença à chanter et je fus surprise de ne pas avoir reconnu sa belle voix plus tôt. Ses paroles étaient belles, elles parlaient de son désir de rester avec la personne qu'il aimait, qu'il ne voulait plus seulement pour une autre nuit. La chanson était incroyablement entraînante et je laissai onduler mes hanches, au rythme de la foule. Ça me rappelait notre soirée de danse et je rougis quand son regard se tourna rapidement vers moi, savourant ce fantasme de nos deux corps. Je voulais être la fille de sa chanson, cet amour pour lequel il vivait.

La chanson se termina en se fondant parfaitement dans la suivante. Il chanta sur la nécessité de dire au revoir, une chanson étonnement joyeuse étant donné le sujet. Il dansait un peu en chantant et j'imaginais mon corps se presser contre le sien comme il l'avait fait la veille.

Je me perdais dans sa voix, dans mon fantasme. La musique avait toujours été un excellent moyen d'évasion pour moi, mais ce qui se passait maintenant était surréel. Être assise à la meilleure place pour assister à un vrai concert, donné de surcroît par un chanteur célèbre que je connaissais personnellement, c'était magique. Son cœur et son âme filtraient à travers les paroles de sa musique. Je les écoutais comme si je ne les avais jamais entendues, les mots prenant un sens nouveau maintenant que je connaissais l'enfance qu'il avait vécue.

Chaque fois que ses yeux croisaient les miens, j'avais vraiment l'impression que nous étions seuls tous les deux dans le théâtre, sentant ses paroles destinées uniquement à moi. J'étais heureuse. Vraiment heureuse. J'espérais que ce moment ne se termine jamais.

La chanson suivante étant un peu plus lente, Tucker s'assit sur un tabouret et prit une longue gorgée d'eau avant de chanter. La lumière se tamisa dans la salle et seule une douce lueur l'éclairait. Il commença à chanter une chanson qui parlait de tristesse et il ferma les yeux, devant une salle devenant à cet instant silencieuse. Je ne reconnus pas la chanson. La foule oscillait autour de moi tandis que Tucker nous ouvrait son cœur, faisant fi de tout jugement. J'aurais aimé avoir le courage qu'il lui fallait pour s'asseoir sur ce tabouret et exposer son âme au monde entier.

Pendant que la chanson se terminait, il ouvrit lentement les yeux et sourit nerveusement. J'éclatai en bravos et applaudis avec tous les autres. Il se leva et la chanson suivante commença. Tout le monde tapait des mains en marquant le rythme pendant que Tucker livrait son cœur et son âme dans chacune de ses chansons, de ses paroles. Les lumières clignotaient et dansaient sur lui. Il semblait être totalement dans son élément.

La dernière chanson se termina doucement et les lumières se rallumèrent dans la salle. Tucker me décocha un clin d'œil et il leva un doigt pour me dire qu'il reviendrait dans une minute. À présent, j'avais un sourire niais accroché au visage. J'avais l'impression d'être entrée dans la vie de quelqu'un. J'espérais ne jamais me réveiller.

Des filles, impatientes de rencontrer n'importe lequel des musiciens, me poussaient et me bousculaient. Les membres du groupe prirent tous le temps de signer les t-shirts et les pochettes de CD des fans de la première rangée. C'était stupéfiant de voir comme leurs fans étaient fidèles et de découvrir à quel point Tucker était ouvert et sous les feux de la rampe. Il revint, un sourire fendu jusqu'aux oreilles, remerciant chaque admirateur qu'il rencontrait. Soudainement, je compris que la femme au bar hier soir n'avait voulu que son autographe et non son numéro de téléphone. Je prêtais toujours de mauvaises intentions aux gens et ça ne m'était jamais venu à l'esprit que ce n'était pas tout le monde qui avait des intentions cachées. Je jugeais Tucker depuis l'instant où il avait mis les pieds dans le resto et il n'avait mérité aucune de mes accusations. Quand il me rejoignit enfin, il sourit en déposant une main de chaque côté de ma taille, me soulevant sans effort par-dessus les clôtures en métal qui gardaient les fans à distance. Je sentis ma peau brûler sous le bout de ses doigts et cette chaleur se répandit à travers mon corps.

La foule hua et cria quand il me déposa devant lui. Ses mains toujours entourant ma taille, il murmura à mon oreille afin que je puisse l'entendre par-dessus la foule.

— Je suis content que tu sois venue, Cass.

Son souffle me chatouilla l'oreille et fit courir un frisson le long de mon corps. Je ne pouvais pas m'arrêter de sourire ; mes joues me faisaient mal comme si ces muscles-là n'avaient jamais servi avant.

— Pourquoi ne me l'as-tu pas dit ?

Je me rapprochai de lui, me tenant sur la pointe des pieds afin de pouvoir lui parler dans le creux de l'oreille. Je pris une profonde respiration, humant son parfum de noix de coco.

Il me fit signe de le suivre d'un signe de tête. Il me prit par la main, entremêlant ses doigts aux miens tandis qu'il me tirait derrière lui. Nous nous frayâmes un chemin en passant près des autres membres du groupe qui signaient toujours des autographes et nous nous glissâmes par une porte de l'autre côté de la scène.

— Je ne voulais pas que tu me regardes comme ils le font tous.

Il pointa du menton la foule de l'autre côté de la porte, les sons assourdissants à présent étouffés derrière.

— Je n'aurais jamais fait ça.

Je coinçai mes cheveux derrière mon oreille et lâchai un petit rire nerveux.

— J'aurais été tout aussi désagréable.

Un coin de sa bouche se releva en un sourire, mais il ne répondit pas.

— C'est vraiment extraordinaire, Tucker. Tout ce succès.

— Nous ne faisons que commencer, en fait. Il haussa les épaules. Nous sommes encore en train de faire nos preuves.

— Ce n'est qu'une question de temps avant que vous jouiez dans les grandes salles de spectacle du monde entier.

— Elles sont toutes pareilles.

— C'est quand même mieux que de rester coincé au même endroit toute sa vie.

— Je n'veux pas parler du groupe.

Tucker releva légèrement mon menton afin que je le regarde dans les yeux.

Nous étions si près l'un de l'autre que je pouvais sentir la chaleur irradier de son corps. L'ambiance changea brusquement pour devenir sérieuse tandis que mon cœur commençait à battre la chamade dans ma poitrine à cause de sa proximité.

— Je suis désolée pour

Tucker posa un doigt sur mes lèvres.

— C'est sans importance. Pourquoi devrais-tu faire confiance à un gars qui surgit dans ta vie sur une motocyclette en commandant une bière ? Je t'ai déjà dit que j'aime les défis, mon cœur.

Il retira son doigt et il passa rapidement son pouce sur ma lèvre inférieure. Ses yeux tombèrent sur mes lèvres.

Je souris, espérant ne pas me réveiller de si tôt de ce rêve.

— C'est bon de te voir sourire, murmura-t-il en se penchant plus près.

Mon cœur fit un bon dans ma poitrine.

— Hé, mec, c'était un spectacle du tonnerre.

Un des Jumeaux Tordus donna une petite tape dans le dos de Tucker quand il passa devant nous.

Tucker baissa la tête et rit.

— Ouais, mec. Merci.

Ses yeux suivirent son collègue pendant que celui-ci marchait dans le couloir et disparaissait. Les yeux de Tucker revinrent lentement sur les miens, ayant l'air de celui que l'on vient de prendre la main dans le sac.

— Cet enculé t'a-t-il causé des problèmes lorsque tu es rentrée hier soir?

— Non.

Je secouai la tête et j'eus un mouvement de recul à la pensée de sa prise de bec avec Jax et devant son utilisation du mot «enculé». Je ne voulais pas qu'il s'inquiète pour moi plus qu'il ne l'avait déjà fait et je ne pouvais pas m'empêcher d'éprouver un sentiment tenace de loyauté envers Jax, surtout depuis mes récents mensonges sur mes allées et venues.

— Fait-il ça souvent?

— Assez.

Je soupirai.

Je regardai les muscles de la mâchoire de Tucker bouger sous sa peau.

— J'aurais dû lui botter le cul au restaurant.

— Non, une chance que tu ne l'as pas fait. Ça aurait empiré les choses pour moi.

Les yeux de Tucker se plissèrent tandis qu'il s'efforçait de ne pas laisser sa colère l'emporter.

— Quand pars-tu ?

Cette question avait occupé mes pensées depuis qu'il était entré dans le resto, même si je ne l'aurais jamais admis.

— Nous quittons la ville ce soir.

Son visage devint sérieux.

Ma poitrine se dégonfla quand il répondit. Je ne savais pas pourquoi je m'en souciais autant, mais c'était le cas. La dure réalité que représentaient ces six mots me heurta violemment et la déception que je sentis jusque dans mon ventre me donna soudainement la nausée.

— Je suis contente d'avoir eu l'occasion de te rencontrer, Tucker.

Mes mots pesaient lourd, plus que je ne voulais bien l'admettre.

Ses doigts se nouèrent dans ma chevelure et notre adieu plana lourdement dans l'air.

— Je parie que je pourrais faire un album complet avec des chansons à ton sujet… si nous pouvions seulement avoir un peu de temps ensemble…

L'accent de tristesse dans sa voix ne m'échappa pas.

Tout était maintenant trop réel. J'aurais peut-être dû le laisser partir et me faire croire qu'il n'avait jamais été rien d'autre qu'un produit de mon imagination débordante.

— Je devrais rentrer. Quelqu'un va remarquer mon absence. Je voulais seulement m'excuser pour la manière dont je me suis comportée, plus tôt.

Il me fallait fuir. La salle me semblait soudainement trop étroite et je ne pouvais plus respirer.

« Je savais que je n'aurais pas dû venir. À quoi m'étais-je attendue? Qu'il reste pour moi? Pour une fille avec un amoureux toxicomane et un emploi sans avenir dans une gargote? »

Il ne dit rien, il se contenta de hocher la tête et de reculer.

— Je vais t'appeler un taxi. Je dois rester ici, aider les gars, mais j'aimerais te voir avant mon départ.

Ses yeux semblaient tristes, mais il gardait un petit sourire sur les lèvres.

Je savais que j'aurais dû dire non. J'aurais dû lui dire au revoir et m'en aller; faire une rupture nette. Je souris plutôt faiblement.

— La troisième roulotte à droite. Ma fenêtre est sur le côté.

Il sortit son portable et appela un taxi pour me reconduire chez moi.

CHAPITRE 9

— *Il* devrait arriver dans une minute. Je vais te faire sortir par l'arrière pour éviter les fans, dit-il en fermant son téléphone.

Il glissa sa main dans le bas de mon dos et il me guida à travers la salle vers une porte de service. Il marqua une pause avant de l'ouvrir d'une poussée.

— Je suis vraiment content d'avoir eu l'occasion de te connaître, Cass.

Il faisait ses adieux. À cette pensée, je sentis mon ventre se nouer à nouveau.

J'avalai péniblement et passai la porte. Je ne pouvais pas lui dire au revoir. Je savais que je n'aurais peut-être plus jamais la chance de le remercier de m'avoir fait sourire ce soir, mais je ne trouvais pas les bons mots. C'était trop dur.

Tucker me suivit, attendant à mes côtés l'arrivée du taxi. Il glissa sa main autour de la mienne et enlaça mes doigts, mais il ne dit pas un mot.

Le taxi s'arrêta devant nous et la main de Tucker se referma sur la mienne. Je levai les yeux vers lui, admirant son beau visage une dernière fois avant de retirer ma main, puis je me glissai sur la banquette arrière.

Tucker remit quelques billets au chauffeur de taxi et il lui donna les indications pour se rendre chez moi. Il s'arrêta pour me regarder avant de se relever et de reculer d'un pas.

Je le regardai à travers mes larmes pendant que le taxi sortait de l'allée sombre. J'avais eu mon évasion. Il était temps pour moi de revenir à la réalité.

Le chauffeur me jetait à l'occasion des coups d'œil dans son rétroviseur, mais il ne prononça pas un mot tandis que je pleurais en silence. Je lui en fus reconnaissante. Je n'étais pas du genre à montrer mes sentiments, encore moins à un étranger.

Le trajet du retour me parut deux fois plus rapide que pour me rendre au concert et je fus instantanément envahie par le regret une fois arrivée au Aggie's Diner. J'aurais dû dire quelque chose à Tucker, n'importe quoi. J'avais eu peur que ça rende notre adieu réel. Toutefois, ça se produisait, que je le veuille ou non.

Je remerciai le chauffeur et sortis dans le stationnement à présent désert du restaurant. La foule du concert avait quitté les lieux et la vie avait repris son cours normal. La tristesse me submergea lentement lorsque je me rendis compte qu'à partir du lendemain, je reprendrais mon ancienne existence exactement là où je l'avais laissée quelques jours auparavant. Mon fantasme était officiellement terminé.

Je soupirai en donnant un coup de pied dans la poussière, me frayant un chemin à travers la clôture jusqu'au parc à roulottes. Le voisinage était calme. Mes nerfs commencèrent à se détendre lorsque j'arrivai près de chez moi. J'avais mis Jackson sérieusement en colère plusieurs fois par le passé, mais il était impossible de prédire ce qu'il ferait s'il découvrait que je lui avais menti pour voir un autre homme, même si cet homme était un dieu du rock et non un amant.

Je trouvai mon sac de vêtements là où je l'avais caché et j'enfilai rapidement mon pantalon sous ma robe. Je regardai autour de moi avant d'enfiler mon polo et de me tortiller pour me libérer de ma robe. Je changeai de chaussures et ouvris la fenêtre de ma chambre à coucher avec précaution, glissant mon sac à l'intérieur. Voilà. Le moment de vérité. S'il savait la vérité, j'allais mériter ce qui allait m'arriver.

Je fis courir mes mains dans mes cheveux à quelques reprises et les nouai en chignon. Je pris quelques profondes respirations avant de me diriger vers la porte d'entrée et de me faufiler à l'intérieur. Jax était endormi sur le sofa, le téléviseur encore allumé. Je saisis la télécommande et pressai le bouton pour l'éteindre.

— Cass?

La voix de Jackson s'éleva derrière moi, me faisant sursauter.

— Ouais?

Je ne me retournai pas pour ne pas avoir à le regarder en face. J'étais terrifiée à l'idée qu'il sache où j'étais allée.

— Comment était le boulot?

Il s'étira et bâilla.

Je pivotai lentement pour lui faire face.

— Bien. C'était bien. Pas autant de tables que j'aurais aimé.

Je fis tout pour retenir mes larmes.

Il hocha la tête et il plaça son bras sur son visage pour se rendormir. Je poussai un soupir de soulagement et me dirigeai vers ma chambre, la main sur la poitrine, tâtonnant en secret à la recherche du pendentif sous le tissu. Je fermai doucement la porte derrière moi et je me laissai glisser au sol, puis je serrai les genoux contre ma poitrine.

Je me sentais mal de mentir à Jackson. Je savais que Jax n'était pas la meilleure personne pour moi, mais il avait toujours été présent. Il était la seule constante dans ma vie et j'avais trahi sa confiance. En même temps, je commençais à voir que le monde avait plus à offrir. Je voulais m'échapper, déployer mes ailes. Malheureusement, Tucker allait partir avant même que je m'en rende compte. C'était idiot d'espérer quelque chose de plus, mais j'étais dangereusement près de lui faire une place dans ma vie, d'entretenir l'idée du «sait-on jamais?». Toutefois, Tucker était imprévisible, une star du rock dont la vie était une aventure continuelle; Jax, lui, ne m'avait jamais quittée après toutes ces années, même si les temps étaient très durs. Une chose était certaine : être seule me terrifiait davantage que n'importe quelle crise de colère de Jackson. J'avais vu ma mère s'effondrer quand mon père l'avait quittée et je ne pensais pas être plus forte qu'elle.

Je me levai et pris mon sac sur le lit, le glissant dans sa cachette à l'intérieur du placard. Je retirai mon collier et le rangeai avec précaution dans le sac. J'enlevai mes vêtements de travail et me dirigeai vers la salle de bain.

Je pris la plus longue douche que je pouvais supporter sous l'eau froide. C'était bon après la chaude ambiance dans la salle de spectacle bondée. Toutefois, ça ne me lava pas de ma culpabilité, qui me collait à la peau plus fortement que jamais, ayant menti encore une fois à Jackson. Pendant que je rejouais sans cesse la soirée dans ma tête, je commençai à manquer d'assurance. Je n'étais plus sûre de savoir si Tucker m'aimait réellement ou si je lui faisais seulement pitié. Je chassai cette idée de mon esprit et je fermai l'eau en me laissant frissonner une minute avant de me sécher. J'enfilai un pantalon de pyjama en flanelle et un débardeur rouges.

Quand je retournai dans ma chambre, je me glissai sous les couvertures et me couchai en boule. Tucker serait bientôt parti. Je n'avais plus besoin d'y penser. La vie reprendrait son cours normal : elle continuerait de me décevoir.

Je rêvai toute la nuit que j'étais dans une grande salle de spectacle, assise à la première rangée, au centre. Les lumières étaient tamisées et un petit projecteur éclairait le milieu de la scène. Tucker était assis sur un tabouret en bois devant moi, chantant de toute son âme. Je ne pouvais pas le quitter des yeux tandis que les siens se refermaient dans un léger battement de paupières, son visage empreint d'émotion pendant qu'il chantait. C'était le seul endroit au monde où je voulais être. Je venais de goûter à ce que pouvait être la vie et c'était cette vie-là que je voulais.

Je m'éveillai au son d'un petit coup frappé à la fenêtre de ma chambre à coucher. Je m'assis, d'abord terrifiée, repoussant vivement mes cheveux dépeignés et encore humides de mon visage. Je plissai les yeux dans l'obscurité, essayant de distinguer la sombre silhouette qui se trouvait de l'autre côté de la vitre. Mon cœur battait la chamade dans ma poitrine tandis que mes yeux s'ajustaient à la noirceur.

Je me glissai sur les genoux et ouvris la fenêtre.

— Tucker, je ne pensais pas que tu viendrais, murmurai-je, un sourire illuminant instantanément mon visage.

Il sembla indigné, comme si l'option de ne pas venir me trouver ne lui avait jamais traversé l'esprit.

— J'ai dit que je le ferais, Cass. Je suis un homme de parole.

— Dans mon monde, ce qu'un homme dit et ce qu'un homme fait, ce sont deux choses bien différentes.

— Il serait peut-être temps pour toi d'avoir une nouvelle vision du monde.

— Ma vision du monde me convient.

Je rougis devant ma propre audace.

— Est-ce que quelqu'un a remarqué ton absence ?

Il regarda derrière moi.

Je secouai la tête. Je savais qu'il s'inquiétait que Jax perde la tête s'il apprenait que j'étais partie du boulot. C'était gentil de la part de Tucker de s'en soucier, mais j'étais capable de prendre soin de moi-même.

Il sourit et il sortit un petit bout de papier de sa poche.

— Voici mon numéro de téléphone. Je veux que tu m'appelles si tu as besoin de quoi que ce soit. Même si c'est seulement pour parler.

Je pris le bout de papier entre ses doigts et le tins contre mon cœur.

Il sourit, ses yeux fixés sur les miens.

— Oh, j'ai presque oublié.

Il fouilla encore une fois dans sa poche et il sortit un petit carré blanc sur lequel était inscrit le mot « *DAMAGED* » en caractères gras.

Je le pris de sa main et examinai le billet de concert en plissant le front.

— Nous jouons à Tybee Island dans deux jours. Ce n'est pas loin d'ici. J'espère que tu pourras venir ?

J'étais allée à Tybee une fois lorsque j'étais jeune. La belle île avait une jetée gigantesque qui s'avançait dans l'océan.

Petite fille, j'avais eu l'impression d'être arrivée au bout du monde.

— Je vais essayer.

Je mordis ma lèvre inférieure. Il me serait presque impossible de me rendre à l'île et de revenir sans que l'on remarque mon absence.

Il sourit et fit glisser sa main sur la mienne. Ce contact provoqua une décharge électrique qui remonta directement dans ma poitrine.

— Ce n'est pas un adieu, Cass. Ce n'est que le début.

Ses doigts se retirèrent lentement et il avala péniblement.

— Je dois partir.

Il se passa encore une fois la main dans ses cheveux en bataille.

J'avais encore tellement de choses à lui dire, mais je ne trouvais pas les mots.

— Deux jours.

Je souris, me demandant pourquoi mon bas-ventre se nouait soudainement de tristesse.

Il me décocha un autre de ses beaux grands sourires, ses dents blanches parfaites brillant dans le noir. Il se tourna et il quitta le parc à roulottes à pied. Je le regardai disparaître à travers la clôture et attendis jusqu'à ce que le faible rugissement de sa motocyclette s'estompe.

Je fermai la fenêtre et me laissai retomber sur mon lit, serrant le billet de spectacle et son numéro de téléphone contre mon cœur. Je jetai un coup d'œil du côté de mon ourson, me demandant combien d'argent il me faudrait pour le trajet en taxi jusqu'à Tybee. Ça diminuerait mes économies, mais une partie de moi s'en balançait. Je méritais de m'évader à nouveau de ma vie pathétique. Je pris le billet et le glissai dans le trou à l'arrière de mon ourson. Je pliai le numéro de téléphone de Tucker pour le rendre aussi petit que possible et je l'insérai dans mon pendentif caché dans mon placard avant de me recoucher et de m'endormir.

Les bras qui entouraient ma taille se resserrèrent tandis que son souffle régulier me chatouillait la joue, par derrière.

— Quelle heure est-il ? gémis-je, ne voulant pas ouvrir les yeux pour ne pas avoir à affronter le soleil qui entrait à flots par la fenêtre derrière moi.

— Trop tôt.

Je rigolai et me blottis davantage dans son étreinte.

— Tu dois retourner sur le sofa avant que ma mère se réveille. »

« Encore un peu.

Il poussa ses hanches sur moi, dans mon dos.

Je clignai plusieurs fois des yeux, attendant que le réveille-matin entre dans mon champ de vision.

— Nous allons être en retard pour l'école.

— Alors, nous ferions mieux de faire vite, mon cœur.

Tucker me tira sur le dos et colla son corps sur le mien.

Mon réveille-matin sonna furieusement dans mon oreille. Je gémis et étendis le bras, tentant désespérément de l'arrêter. Mes doigts le poussèrent de son socle et il tomba sur le sol avec fracas, sans arrêter de sonner.

— Merde !

Je plaçai l'oreiller sur ma tête pour essayer de couper le son, mais ça ne fonctionna pas. Je soupirai et me tirai du lit, m'accordant un moment pour me calmer avant de prendre le réveille-matin et de l'éteindre. Je me passai la main sur le visage. Je devais me préparer pour le travail.

Je me rendis dans la cuisine d'un pas lourd et fouillai dans les placards à la recherche de café. Je plaçai le filtre dans la cafetière et y versai une grosse cuillère de café. En attendant qu'il soit prêt, je fouillai dans les placards, cherchant quelque chose à manger. Je pris une boîte de hachis parmentier. Je vidai le contenu dans un bol et le réchauffai au four à micro-ondes. Je fixai la minuterie en pensant à la soirée d'hier. Le visage de Tucker dans ma fenêtre, illuminé par un lampadaire solitaire, à la lisière du parc à roulottes.

Le four à micro-ondes tinta et je sursautai, jetant un coup d'œil sur le sofa. Jax remua et je pris rapidement le bol. Il était brûlant et je jurai entre mes dents tandis que je le déposais rapidement sur la cuisinière en dessous.

J'attrapai un torchon et le glissai avec précaution sous le bol. Fouillant dans le tiroir à ustensiles, je pris une cuillère. Je mangeai une petite bouchée, me brûlant le palais.

— Aïe ! Merde !

J'ouvris le réfrigérateur et m'emparai du ketchup, le faisant gicler sur mon repas. Je repris mon bol et me rendis dans le salon, m'assoyant avec prudence sur le fauteuil inclinable grinçant.

Je brassai ma nourriture tout en regardant Jax dormir. Mon cœur se brisa une fois de plus tandis que je repensais à ma tromperie. Il n'avait pas toujours été aussi méchant. Quand nous nous étions rencontrés pour la première fois, j'étais en deuxième secondaire. Ma famille n'avait jamais eu d'argent et mes vêtements provenaient des magasins d'articles usagés et des dons de l'église. J'étais incroyablement complexée, sachant que mes pulls usés ressortaient au milieu des vêtements de mes camarades, des jeans serrés et des t-shirts à la mode qui dévoilaient juste assez de leurs ventres pour attirer les regards des garçons. J'essayais de toutes mes forces de ne pas me faire remarquer, mais rester dans mon coin ne servait qu'à me transformer en cible de choix pour les brutes. Un jour, en classe, mon professeur d'arts m'avait remis une liste de matériel pour un projet. Quand elle était venue me trouver à mon pupitre, elle m'avait tapoté l'épaule et m'avait informée dans un murmure pas assez discret qu'elle m'aiderait à obtenir les articles sur ma liste si je n'avais pas les moyens de les acheter. La classe s'était soudain emplie d'un bourdonnement de ricanements, l'un de mes camarades marmonnant :

— Il y a, genre, cinq dollars de trucs sur cette liste. Cass, c'est pas sérieux ?

Je m'étais contenté de baisser la tête.

Une fois le cours terminé, je m'étais vite éclipsée vers mon casier. Un garçon nommé Brandon était arrivé derrière moi et avait donné un coup sur les livres que je tenais dans ma main pour les faire tomber sur le sol pendant que tout le monde riait autour de moi. Il m'avait dit de ne pas m'inquiéter, que madame Jenkins les ramasserait pour moi plus tard puisque j'étais sa B.A. préférée. Jax avait surgi dans son dos, le poussant avec force de l'autre côté du hall. La tête de Brandon avait cogné contre les carreaux rectangulaires blancs qui couvraient les murs du corridor. Tout le monde s'était tu. Jax avait pris mes livres et me les avait remis, s'excusant pour Brandon tandis que ses yeux scrutaient la foule, défiant qui que ce soit de dire quelque chose. C'était la première fois que quelqu'un me défendait. Jax et moi nous ne nous étions jamais parlé avant ce jour-là. Il était populaire et séduisant, même si sa famille était tout aussi pauvre que la mienne. Les filles devenaient folles quand il était là et il était facile de comprendre pourquoi. Ses yeux vert clair étaient pétillants, ses cheveux étaient coupés courts et tout lui allait à merveille, même s'il portait des vêtements de seconde main ou des trouvailles provenant de magasins d'articles usagés. Toutefois, le truc le plus séduisant chez lui était son assurance, son je-m'en-foutisme.

Nous étions devenus inséparables après ça. Il m'a montré à pêcher et je lui ai montré comment se procurer des collations gratuites dans la distributrice automatique au centre commercial. Il a tenu tête à plusieurs des hommes que ma mère a ramenés à la maison, frappant même au visage l'un de ceux qui avaient essayé de me tripoter. J'avais coutume de dire en plaisantant qu'il était mon chevalier sur son cheval blanc. Je croyais sincèrement qu'il avait été envoyé par une force supérieure pour me protéger, exactement comme dans les films de Disney que je regardais lorsque j'étais une enfant. Je ne pensais pas qu'un jour, j'allais devoir être protégée de lui.

Quand sa mère était devenue cocaïnomane, il avait commencé à rester chez nous de plus en plus souvent. Ma mère s'en foutait. Elle était heureuse d'avoir à nouveau un homme à la maison pour l'aider. Quand j'avais seize ans, elle m'a accompagnée chez le médecin pour que je me fasse prescrire la pilule contraceptive. Avoir un enfant, c'était déjà trop de responsabilités pour elle ; elle n'aurait certainement pas pu gérer un petit-fils ou une petite-fille. Nous nous en sortions tout juste, mais elle était encore optimiste et croyait que les choses s'arrangeraient pour nous.

Avec le temps, Jackson était resté et il s'était installé chez nous pour de bon, dans notre maison de ville de deux étages en périphérie de Savannah. Mon père nous avait quittées juste avant mon septième anniversaire, n'emportant rien d'autre avec lui que les vêtements qu'il avait sur le dos. Ma mère laissait encore ses affaires éparpillées dans la maison, comme s'il était seulement parti prendre un café. Jackson et moi étions inséparables. Ma mère l'obligeait à dormir sur le sofa, mais je sortais en douce de ma chambre, la nuit, pour simplement m'allonger à ses côtés chaque fois que je faisais un cauchemar. Il m'enlaçait et me caressait les cheveux jusqu'à ce que je me rendorme. Certaines nuits, je me faufilais jusqu'à lui seulement pour être dans ses bras. Mon cœur battait la chamade grâce à cette seule étreinte, mais comme pour beaucoup de choses dans la vie, ça n'avait bientôt plus été suffisant. Nos séances de câlins étaient devenues des séances de baisers torrides pendant lesquelles il m'avait enseigné à embrasser comme les femmes à la télévision. Jax était plus expérimenté que moi, y compris pour la sexualité.

Quand j'avais attrapé la grippe à dix-sept ans, il m'avait soignée, ratant une semaine d'école pour s'assurer que j'allais bien. Il m'avait même emmenée à la clinique des urgences pour obtenir des médicaments, me rassurant en affirmant qu'il allait les payer. Le jour où j'avais enfin commençéà me sentir mieux, j'avais décidé de lui montrer toute l'importance qu'il avait pour moi.

— T'es pas obligée de le faire.

Jax sourit diaboliquement tandis que ses doigts suivaient la trace de la ceinture de mon jeans, laissant ma peau brûlante dans leur sillage. Il me suppliait de coucher avec lui depuis que nous avions commencé à sortir ensemble.

— Je veux.

Ma voix craqua.

Il rit, ses yeux s'abaissant afin de pouvoir contempler mon corps avant de croiser mon regard. Sa langue surgit et courut sur sa lèvre inférieure.

— Tu es si foutrement excitante.

Ses mots eurent le même effet sur moi que le feu sur une mèche que l'on allume. Je pressai passionnément mes lèvres contre les siennes, poussant mon corps contre lui. Il gémit tandis que ses mains trouvaient mes hanches, les agrippant fermement pendant qu'il s'efforçait de ne pas agir trop vite. Mes lèvres bougèrent sur les siennes exactement comme il me l'avait montré et il poussa un gémissement en moi.

— Cass, je dois savoir si tu es sérieuse. Je ne serai bientôt plus capable de m'arrêter.

Je fis de mon mieux pour avoir l'air sûre de moi pendant que ma main glissait sur son ventre et sur la bosse dans son jeans. Ce fut la seule réponse dont il avait besoin.

J'ignore si j'ai jamais vraiment su ce qu'était l'amour, mais je savais que Jackson était là pour moi. C'était tout ce dont j'avais besoin à ce moment-là et tout ce dont je croyais avoir besoin dans la vie jusqu'à ma rencontre avec Tucker : la certitude de savoir que Jackson serait toujours là pour moi.

Toutefois, les factures avaient commencé à s'accumuler et Jackson occupait deux emplois à la fois pour essayer de nous garder à flot. Il lavait la vaisselle dans un restaurant d'une chaîne en ville et il réparait aussi des voitures. Il était un formidable bricoleur. Malheureusement, sa vieille bagnole avait rendu l'âme pour de bon et il ne pouvait plus se rendre au travail. Ma mère coiffait dans notre salon, mais peu de gens dans notre entourage avaient de l'argent pour ça. J'étais emballeuse à l'épicerie Piggly Wiggly du coin, mais les gens donnaient rarement un pourboire et mon salaire ne suffisait pas à payer les factures. Nous devions apporter un changement à notre vie si nous voulions garder la tête hors de l'eau.

Jackson avait trouvé cette roulotte et réussi à obtenir le loyer à bon compte. J'avais commencé à travailler au restaurant et je gagnais juste assez d'argent pour nous assurer d'avoir un toit au-dessus de nos têtes. C'était un toit fuyant, mais un abri tout de même. Nous avions tous les deux décroché de l'école secondaire afin de travailler plus d'heures. L'université n'avait jamais été une option et ça ne nous semblait plus très logique de passer huit heures par jour en classe. Peu de temps après nous être installés dans notre nouveau foyer, Jax s'était mis à fréquenter les gens du coin. Il avait commencé à vendre de la drogue afin de nous soutenir financièrement. Je ne pouvais supporter cette idée, mais c'était plus payant que n'importe quel autre emploi que nous pouvions trouver dans la région. Avec le temps, il avait cédé à la tentation et avait commencé à consommer lui-même, flambant tout l'argent qu'il faisait.

Ma mère cachait toujours ses sentiments dans une bouteille d'alcool ou de comprimés. Elle était vite devenue la complice de Jax. Notre vie n'avait pas changé du jour au lendemain. Je pense que c'est pour cette raison que je n'avais pas protesté plus tôt. Tout le monde cherchait à échapper à la réalité. Je ne pouvais pas les blâmer. Se droguer occasionnellement ne semblait pas être une si mauvaise chose. Malheureusement, les défonces du soir avaient vite cédé la place au besoin de se défoncer dès le réveil. Jax était devenu distant, préférant la compagnie d'une pipe à la mienne. Bien vite, nos discussions étaient devenues rares et lorsque nous nous adressions la parole, c'était habituellement pour nous disputer. Trois mois d'abus de drogues et il était passé à la violence physique. À ce moment-là, il était déjà trop tard.

Je me tenais dans l'embrasure de la porte, le suppliant de ne pas acheter de drogue. Je savais qu'il commençait à se fâcher et qu'il n'était pas dans le bon état d'esprit, mais je lui barrai le chemin.

— S'il te plaît, arrête d'en prendre, Jax.

Je me plantai dans le cadre de porte tandis qu'il s'approchait lentement, sa peau couverte de sueur.

— Bébé, j'ai juste besoin d'un peu d'excitation.

Il passa ses mains sur son visage, clairement frustré.

— Tu dois te désintoxiquer. Je peux t'aider.

— Je n'ai pas besoin de ton aide de merde, Cass. Je ne suis pas un putain de bébé.

Ses yeux se plissèrent alors qu'il croisait les bras sur son torse.

— Bien sûr que non, chéri. Je veux juste que tout redevienne comme avant.

Je tendis la main pour lui toucher le visage et il frappa ma main avec une telle force que je perdis pied et tombai par terre, franchissant du même coup la porte de la maison. J'avais les coudes qui saignaient, meurtris au contact des pierres au sol.

Jax se précipita sur moi en un éclair, la panique dans les yeux.

— Merde, Cass. Est-ce que ça va ? Pourquoi tu peux pas t'empêcher de me faire péter les plombs ? Regarde c'que t'as fait !

Il m'attira contre son torse, m'étreignant pour la première fois depuis des semaines.

J'enroulai mes bras avec une certaine réticence autour de sa taille. C'était la caresse que j'avais ardemment espérée de lui. J'avais besoin de ça de sa part, de la part de quelqu'un.

— Je suis désolée, murmurai-je dans son t-shirt.

*Je ne croyais pas qu'il avait eu l'intention de me faire du mal.
Je me tenais trop près du pas de la porte. Je mis ça sur le compte
d'un accident et je fus capable de passer l'éponge.*

Je pris une petite bouchée de mon repas pendant que
Jax remuait.

— Ça sent bon, marmonna-t-il en roulant sur le flanc.

Il avait retiré la plupart de ses vêtements le soir précédent et il ne portait qu'un boxeur gris foncé. Le climatiseur
ne fonctionnait plus depuis notre premier mois ici et l'air
avait tendance à devenir insupportablement chaud. Son
torse était recouvert de tatouages, mais les motifs étaient
loin d'être aussi beaux et complexes que ceux sur la peau de
Tucker. Je m'en rendais compte maintenant. Je baissai
rapidement la tête, gênée de penser à lui alors que j'étais en
train de regarder Jax.

J'en perdis l'appétit.

— Tiens, prends mon bol. Je n'ai pas vraiment faim.

Je me levai et marchai vers lui en lui tendant mon repas.

— Merci, bébé.

Il accepta le bol et me fit un sourire. Je lui souris en
retour et je retournai dans la cuisine pour aller chercher un
café.

— Tu en veux ?

J'attrapai une tasse sur le comptoir et attendis.

— D'ac ! me cria-t-il.

Je pris une seconde tasse.

Pendant que je versais le café, Jax arriva en douce derrière moi et il glissa une main autour de ma taille. Mon
corps se raidit.

— Ouais, j'en veux, me souffla-t-il à l'oreille.

— Pas maintenant, Jax.

Je le repoussai avec mes hanches et saisis nos deux tasses. Je me retournai pour lui faire face et je lui en donnai une.

— Eh, c'est quoi le problème ? Tu aimais ça avant.

Ses yeux parcoururent mon corps. Je déposai une main sur son torse. Je n'avais jamais osé le dire, mais je n'avais jamais eu envie de coucher avec Jax depuis qu'il avait commencé à consommer. Je savais que c'était ce qu'il fallait que je fasse pour qu'il reste content et je trouvais que c'était une raison suffisante pour continuer. Mais ça n'avait pas pris de temps avant qu'il ne soit plus jamais content, peu importe ce qui se passait dans la chambre à coucher. Au fil des ans, sa présence était devenue synonyme de douleur.

La porte d'entrée se cogna contre le mur quand Jax entra. Je roulai sur le côté pour regarder mon réveille-matin et constater qu'il était déjà passé trois heures du matin. Il cria mon nom tandis qu'il trébuchait dans le couloir, tombant dans la chambre à coucher en traversant la porte. Ses doigts tâtèrent sa ceinture alors qu'il me souriait malicieusement.

— Pas maintenant, Jax, gémis-je en mettant l'oreiller sur ma tête.

Il avança en vacillant tout en défaisant le bouton de sa braguette, descendant son jeans sur ses hanches.

— Comment ça, pas maintenant ? Je viens de gagner assez d'argent pour payer le loyer et je ne peux rien avoir en retour ?

Je soulevai l'oreiller qui se trouvait sur mon visage quand je sentis le lit s'enfoncer alors qu'il rampait vers moi.

— Tu vas le dépenser pour te défoncer de toute façon, dis-je sèchement, souhaitant seulement avoir encore quelques heures de sommeil avant mon quart de travail.

Son visage se contracta sous l'effet de la colère quand mes mots percèrent le brouillard de sa défonce. Sa main s'abattit violemment sur ma joue, m'arrachant un cri horrifié. Des vagues de douleur irradiaient de mon visage tandis que je m'efforçais de repousser son emprise. Même défoncé, il était deux fois plus fort que moi. Ce fut le jour où Jax cessa de me demander la permission pour avoir ce qu'il voulait et où il décida de me le prendre, tout simplement. Ce fut aussi le jour où je cessai de vivre et que je commençai à survivre.

— Je dois partir au boulot.

Je marchai devant lui et me frayai un chemin jusqu'à ma chambre. Il me suivit, s'appuyant contre le cadre de la porte.

Je retirai mon pantalon de pyjama et j'enlevai mon débardeur par-dessus ma tête en lui tournant le dos.

— Je sais que j'ai été un pauvre con dernièrement.

Je hochai la tête, mais je ne me tournai pas vers lui. Je pris mon uniforme de la veille et l'enfilai rapidement, m'assoyant au bord de mon lit pour lacer mes chaussures de sport. Je me sentais malade. Il voulait soudainement être gentil avec moi maintenant que je pensais à quelqu'un d'autre ? Je passai devant lui pour partir. Il attrapa mon bras et je tressaillis.

Sa main lâcha mon corps et il grimaça.

— Je vais pas te faire de mal, Cass.

Il baissa les yeux au sol.

— Je sais, dis-je doucement. Je dois aller travailler.

Je me retournai et descendis le couloir sans regarder en arrière.

CHAPITRE 10

— *P*uis, ta soirée?

Larry se séchait les mains avec un chiffon défraîchi quand j'entrai par la porte des employés.

— Bien.

Je ne croisai pas son regard en me rendant au poste des serveuses.

— Marla a gagné un max hier soir.

Il était maintenant appuyé contre le porte-menu, m'évaluant du regard.

— J'avais quelque chose à faire. La lessive s'était accumulée.

Mes yeux croisèrent brièvement les siens avant de se baisser sur le bac d'ustensiles fraîchement lavés.

— Ouais, ben, tu dois cesser de faire aérer ta lessive sale dans le restaurant. Jax fait fuir la clientèle.

— Je suis désolée, Larry. Je vais faire de mon mieux pour qu'il ne s'approche pas d'ici.

Larry n'ajouta rien, il se contenta d'entrer dans la cuisine afin de se préparer pour la journée. Je soupirai, laissant mes épaules s'affaisser alors que je soulevais péniblement le lourd bac gris et me dirigeais vers une table.

J'avais roulé quelques douzaines d'ustensiles quand Larry sortit de la cuisine avec deux assiettes pleines. Il en déposa une devant moi et je lui fis un petit sourire. Je pris une fourchette et piquai le jaune de mes œufs.

— Ce n'est pas de mes affaires, mais Jax...

Je lançai un regard hostile à Larry.

— Je sais qu'il n'agit pas toujours correctement, mais il reste, lui. L'autre gars, dit Larry en agitant sa fourchette en direction du stationnement, y est pas du genre à rester.

Larry coupa un morceau de jambon et le fourra dans sa bouche, le jaune d'œuf coulant sur son menton.

Je hochai la tête alors qu'une boule se formait dans ma gorge. Je savais ça. Tucker allait reprendre la route, quitter cette ville, me laisser dans sa poussière. Je ne m'étais pas attendu à autre chose de sa part. Alors, pourquoi étais-je soudainement si triste ?

La cloche sonna au-dessus de la porte. Ma première cliente venait d'arriver. Je m'éclaircis la gorge et allai dans la cuisine pour préparer un pot de café frais pendant qu'elle se trouvait une place. Je revins précipitamment dans la salle à manger, un menu à la main.

— Bienvenue au Aggie's Diner. Je m'appelle...

La femme leva la main pour m'interrompre.

— Du café. Noir.

Ce fut tout ce qu'elle dit et ses yeux survolèrent le menu. Sa chevelure était d'un gris foncé et était enroulée en un chignon parfait à l'arrière de sa tête. Costaude, elle dégageait un air d'autorité. Quelle vache !

Je me mordis la langue et je partis en colère vers la cuisine pour aller y chercher une tasse de café frais. Je la lui apportai, résistant à l'envie de la renverser sur ses cuisses. Elle me sourit et je fis de mon mieux pour répondre à son sourire.

— Avez-vous fait un choix ? demandai-je tandis qu'elle buvait une petite gorgée de sa tasse et faisait la grimace.

— Une rôtie de blé entier et de la confiture de fraises, s'il vous plaît.

Elle me tendit le menu afin que je le reprenne, mais elle regardait droit devant elle. Au moins, elle avait des manières.

Je retournai à la cuisine. Larry avait déjà desservi nos petits déjeuners et il lavait les assiettes dans l'évier. Je passai devant lui et pris du pain pour la rôtie. Il ne me dit rien. Je me sentais incroyablement mal à l'aise et inquiète qu'il puisse parler de Tucker à Jax. Il n'y avait pas vraiment grand-chose à raconter, mais je savais que Jax ne réagirait pas bien en entendant parler de mon attitude amicale envers un autre gars. La rôtie bondit du grille-pain, m'arrachant à mes pensées inquiètes. J'attrapai quelques barquettes de confiture de fraises et revins vers ma cliente.

Je m'arrêtai lorsque j'entrai dans la salle à manger, les yeux fixés sur l'un des Jumeaux Tordus. Il sourit en me tendant une boîte brune. Je lui jetai un regard perplexe et allai à ma table pour servir la rôtie.

Je m'essuyai les mains sur mon tablier en me dirigeant vers le jumeau.

— Qu'est-ce que c'est ?

Je regardai la boîte comme si elle pouvait exploser. Il sourit et la poussa doucement vers moi. Ses yeux se tournèrent brièvement vers ma cliente, qui nous tournait le dos. J'acceptai la boîte et il sourit, puis il se tourna pour partir aussi vite que possible.

— Merci.

Mes doigts caressèrent le bord de la boîte en carton pendant que je regardais autour de moi. Larry était encore dans la cuisine.

Je me rendis aux toilettes des dames et verrouillai la porte derrière moi. Je me mis à genoux et je relevai les rabats avec précaution. À l'intérieur se trouvait une belle robe jaune vif. Mes yeux scintillèrent en contemplant le tissu soyeux que je plaçai sur ma poitrine et que je serrai très fort contre moi.

Je baissai de nouveau les yeux sur la boîte et aperçus une enveloppe blanche. En la prenant, je laissai la robe glisser d'entre mes doigts et se déposer sur mes cuisses. Je déchirai l'enveloppe et en sortis une poignée de billets.

— Quoi ?

J'en sortis un petit bout de papier.

Je voulais être certain que tu aies assez d'argent pour le taxi. Pas d'excuse pour ne pas venir. Tucker.

Je souris en portant la note à mon visage, inspirant le léger parfum de noix de coco qui imprégnait toujours le papier. J'étais émue par le geste, mais je ne voulais pas de son argent. C'était comme une forme de charité. Je travaillais comme une dingue et je n'avais pas besoin de recevoir l'aumône.

Je décidai de l'appeler. Ma main se dirigea là où le collier devait être. Je soupirai. Avec Jax qui était dans ma chambre ce matin, je n'avais pas eu l'occasion de le prendre.

Je fourrai l'enveloppe d'argent dans mon tablier et rangeai la robe dans la boîte, pliant les rabats pour la refermer tout en sortant des toilettes. Je glissai le paquet sous le poste des serveuses et fermai le petit rideau afin que personne ne le voie.

Ma cliente me jetait un regard sombre par-dessus sa tasse de café. J'attrapai la cafetière et me rendis rapidement à sa table.

— Puis-je la remplir ?

Elle tendit sa tasse, mais elle ne dit rien. Je lui versai du café et je lui souris du mieux que je pouvais avant de la laisser seule. Je m'assis à la table la plus éloignée et je continuai à enrouler les ustensiles dans les serviettes en me permettant de rêvasser, imaginant ce que serait le concert à Tybee. Je n'étais pas allée à la plage depuis des années. C'était de loin mon endroit préféré au monde. Il me semblait à des millions de kilomètres du parc à roulottes. L'eau était toujours chaude, propre. En regardant la mer, je me sentais toujours immensément libre, comme si je pouvais simplement fermer les yeux et laisser l'eau m'emporter au loin, quelque part.

— Mademoiselle ? Mademoiselle ?

Ma cliente haussait la voix d'exaspération. Je me relevai de mon siège.

— Je suis désolée. Puis-je faire autre chose pour vous ?

Je rejoignis rapidement sa table.

— L'addition.

— Bien sûr.

Je pris le carnet de commandes dans mon tablier et déchirai l'addition, la faisant glisser sur la table.

— Merci encore.

Je souris et me rendis à la cuisine. Je m'emparai d'une tasse et me versai du café, m'appuyant contre le comptoir en buvant une grande gorgée.

J'entendis sonner la cloche au-dessus de la porte et mon cœur fit un bond dans ma poitrine alors que je déposais ma tasse et ouvrais la porte de la cuisine d'une poussée. Je laissai échapper un soupir de soulagement quand la méchante femme sortit. Je pivotai vers la cuisine, fixant mon regard sur celui de Larry.

Il baissa les yeux et secoua la tête.

— Putain, ne me juge pas, Larry.

Je pris mon café et retournai dans la salle à manger où je pouvais rester seule avec mes pensées.

Je me frayai un chemin jusqu'à la table pour la desservir, et pris l'assiette et la tasse dans une main et l'argent dans l'autre. Elle n'avait laissé que trois cents de plus que le total de son addition. Foutrement super. Elle avait aussi abandonné un magazine, que je pliai en deux et glissai dans mon tablier. Était-ce censé compter pour mon pourboire ?

J'entrai en furie dans la cuisine et laissai tomber la vaisselle dans l'évier.

— Merde, Cass. Tu la casses, tu la paies !

Larry me lança un regard d'avertissement.

Je m'appuyai contre l'évier, je me calmai avant de prendre l'assiette et un chiffon, et je commençai à la nettoyer. La sonnette de la porte retentit et je regardai Larry. Il secoua la tête et retourna dans sa cuisine pour compléter son travail de préparation. Je lançai le chiffon et retournai dans la salle à manger.

Ce n'était pas Tucker et une fois encore, je sentis mon cœur se briser de déception. La journée continua ainsi. Les clients semblaient plus méchants que d'habitude, mais je m'en souciais à peine. Je n'arrivais pas à me concentrer sur quoi que ce soit. Je ne pensais qu'à la jolie robe jaune sous le poste des serveuses. Je voulais l'essayer et voir comment elle m'allait. Je désirais voir le visage de Tucker lorsqu'il m'apercevrait dedans. Je n'étais pas une jolie fille, loin de là, mais comment ne pas avoir l'air spectaculaire dans une robe comme celle-là ? Je me souris à moi-même.

— Va pointer, cria Larry depuis la caisse enregistreuse.

— Mais, je dois encore...

— Rentre. Ce sourire niais que tu as affiché toute la journée commence à me faire sacrément peur.

Il agita la main vers la porte avec un air dégoûté.

Je ris et pris mon paquet secret, me dirigeant vers la porte du fond aussi vite que possible. Je poussai un petit rire étouffé. Je couvris ma bouche de ma main en un éclair tandis que Larry secouait la tête de dégoût.

Mes joues me faisaient mal à force de sourire et j'espérai à cet instant pouvoir conserver ce sentiment de bonheur toute ma vie. Cependant, je n'étais pas naïve. Je savais bien qu'un jour, j'allais me réveiller et que ce conte de fées se terminerait, mais j'étais déterminée à essayer d'en profiter le temps qu'il durerait. Je soupirai en me frayant un chemin à travers la clôture du parc à roulottes. Je dépassai ma roulotte et je me faufilai vers la rangée de roulottes suivante.

Je grimpai les marches d'une vieille roulotte verte et blanche de largeur normale et je frappai à la porte. Après un moment et quelques jurons bien sentis, la porte s'ouvrit à la volée.

— Salut, Marla. Je me demandais si tu pouvais faire mon quart de travail demain.

Je souris.

Elle plissa les yeux et fit courir sa main dans sa tignasse décolorée et emmêlée.

— Qu'est-ce que tu mijotes?

Elle descendit une marche et se croisa les bras sur la poitrine tout en soufflant une bouffée de fumée de cigarette.

— Rien. J'ai seulement besoin d'un service. J'ai une montagne de lessive à faire et nous avons désespérément besoin de faire l'épicerie.

Je me sentis nauséeuse quand les mensonges sortirent de ma bouche.

— Ouais, d'accord. Pour un vingt de plus.

Elle haussa un sourcil et tendit la main.

Je serrai les dents, fouillai dans mon tablier et sortit un billet de vingt dollars de l'enveloppe blanche.

Elle sourit et serra fortement le poing.

— Marché conclu.

Elle recula à l'intérieur et claqua la porte derrière elle.

Je jurai intérieurement en revenant vers ma roulotte. Je m'assurai qu'il n'y avait personne dans les alentours lorsque j'ouvris doucement la fenêtre de ma chambre pour y passer la boîte.

J'ouvris la porte d'entrée et la refermai rapidement juste au moment où un objet vola dans ma direction et vint s'écraser contre la porte. Je la rouvris pour apercevoir à l'intérieur ma mère debout en train de menacer Jackson.

— Merde, qu'est-ce qu'il y a, maman? Putain, tu m'as presque tuée!

Ma mère lissa sa chevelure tout en battant anxieusement le sol de ses pieds.

— Je ne voulais pas, bébé. Je visais la tête de Jax.

— Va te faire foutre, cria Jax depuis la cuisine.

— Qu'est-ce qui se passe, merde?

Je m'interposai entre eux pendant qu'ils se criaient d'autres obscénités au visage.

— J'ai juste besoin d'une dose, bébé, et Jax ne veut pas m'en donner!

— Tout ça, c'est à cause de la drogue?

Je me tournai pour regarder Jax, puis ma mère à nouveau. Je secouai la tête et traversai le couloir jusqu'à ma chambre à coucher, faisant claquer la porte aussi violemment que possible. La dispute continuait pendant que je tenais la robe jaune devant mon corps, tournoyant une fois en l'observant voler dans l'air.

— *C'est une robe parfaite pour le thé, bébé.*

Ma mère savait toujours comment me faire sentir la belle du bal.

Je tournai en rond pendant que je tenais ma robe à pois roses et regardais la jupe virevolter autour de moi.

— *Penses-tu que tu pourrais coiffer mes cheveux comme une princesse, maman?*

Elle regarda sa montre et fronça les sourcils en regardant l'heure qu'il était.

— *Papa va arriver à la maison très bientôt. Nous ne voulons pas être en retard pour ton anniversaire, non? Ce n'est pas tous les jours qu'une princesse fête ses quatre ans.*

Elle me fit un grand sourire tout en enroulant une longue mèche de mes cheveux blonds autour de son doigt.

La porte d'entrée alla frapper le mur et je me précipitai dans le couloir, traînant ma jolie robe neuve derrière moi.

— *Où est la fêtée? cria mon père depuis l'entrée de notre maison.*

Je bondis vers lui en sautant dans ses bras. Il m'attrapa, nous fit tourner avant d'enlacer la taille de ma mère d'un bras et de l'attirer à lui pour déposer un baiser sur sa tête.

— *Ça s'est bien passé au travail ?, demanda-t-elle en lissant sa chevelure blonde lumineuse, un sourire éblouissant au visage.*

— *Johnson a dit que si je continue à faire ces heures supplémentaires, je suis sur la bonne voie pour obtenir une promotion.*

Ma mère poussa un cri perçant, puis, sous le choc, elle ramena vivement ses mains sur sa bouche dans un claquement.

— *Les choses s'arrangent enfin pour nous. Sortons célébrer.*

Il me déposa sur le plancher et me passa une main dans les cheveux. Je les lissai rapidement, exactement comme ma mère le faisait avec les siens.

— *Va mettre ta robe, mademoiselle la fêtée.*

Je retirai mon uniforme, vérifiant bien le verrou de la porte de ma chambre. Je commençai à fredonner *Loved*, de Damaged, en passant la robe moulante par-dessus ma tête. Elle m'allait comme un gant.

Un coup violent fit vibrer la porte.

— Cass, cria Jax dans le couloir.

J'enlevai la robe et la poussai dans la boîte, lançant cette dernière dans mon placard. Je me passai une main dans les cheveux et ouvris la porte en soutien-gorge et en petite culotte.

— Salut.

Il sourit d'un air satisfait en s'approchant.

Je reculai et me croisai les bras, furieuse, sur la poitrine.

— Que veux-tu?

— Ne sois pas en colère, bébé. Je lui ai rendu service. Je ne lui ai pas donné de drogue, comme tu l'as demandé.

Il sourit.

Il avait raison : pourquoi étais-je furieuse contre lui ?

— C'est parce qu'il l'a toute gardée pour lui !

Ma mère était maintenant derrière lui dans le couloir en train de crier. Je levai les yeux vers le ciel et poussai Jax hors de ma chambre, refermant la porte et la verrouillant. Je ne pouvais plus supporter ça. Chaque jour, c'était pareil. Les gens disaient toujours que les choses allaient s'améliorer, mais elles ne faisaient qu'empirer. J'en avais marre d'être déçue. Marre de me battre.

— *Comment étais-je censé savoir qu'il trafiquait les livres ?*

Mon père posa brutalement sa fourchette sur son assiette.

Le regard de ma mère se promenait de moi à mon père pendant que je prenais une autre bouchée de macaroni au fromage. J'étais encore vêtue de ma robe de princesse que j'avais reçue à ma fête d'anniversaire, qui avait eu lieu trois semaines plus tôt. Je refusais de l'enlever, sauf pour me laver, ne voulant pas que la magie s'envole. J'étais certaine que si Cendrillon n'avait pas perdu son soulier, elle serait devenue une princesse à minuit.

— *Nous avons dépensé trois fois plus d'argent que d'habitude pour cette fête. Tu avais dit que tu allais avoir une promotion, pas que tu serais congédié.*

Ma mère serrait la mâchoire en parlant, essayant de ne pas élever la voix.

Mon père se passa une main dans les cheveux et recula violemment sa chaise.

Ma mère tendit la main au-dessus de la table pour la poser sur la mienne et elle me fit un beau sourire tandis que des larmes emplissaient ses yeux.

— *Tout ira bien, bébé. C'est promis.*

— *Je sais, maman.*

Mais, même alors, une partie de moi savait bien qu'il n'en serait pas ainsi.

CHAPITRE 11

*J*e rassemblai ma lessive et la fourrai dans un panier avec la pile de vêtements de Jax, lançant le magazine que ma cliente avait laissé au restaurant sur le dessus du tas. Je glissai le petit pendentif autour de mon cou et le cachai sous mon pull Quand je me frayai un chemin dans le couloir, la maison avait repris son calme. Lorsque j'atteignis le salon, je compris qu'ils se trouvaient à présent dans la pièce du fond, probablement en train de se défoncer.

— Je m'en vais faire la lessive, criai-je dans le couloir sans me donner la peine d'attendre une réponse.

Protégée par l'obscurité, j'étais contente de pouvoir jouer avec mon collier pendant que je marchais vers la buanderie à l'autre extrémité du parc à roulottes. J'avais toujours le même sourire ridicule plaqué sur le visage alors que je songeais au concert qui allait avoir lieu à la plage. Je savais que c'était stupide de ma part d'entretenir ce fantasme, mais il y avait enfin quelque chose que je pouvais attendre avec plaisir. Finalement, je n'avais pas de raison de me réveiller. Ce que je pensais de moi-même n'avait pas d'importance tant que Tucker allait me regarder comme si j'étais parfaite. Je ne m'étais jamais sentie désirée et j'étais décidée à en profiter tant que ça durerait.

J'ouvris la lourde porte de la buanderie et passai devant les gens qui remplissaient leur machine.

«Un jour, j'aurai tout ce qu'il faut à la maison», songeai-je tout en fourrant mes vêtements dans la machine à laver.

Je retirai des pièces de vingt-cinq cents de la distributrice de monnaie et je partis ma brassée. Je me mordillais la lèvre en tenant le dollar qui me restait dans ma main.

— Eh merde.

Je sortis et me rendis au téléphone public. J'ouvris le pendentif avec précaution et je dépliai le minuscule bout de papier sur lequel était écrit le numéro de portable de Tucker. Je sentais mon cœur prêt à sortir de ma poitrine tandis que je pressais les touches du téléphone et que je l'entendais sonner dans mon oreille. Après quatre sonneries, j'éloignai le récepteur de mon oreille, déçue.

— Ouais?

Tucker semblait épuisé.

Un sourire s'élargit sur mon visage.

— Lâche le téléphone, cria une femme à l'autre bout du fil.

Mon cœur se coinça dans ma gorge et je raccrochai le téléphone en me couvrant la bouche avec les mains. J'avais l'impression d'avoir reçu un coup de poing dans le ventre. J'étais pourtant plus avisée. Je savais foutrement qu'il valait mieux ne pas croire qu'un gars pouvait penser à moi une fois parti. Je pouvais sentir mes yeux se gonfler de larmes tandis que je m'efforçais de ravaler mes émotions. Il ne valait pas la peine que je pleure à cause de lui. Je le connaissais à peine. Je posai la tête sur le boîtier bleu de l'appareil téléphonique, en pestant contre moi.

Le téléphone sonna et je faillis sauter au plafond. Je le fixai avec incrédulité.

Je décrochai et levai lentement le combiné à mon oreille.

— Cass? Cass, t'es là?

Il semblait aussi paniqué que moi.

— Ouais.

Ma voix était à peine audible. Je m'éclaircis la gorge pour essayer de parler à nouveau.

— Je suis là.

Il soupira profondément dans mon oreille.

— Dieu merci. Je suis désolé. Ce n'est pas ce que tu penses.

— Ce que je pense n'a pas d'importance.

Je secouai la tête. J'étais stupide. Tucker pouvait bien faire ce qu'il voulait, avec qui il voulait.

— C'est important pour moi, mon cœur.

Je ne savais pas comment réagir à ça. Personne ne s'était jamais soucié de ce que je pensais, de mes sentiments. Pas depuis mon enfance, du moins. Pas depuis que Jackson avait changé. En fait, j'avais l'impression que les gens que j'aimais le plus faisaient tout pour me blesser.

— Cass?

Je pris une grande respiration.

— Je suis là.

— Elle était ici avec les gars. Ils me rendaient fou en tentant de me convaincre de faire la fête avec eux, mais j'essayais de dormir.

Je l'entendis bâiller.

Je me sentais terriblement mal. Je lui avais encore prêté de mauvaises intentions. Je faisais toujours ça. C'était ma façon de me protéger. On n'est jamais déçu si on n'a pas de grandes attentes. J'avais appris cette leçon longtemps auparavant.

— As-tu reçu le paquet?

— Ouais… ouais… la robe est… belle. Merci. Mais je ne peux pas accepter l'argent, Tucker.

J'enfonçai les dents dans ma lèvre inférieure tandis que j'enroulais le fil du téléphone autour de mes doigts.

— Je sais que tu pourrais le payer, mais ce ne serait pas juste. Je t'ai invitée. Tu es mon invitée. Ce ne serait pas correct que tu paies pour le trajet.

Ce qu'il disait avait du sens. Je m'étais encore imaginé le pire. Il essayait d'agir correctement. Je hochai la tête pour moi-même tout en déroulant le fil de mes doigts et je jouai avec mon pendentif. Le simple fait de parler avec lui me donnait l'impression d'être une tout autre personne.

Il bâilla à nouveau.

— Je vais te laisser te reposer.

— Seras-tu là demain? J'aimerais vraiment te revoir.

— J'y serai.

Je rayonnais et je dus me détourner lorsque des gens sortirent en file de la buanderie et passèrent devant moi.

— Bye, Cass.

— Bye, murmurai-je dans le récepteur.

J'attendis le clic à l'autre bout avant de raccrocher.

J'enfouis mon collier sous mon pull, m'assurant de bien le dissimuler avant de retourner à l'intérieur pour terminer ma lessive.

Je transférai mes vêtements de la machine à laver à la sécheuse et je m'assis sur l'un des longs bancs de bois alignés sur le mur du fond. Je portai mon attention sur le téléviseur dans le coin de la pièce. C'était le bulletin de nouvelles locales, mais je n'arrivais pas à me concentrer sur le propos. Un ouragan se formait au large et l'on s'attendait à ce qu'il s'abatte sur la région la semaine prochaine, mais la météo était la dernière de mes préoccupations. Je pris le magazine et feuilletai les pages. Une page écornée était intitulée «Faire des dommages». Je me retrouvai en train de fixer une photo de Tucker, un bras autour d'une brunette aux jambes interminables, entouré des membres de son groupe. Son autre main agrippait sa cuisse et la tirait autour de sa hanche.

Si vous n'avez pas encore entendu parler de Damaged, ça ne va pas tarder. Ce petit groupe du Tennessee grimpe dans les palmarès et gagne le cœur des femmes partout en Amérique. Une des femmes chanceuses à avoir passé une nuit endiablée avec lui nous révèle tout : Tucker White est-il, oui ou non, aussi sublime dans la chambre à coucher que sur scène ?

— Salut, Cass.

Je sortis brusquement de mon hébétement et fixai mes yeux sur ceux de Tom Fullerton. Il était bien connu des consommateurs de drogue de notre région, tout comme des policiers locaux. Il était toxicomane et avait la sale habitude de voler. Je portai vivement une main à ma poitrine pour m'assurer que mon collier était dissimulé. Tom avait l'air dur. Il portait un polo rouge froissé sorti de son pantalon. Son jeans était crasseux et déchiré et j'étais certaine qu'il n'avait pas payé plus cher pour qu'il ait cette apparence. Les cernes sous ses yeux étaient si foncés et mauves, qu'il avait l'air d'avoir été le perdant d'un combat de boxe. Sa chevelure noire trop longue tombait en une masse graisseuse anarchique. Ses yeux semblaient morts.

— Allô ?

Son agacement était criant.

— M'entends-tu, merde?

— Oui, répondis-je sèchement en ramenant mes yeux sur lui.

Il sourit et vacilla sur ses jambes.

— Qu'est-ce que tu fais toute seule dehors à cette heure-là?

Il caressa sa mâchoire et me déshabilla du regard.

Je jetai un coup d'œil vers la buanderie, me mordant la langue pour m'empêcher de lui lancer une réplique de petite garce.

— La lessive, dis-je d'un ton neutre.

Il rigola un peu, amusé par ma réponse. Il se pencha vers moi et l'odeur de moisissure et d'alcool qu'il dégageait me prit à la gorge.

— Dis à Jax que je le salue.

Ses yeux devinrent sérieux.

— Je le verrai bientôt.

Un sourire brilla encore une fois brièvement sur son visage, puis il pivota et partit. La porte claqua derrière lui et je laissai échapper le souffle que j'avais retenu.

Je balayai la pièce du regard. Trois autres personnes se trouvaient encore là, mais aucune d'elles ne regardait dans ma direction. Elles ne voulaient pas se mêler des problèmes des autres. Maudites lâches.

Fâchée, je me levai de mon banc et allai jeter un œil sur ma lessive. Les vêtements étaient légèrement humides et je claquai la porte, laissant le cycle se terminer. Tout ce que je voulais, c'était rentrer à la maison et dormir. J'aurais voulu que ce soit déjà demain. Je commençais à développer une dépendance à la fuite.

Avoir goûté à ce que la vie pouvait offrir à l'extérieur de cet endroit maudit par les dieux ne faisait qu'aviver mon besoin d'évasion. Je détestais devoir jouer à la bonne d'enfants avec ma mère, devoir vivre dans la crainte constante de dire ce qu'il ne fallait pas à Jax et de subir ensuite sa colère.

Ma vie était devenue l'art de trouver un équilibre précaire entre la survie financière de notre foyer et ma capacité de survivre aux raclées. Il était difficile de croire que Jax était autrefois le garçon qui m'avait rendue si heureuse, qu'il avait été mon chevalier sur son cheval blanc.

— *Tu dois donner un petit coup de poignet. Comme ceci.*

Les bras de Jackson s'enroulèrent autour de ma taille et il posa ses mains sur les miennes pour m'aider à stabiliser la canne à pêche. Je ris en m'appuyant contre son torse. Je me sentais en sécurité dans ses bras ; il n'avait que seize ans, mais il semblait déjà avoir tout compris.

— *C'est inutile. Je n'attraperai jamais rien avec cette foutue ligne.*

Je m'affalai, prête à abandonner.

Jax souleva la canne et m'obligea à rester là et à réessayer.

— *Tu n'attraperas rien si tu n'essaies même pas.*

Ses bras tracèrent un mouvement vers l'arrière avec les miens alors que nous lancions la ligne à nouveau. L'eau ondula autour du flotteur quand il rebondit sur l'eau.

— *J'apprécie le temps que tu prends pour me montrer ça. Un jour, peut-être, nous pourrions nous enfuir ensemble, vivre de la terre, commencer une nouvelle vie. Nous pourrions devenir qui nous voulons.*

— *Je ne voudrais être personne d'autre en ce moment, Cass.*

Il m'embrassa sur la nuque, me donnant un frisson.

— *Je suis sérieuse. T'as jamais voulu recommencer ta vie ? Tu pourrais devenir qui tu veux.*

Juste à ce moment-là, la canne oscilla entre nos mains et je criai sous la secousse qui l'arracha presque de nos mains.

— *Nous en avons un !*

Je n'avais jamais vu Jax aussi excité. Ses doigts s'activèrent rapidement pour enrouler la ligne. Un poisson bondit hors de l'eau et resta suspendu dans les airs.

— *Mon héros !*

Je me tournai et embrassai Jax sur la joue.

J'essuyai la larme qui coulait sur ma joue malgré moi et regardai rapidement autour de moi pour vérifier que personne ne m'observait. Les contes de fées que l'on nous racontait enfants étaient tous mensongers.

Pendant un certain temps, je m'étais accrochée à ce rêve, mais la drogue l'avait bien vite détruit. J'avais même été jusqu'à rêver que mon chevalier était encore là quelque part, qu'il ne m'avait pas encore trouvée, laissant mon conte de fées inachevé pour l'instant. Je ris de cette absurdité.

— *Je suis là.*

Je lançai mon sac à main sur le comptoir et ouvris le réfrigérateur, morte de faim après mon quart de travail du dîner.

— *Bébé, je me disais que nous pourrions aller pêcher comme avant.*

Jax apparut dans le couloir, une canne à pêche à la main et portant un chapeau de pêche vert.

Je pouffai de rire devant l'air idiot qu'il avait, lui qui ne portait qu'un t-shirt et un boxeur.

— *Tu devrais peut-être commencer par mettre un pantalon.*

Il baissa les yeux pour se regarder avant que ceux-ci ne se fixent sur moi et il sourit.

— *Marché conclu.*

J'attrapai un yogourt dans le frigo et le mangeai rapidement pendant que j'attendais qu'il s'habille. Je n'arrivais pas à chasser le sourire niais que j'avais sur le visage. Les moments insouciants comme ceux-ci avec Jax me manquaient. J'étais toujours si occupée avec le boulot, il me semblait que nous ne passions presque plus de temps ensemble.

— *Je ne vais pas attendre toute la soirée. Il fera bientôt noir !*

J'attendis une réponse, en vain. Inquiète, je jetai mes déchets et me dirigeai dans le couloir et trouvai Jackson affalé sur le plancher.

— *Jax ?*

Je poussai son épaule et il se réveilla en sursaut.

— *Qu'est-ce qui va pas, merde ?*

Je baissai les yeux sur ses cuisses et trouvai un petit sac.

— *Qu'est-ce que c'est ?*

Je teste la marchandise, c'est tout.

Ses yeux semblaient vides.

Je lâchai le petit sac sur ses cuisses et courus jusqu'à ma chambre en espérant courir assez vite pour échapper à mes problèmes. Malheureusement, ils finissaient toujours par me rattraper.

Je me mis à penser à Tucker, mais je le repoussai vite de mon esprit. Il ressentait de la pitié pour moi, rien de plus. Jamais personne n'avait éprouvé autre chose pour moi et je ne devais pas m'attendre à plus de lui, simplement parce qu'il était une espèce de rock star. Je devais me convaincre de ça. Si mon univers arrivait à changer, ce serait grâce à moi, et à moi seule. Personne n'était là pour me faire des cadeaux. Je devais travailler plus dur et réaliser mon rêve d'être propriétaire de ma propre maison. Il était possible de se bâtir une vie à partir de zéro et j'étais déterminée à le prouver.

Le sèche-linge sonna. J'attrapai rapidement mon panier et sortis le contenu de la machine toute chaude. Je pliai mon linge aussi vite que possible en m'assurant bien de cacher ma robe blanche à fleurs violettes au milieu de la pile.

Je ne serais jamais capable d'expliquer à Jax d'où venaient les robes s'il les découvrait.

En jetant un regard bref sur l'horloge, je calculai que Jax et maman devaient déjà être dans les vapes. Je souris et me frayai un chemin sur les routes poussiéreuses jusqu'à ma roulotte.

Le concert, la plage, Tucker, tout ceci n'était qu'à quelques heures de moi maintenant. Il n'allait peut-être pas être mon sauveur, mais pour l'instant il pouvait quand même être mon évasion, mon fantasme.

Mon panier appuyé contre ma hanche, j'ouvris la porte de la roulotte et écoutai les signes de vie à l'intérieur. Il n'y avait rien que le son du téléviseur dans le salon. Je soupirai et avançai lentement dans le couloir, prête à déclarer la soirée terminée.

— Merde.

Je jurai intérieurement au son de l'eau qui se déversa du seau posé au milieu du couloir quand je le cognai avec mon genou. Ça me ramena vite à la réalité.

Je lançai le panier sur le plancher de ma chambre à coucher et retirai mes vêtements, puis je m'effondrai sur le lit.

CHAPITRE 12

J'aurais voulu dormir toute la journée pour qu'elle s'écoule le plus rapidement possible, mais j'étais trop excitée. Je m'étirai et me tirai de mon lit tout chaud. Il était presque l'heure du déjeuner.

Je n'étais pas allée à la mer depuis que j'étais enfant et je me demandais si tout serait fidèle à mon souvenir. Après m'être assurée que la maison était silencieuse, je me glissai hors du lit et fouillai dans mon placard. J'en sortis la boîte de carton et la tins contre ma poitrine.

Est-ce que ce serait vraiment dangereux de me laisser aller à ce fantasme ? Je remis la boîte dans le placard. Je savais que j'aurais mal. J'allais être complètement détruite lorsque j'allais me réveiller de ce rêve. Je me levai et caressai la tête de mon ourson en peluche. Je détachai mon collier avec soin et le rangeai à l'intérieur pour le mettre en lieu sûr.

Je sortis de ma chambre à coucher pour prendre une douche rapide. L'eau était glacée et je ne pus pas m'y attarder autant que je l'aurais souhaité. Cette journée allait durer une éternité.

Je me tins alors devant la glace de la salle de bain et j'examinai mes ecchymoses. Un anneau jaune verdâtre entourait mon bras. Il était encore sensible au toucher, mais pas aussi sensible qu'il l'avait été la veille.

— Cass ! J'ai faim, grommela Jax en cognant sur la porte.

Je sursautai et attrapai une serviette, l'attachant solidement autour de ma poitrine.

— D'accord, criai-je en guise de réponse, essayant de ne pas laisser ma voix trembler.

Je me regardai une dernière fois dans la glace avant d'ouvrir la porte et de passer devant lui.

— Laisse-moi seulement m'habiller et je vais te trouver quelque chose.

Je tentai de fermer la porte derrière moi, mais sa main l'attrapa et la garda ouverte. Je jetai un coup d'œil par-dessus mon épaule en essayant d'éviter son regard.

— Pas de presse.

Ses yeux parcouraient mon corps tandis qu'il tendait la main pour tirer sur un coin de la serviette.

Je m'éloignai de lui et lui souris faiblement.

— Je ne suis pas dans la bonne semaine du mois.

Ses yeux se plissèrent et il émit un petit ricanement.

— J'touche pas à ça.

Il leva les bras en l'air et s'en alla.

Je soupirai et claquai la porte, y laissant retomber mon dos. Mes mensonges s'accumulaient et si je n'étais pas prudente, le château de cartes que je construisais allait s'effondrer.

Je fouillai dans le panier à linge, et pris un débardeur vert et un short en jeans coupé. J'évitai le magazine, ne voulant pas détruire l'image que je m'étais faite de Tucker. Je voulais en savoir plus sur la fille, savoir si elle avait eu de l'importance pour lui, mais je n'étais pas sûre de vouloir la réponse. J'enfilai une petite culotte et glissai mes vêtements par-dessus.

— Cass, cria Jax depuis le couloir.

Je me passai un coup de brosse dans les cheveux et me hâtai d'aller dans la cuisine.

Les placards étaient presque vides.

— Du thon? lui demandai-je en lui présentant deux boîtes.

Il agita la main avec dédain.

— Peu importe.

Je pris la mayonnaise dans le frigo et préparai rapidement notre repas. Il n'y avait pas de pain, alors je pris un paquet de craquelins comme accompagnement.

J'emportai nos bols dans le salon et lui tendis le sien. Il s'en empara et quand je me tournai pour aller m'asseoir sur le fauteuil inclinable, il tendit la main et emprisonna mon poignet. Je me retournai rapidement, attendant qu'il crie après moi ou me frappe.

— Assieds-toi.

Il sourit et tapota le coussin à côté de lui. Je lui fis un petit sourire et m'installai. Son attention se tourna à nouveau vers le bulletin de nouvelles.

— Tu vois cette tempête qui approche?

Je hochai la tête et commençai à manger mon plat.

— Va y avoir des tas de gens qui auront des réparations à faire.

Ses yeux rencontrèrent les miens.

J'eus un sourire bête.

— C'est super. Nous aurions bien besoin d'un peu plus d'argent.

Il hocha encore une fois la tête.

Pendant que nous mangions en silence, je sentis mon estomac se retourner. Il faisait des efforts. Je poussai ma nourriture dans mon assiette avec mon craquelin.

— Tu vas le manger ?

Ses yeux étaient rivés sur mon bol. Je secouai la tête et le lui tendis. Il continua à parler des nouvelles à la télévision, mais je n'arrivais pas à me concentrer sur ses paroles. Quand il n'était pas tendu, je pouvais encore voir en lui le garçon dont j'étais tombée amoureuse. Mon cœur se serra.

J'emportai les bols vides jusqu'à l'évier et me penchai au-dessus, essayant de m'éclaircir les idées.

— Tu as de l'argent à me prêter ?

Je secouai la tête, serrant les paupières très fort. Rien n'avait changé. Je marchai d'un pas lourd dans le couloir jusqu'à ma chambre et sortis dix dollars de mon ourson en peluche.

Je ne me donnai même pas la peine de le regarder tandis que je chiffonnai le billet en boule dans ma main et le lui lançai.

— Tu l'avais caché où ?

Je ne répondis pas. Il se leva rapidement et prit mon visage avec rudesse. Je poussai un petit gémissement quand ses doigts s'enfoncèrent dans ma chair.

— Si je découvre que tu m'caches quelque chose, tu vas payer. T'as compris ?

Il avait un regard meurtrier.

Je hochai la tête pendant que des larmes commençaient à couler sur mes joues.

— Bien.

Il repoussa mon visage et je me touchai aussitôt la joue. Je pouvais sentir les ecchymoses en train de se former. Il retomba sur le sofa comme s'il ne s'était rien passé, ses yeux rivés sur le téléviseur.

Je pivotai sur mes talons et fonçai vers la porte d'entrée. Je ne me retournai pas. Je ne voulais pas qu'il me voie pleurer. Je me sentais idiote. Pourquoi croire qu'il changerait maintenant? Il ne voyait pas sa consommation de drogue comme un problème. Le problème, c'était que je ne l'acceptais pas.

J'entrai dans le restaurant par la porte d'entrée principale. La cloche sonna au-dessus de ma tête et je m'essuyai rapidement les joues tout en balayant la salle du regard.

Larry haussa un sourcil en me regardant et je le saluai d'un rapide hochement de tête. Ses yeux me suivirent pendant que je me frayais un chemin jusqu'à la cafetière pour préparer du café frais. Il disparut dans la cuisine.

— Tu as changé d'avis à propos du quart de ce soir? Aucun remboursement.

Marla prit le récipient sous le panier de la cafetière et le remplaça par la tasse qu'elle voulait remplir pour un client.

— Nan. Il est tout à toi.

Je ne la regardai pas. Je n'étais pas d'humeur à subir les conneries des autres. Aussi, je ne voulais pas arriver à me convaincre de renoncer au concert.

Elle retira la tasse et replaça le récipient sous le panier. Pourquoi personne ne me demandait jamais si j'allais bien? Je voulais que quelqu'un arrête de penser juste à soi et qu'il pense enfin à moi, ne serait-ce qu'une seule fois.

Je retirai brusquement le récipient à café de la machine et glissai ma tasse sous le lent filet de café.

Larry sortit de la cuisine avec une assiette garnie d'œufs fumants et l'emporta vers le box en coin. Je le regardai tandis qu'il se tournait vers moi et faisait courir ses mains dans sa chevelure grise graisseuse. Il pointa la table et retourna à la cuisine. Je le regardai bouche bée. Je m'emparai d'un rouleau d'ustensiles et me rendis à la table. J'étais affamée.

Je savourai chaque bouchée de ce repas réconfortant, même si ma mâchoire était endolorie. Marla se plaça près de moi, me surplombant pendant que je coupais mon dernier morceau de jambon. Elle prit la cafetière et remplit ma tasse.

— Merci.

Je vidai quelques sachets de sucre dans le café noir.

— Grosse soirée ce soir, hein?

Elle sourit et mon visage blêmit aussitôt tandis que mon cœur commençait à exécuter un solo de batterie endiablé. Elle me tapota l'épaule d'une main.

— J'ai toujours détesté faire la lessive.

Elle se tourna et se dirigea vers un client. Je lâchai un long soupir. J'avais beaucoup de défauts, mais ajouter celui de menteuse à cette liste était lourd à porter.

Tout le monde savait ce que Jackson me faisait subir et personne ne s'en souciait. Avec mes ecchymoses fraîches au visage et mes yeux encore bouffis par les larmes, c'était plus clair que jamais pour moi. Il était temps que je prenne soin de moi. Si je ne faisais rien pour mon propre bonheur, personne ne s'en occuperait.

«C'est important.»

Je serrai fortement les paupières.

— C'était bon?

Larry prit l'assiette sur la table, rejetant son torchon à vaisselle sur son épaule d'un coup de poignet.

Mes yeux s'ouvrirent brusquement et je hochai la tête, effrayée pendant un instant qu'il puisse voir sur mon visage le genre de personne que j'étais. J'essayai de me justifier à moi-même mon comportement infidèle par la façon que Jackson me traitait, mais je savais que ça faisait quand même de moi une mauvaise personne. Je ne voulais pas qu'on me voie ainsi, pas même Larry.

Larry pivota sur ses talons et se fraya un chemin jusqu'à la cuisine, inconscient du tourment intérieur qui me déchirait.

— Merci! criai-je dans son dos.

Il fit un geste de la main dans les airs pour indiquer qu'il m'avait entendu alors qu'il disparaissait dans la cuisine.

J'observai les clients aller et venir tout en m'abandonnant à mes rêves éveillés. Je ne voulais pas rentrer à la maison, mais je savais qu'il le faudrait pour aller chercher ma robe.

Je traversai le stationnement poussiéreux et passai la clôture, qui nous donnait l'impression d'être des animaux en cage. J'espérais pouvoir entrer et sortir de ma maison sans dispute.

Jackson était probablement déjà en train de planer et ne devrait pas me faire trop de problèmes. Je me glissai par la porte d'entrée en la retenant afin qu'elle ne claque pas.

Je longeai le couloir sur la pointe des pieds jusqu'à ma chambre sans me faire remarquer. Je pouvais entendre ma mère dans sa chambre. Je tremblai à l'idée qu'elle et Jax étaient en train de se défoncer pendant que je me préparais à m'enfuir, les laissant dans la nuit, loin derrière moi. J'enfilai mes vêtements de travail et pris ma robe jaune, l'insérant dans le sac que je me préparais à laisser tomber de la fenêtre de ma chambre. J'attrapai le collier et l'attachai avec précaution autour de mon cou. Je m'arrêtai un instant devant le miroir de la salle de bain. Le temps d'un soupir, j'étais prête à partir. J'allais le faire.

Après deux profondes inspirations, je tournai le coin du couloir. Personne ne m'arrêta, personne ne s'inquiétait de savoir où j'étais, où j'allais. Je sortis par la porte d'entrée en silence et fus plongée dans la lumière vive du soleil. Je m'arrêtai un moment pour respirer l'air chaud de la campagne puis, sans bruit, je fis le tour de la roulotte et pris mon sac en regardant autour de moi, à l'affût d'un témoin.

Je marchai aussi vite que possible jusqu'au téléphone public du restaurant. Mon taxi était en route. Je souris nerveusement tandis que je me glissais dans le restaurant par l'entrée des employés avant d'entrer dans les toilettes.

Retirant vivement mes vêtements, je m'enfilai ma robe jaune vif par la tête et fourrai mes pieds dans les sandales. J'enlevai l'élastique qui retenait ma queue de cheval et me passai la main dans les cheveux pour la défaire. Le sourire stupide que j'affichais chaque fois que je pensais à Tucker était à présent bien collé sur mon visage. Je m'emparai du sac de vêtements de travail et le poussai sous le lavabo des toilettes. Personne n'irait regarder là-dessous. J'étais la seule qui nettoyait cet endroit.

J'ouvris la porte et jetai un coup d'œil dans le couloir pour m'assurer que personne ne regardait. Quand je fus certaine que la voie était libre, je me précipitai à l'extérieur. Je traversai le stationnement à la course, ne m'arrêtant qu'une fois arrivée sous le chêne géant qui s'élevait au bord de la route.

Son ombre ne parvenait pas à me protéger de la chaleur et j'aurais aimé avoir pu rester un peu plus longtemps dans le restaurant frais, mais je ne pouvais courir le risque de me faire prendre.

CHAPITRE 13

*J*e comptai ce qu'il me restait de l'argent de Tucker et le glissai dans mon petit sac à main. Je n'utilisais jamais ce machin-là, qui avait une drôle de teinte bleu poudre, mais c'était tout ce que j'avais. Je le fermai brusquement et glissai la courroie sur mon épaule pour la porter en bandoulière. Je n'avais pas l'habitude de transporter de l'argent liquide sur moi et ça me rendait incroyablement nerveuse.

Le taxi s'arrêta et je le rejoignis presque en courant. Je voulais m'éloigner de cet endroit le plus vite possible.

— La jetée de Tybee, s'il vous plaît.

Je regardai par la vitre alors que nous partions sur la route. Tout semblait différent. J'admirai le paysage tout en tordant mes mains sur mes cuisses.

— Vous allez au concert?

Les yeux du chauffeur croisèrent les miens dans le rétroviseur.

J'acquiesçai d'un signe de tête et regardai de nouveau par la vitre.

— Il y a beaucoup de bons groupes ce soir. Vous êtes chanceuse.

Il n'en avait aucune idée. J'espérais seulement que ma chance ne s'envolerait pas de si tôt.

Nous ne parlâmes pas pendant le reste du trajet. Nous écoutâmes la radio, qui diffusait des chansons de tous les groupes qui allaient se produire ce soir. Mon cœur cessa de battre quand la voix de Tucker emplit le petit espace de la voiture.

Je ne reconnus pas la chanson, mais elle était extraordinairement belle. Quand il chantait *Pars à la mer*, je ne pouvais m'empêcher de penser qu'il chantait pour moi. J'aurais aimé faire ce voyage avec lui, mes bras enroulés autour de lui sur sa motocyclette.

Nous traversâmes l'Intracoastal Waterway et je sus que nous serions arrivés sur l'île dans quelques minutes. J'essayai de me concentrer sur le paysage et de ne pas laisser la nervosité me gagner. Le fort Pulaski était situé à droite. J'avais toujours voulu y aller, mais mon père m'avait dit que nous irions un autre jour. Ce jour n'est jamais venu.

Nous dépassâmes bientôt le phare et les tours des dauphins. Mon cœur résonnait dans ma poitrine. Une fois le Sugar Shack dépassé, nous tournâmes sur l'avenue qui longeait la côte. Nous y étions. L'île était petite et on pouvait la traverser en quelques minutes. Je commençai à me ronger les ongles nerveusement tout en regardant devant moi.

Nous nous arrêtâmes dans le petit stationnement à côté de la jetée. La foule était intimidante. Je jetai un œil sur le compteur et remis une pile de billets au chauffeur.

— Amusez-vous, me lança-t-il tandis que je poussais la portière et admirais le spectacle qui s'offrait à mes yeux.

Enveloppée par l'odeur saline de la mer, j'ignorais totalement par où passer à partir de là.

Je marchai vers l'immense structure en bois qui surplombait l'océan. Je me frayai un chemin sous le pavillon où étaient rassemblés des touristes pour y manger de la pizza et de la crème glacée. Je sursautai lorsque je sentis un bras s'accrocher au mien et je me retournai brusquement, croyant être prise en flagrant délit.

— Te voilà. C'était une bonne idée, le jaune.

Une femme plus âgée que moi me regardait avec un pli sur le front.

— N'êtes-vous pas...?

Je reconnus immédiatement son visage furieux. La vieille femme du restaurant l'autre jour. Elle m'avait laissé un pourboire dérisoire de trois cents.

— Je suis Dorris, la gérante de Tucker.

Elle me tendit la main et je la serrai mollement. Tucker m'avait dit que Dorris l'avait sauvé dans son enfance. Je me demandai pourquoi elle m'avait laissé le magazine. Voulait-elle m'éloigner de lui en essayant de me faire peur?

— Ne me regarde pas comme ça. Je devais m'assurer que tu n'étais pas une poufiasse à deux sous qui voulait l'argent de Tucker. Il est si facile de distraire ces garçons.

Elle se tourna et commença à descendre les marches en bois. Je la suivis, sans avoir encore réussi à digérer le choc de cette révélation.

— Votre café est dégueulasse, en passant.

Elle me regarda par-dessus son épaule.

— Le service n'était pas beaucoup mieux.

Elle lâcha un petit rire.

J'ouvris la bouche pour répondre, mais je ne pus articuler un mot.

— Allons-y, ma chère. Nous n'avons pas toute la foutue journée.

Elle agita la main, me faisant signe de la rattraper. Je marchai plus vite, essayant de suivre son rythme.

Nous traversâmes la rue bondée jusqu'à l'hôtel Tybrisa. Il comptait quatre étages et des balcons blancs ainsi que des balustrades bleues s'alignaient sur la façade.

Elle s'arrêta devant les portes. Elle fouilla dans sa poche et en sortit une carte d'accès qu'elle me tendit.

— Ne fais rien pour l'énerver avant le concert. Il a besoin de rester concentré sur son spectacle.

Sur ce, elle pivota, secouant la tête en remontant la rue.

Je souris comme une idiote, tenant la carte contre mon cœur et contemplant l'hôtel. J'eus une poussée d'adrénaline.

J'entrai tout doucement et me dirigeai vers l'escalier. Alors que je tournais le coin, deux mains enlacèrent ma taille et l'homme derrière moi m'attira contre son corps. Je poussai un petit cri perçant et le repoussai.

— C'est moi, murmura Tucker dans mon oreille, me retenant fermement contre lui.

Son parfum de noix de coco emplissait l'air.

— Que fais-tu ?

Je me tortillai entre ses bras pour pouvoir le regarder en face.

— Personne ne doit me voir ici. Ils ne nous laisseront jamais tranquilles.

Il sourit.

— Je suis content que tu sois venue.

Il me tira plus près de lui et il m'enlaça.

J'hésitai, n'ayant pas l'habitude des étreintes. C'était un geste qui m'était étranger, pas naturel. J'osai me détendre et je glissai mes bras autour de son cou en inspirant son odeur. J'adorais le parfum de la noix de coco parce qu'il me rappelait la plage, la liberté. Je ne savais pas que son parfum s'était gravé dans ma mémoire comme étant ma seule échappatoire possible. Ce n'était que maintenant, une fois ici, que je m'en rendais compte.

— N'avez-vous pas une chambre? lança une voix forte derrière nous.

Je m'éloignai de Tucker, gênée, mais ses mains me retinrent fermement, me gardant en place. Mes yeux se posèrent sur le t-shirt noir qui lui collait au torse. Il l'avait assorti à un jeans foncé au tissu vieilli. Ses cheveux semblaient un peu plus courts et je me demandai s'il les avait fait couper depuis notre dernière rencontre.

— Concentre-toi sur ta façon de jouer, Chris, et pas sur ma vie personnelle, rétorqua Tucker.

Chris lâcha un rire grave et prit la direction du hall d'entrée de l'hôtel.

— Je viens de jouer d'une rouquine comme un chef. Est-ce que ça compte?

Je regardai Tucker et je laissai échapper un petit ricanement.

— Cette robe est vraiment magnifique sur toi.

Son compliment fit rougir mes joues.

— Merci. Je l'adore.

Il sourit et repoussa les cheveux qui tombaient sur mon visage. Il inclina légèrement la tête d'un côté et il caressa ma mâchoire, une inquiétude commençant à poindre sur son visage.

— Qu'est-ce que c'est?

Il pencha ma tête sur le côté afin de voir plus clairement l'ecchymose violacée.

— Ce n'est rien.

Je détournai la tête et laissai mes cheveux retomber sur les côtés de mon visage.

— Je vais le tuer, merde.

Tucker serra les dents et son corps se raidit contre le mien.

— Non non non tu ne le feras pas. Tu vas te calmer et te préparer pour ce concert.

Il secoua la tête pendant que je parlais, faisant courir une main dans ses cheveux.

— Dorris va être furieuse, murmurai-je.

— Quoi? Ne t'inquiète pas pour Dorris. Elle est loin d'être aussi méchante qu'elle en a l'air.

Il rit un peu et ses yeux se fixèrent sur les miens. Il se détendit légèrement.

— Viens.

Il glissa ses doigts entre les miens et me tira vers le haut de l'escalier. J'hésitai et il se retourna, quelques marches plus haut, pour me regarder en face.

— Quoi?

— Je ne pense pas que ce soit une bonne idée d'aller dans ta chambre d'hôtel.

Je haussai les épaules.

— C'est le seul endroit où nous pouvons nous cacher de tous ces gens.

Il leva les yeux au ciel et fit un grand sourire.

Je lui jetai un regard défiant, mais je recommençai à le suivre. Nous montâmes jusqu'au quatrième étage. Il déverrouilla la porte et la tint ouverte pour moi.

— Oh! Quelle belle vue!

Je marchai jusqu'à la fenêtre et fixai l'océan.

Tucker s'arrêta à côté de moi et, d'une main, il releva légèrement mon menton vers lui.

— À couper le souffle.

Tout mon corps frissonna à ces mots et mes genoux étaient à deux doigts de céder.

Il serra la mâchoire quand il passa son pouce sur mes ecchymoses fraîches.

— Je ne vais pas laisser passer ça.

— C'est pas ton problème.

Je secouai la tête, regardant son t-shirt. Il releva mon menton un peu plus haut pour m'obliger à le regarder.

— J'ai pas le choix. Dès l'instant où je t'ai vue, je n'ai plus eu le choix.

Il se rapprocha et sa délicieuse odeur tropicale emplit le petit espace qu'il y avait entre nous.

Je commençai à reculer.

— Mais pourquoi ? Pourquoi moi ?

J'imaginai la brunette du magazine, le corps enroulé autour du sien. Je me demandai combien d'autres avaient occupé cette place.

— Tu sembles si brave et si forte, et il est évident que tu souffres. Quelqu'un te fait souffrir et il n'y a personne pour te protéger.

— Tucker, je n'ai pas besoin que l'on me protège.

— Oui, tu en as besoin Cass. Tout le monde a besoin d'être protégé. Je sais que tu es forte. C'est la première chose que l'on remarque chez toi, mais je sais que si personne ne prend le temps de te montrer à quel point tu es formidable, ce côté dur chez toi va commencer à prendre le dessus. Je suis déjà passé par là. Je suis devenu tellement doué pour repousser les gens que j'en ai oublié qui j'étais et j'ai laissé la haine des autres me consumer.

Il marqua une pause et il me regarda dans les yeux avec une telle intensité que je me sentis soudainement vulnérable, dénudée.

— Tu as encore cette lumière dans les yeux. Cette façon de plisser le nez lorsque tu souris, cette manière d'agrandir les yeux devant les plus petites choses. Même tes commentaires de petite maline sont une façon pour toi de mettre une touche d'humour aux choses qui te font souffrir. Je me vois tellement en toi. Ça me brise le cœur de t'imaginer allongée dans ton lit la nuit avec le sentiment que tu es seule.

— Tucker, murmurai-je quand ses lèvres effleurèrent ma joue endolorie si doucement que je crus l'avoir imaginé.

Mes paupières se fermèrent et je me sentis fondre en lui, le savourant pleinement.

Il recula, retenant toujours mon visage avec sa main, et il me fallut un moment pour rouvrir les yeux. Son expression était sérieuse.

— Je ne le laisserai plus te faire de mal.

Je hochai la tête et il m'entoura de ses bras en m'attirant contre son corps. Je laissai mes mains glisser autour de sa taille, agrippant son t-shirt en refermant les poings. C'était si bon de sentir que quelqu'un s'occupait moi, même si je savais que ça ne durerait pas. On m'avait fait beaucoup de promesses vaines dans ma vie et j'avais beaucoup de difficulté à me convaincre que je pouvais avoir confiance cette fois-ci. Toutefois, je voulais ardemment croire Tucker et je commençais à me dire qu'il était peut-être une personne en qui je pouvais avoir confiance, que je pouvais me donner la permission de croire en lui.

— C'est l'heure! cria Dorris de l'autre côté de la porte en frappant rapidement dessus.

Tucker s'éloigna de moi légèrement et il pressa ses lèvres sur mon front, s'y attardant encore un peu.

— Allons-y.

Il sourit et glissa sa main dans la mienne, m'entraînant vers la porte. Je me sentais étourdie. Je ne savais pas si j'avais peur de blesser Jax ou bien que Jax me violente lorsqu'il allait découvrir ce que j'avais fait. Je me préparai à affronter la vague de culpabilité qui allait me frapper... Mais cette fois, elle ne vint pas.

Nous descendîmes l'escalier et sortîmes dans la lumière dorée. Le soleil de fin de journée était déjà à moitié caché derrière l'hôtel. Je ne savais toujours pas ce que je faisais ici, mais je ne m'en souciais plus. Je voulais être là où était Tucker. J'en assumerais plus tard les conséquences.

CHAPITRE 14

*L*a musique étouffée du groupe jouant au loin était surréelle sur cette plage calme. Nous traversâmes le stationnement et les autres membres de Damaged vinrent nous y rejoindre. Nous entreprîmes de fendre la foule ; se frayer un chemin parmi les admirateurs n'était pas chose facile.

La jetée en bois était vieille et tordue, et la panique s'installa en moi à l'idée que les piliers cèdent et que nous nous retrouvions tous largués au large. Je reculai légèrement et Tucker se tourna vers moi, me décochant un sourire en me serrant la main. Je pouvais entendre le bruit sourd des mouettes criant dans le lointain percer à travers les rires et les discussions légères qui s'élevaient la foule. Quelqu'un lâcha un contenant plein de frites sur le chemin et les oiseaux plongèrent pour en attraper une, provoquant l'effroi des filles en talons et en minijupe très courte, qui se mirent à pousser de petits cris aigus. Elles se réfugièrent vite dans les bras de leurs compagnons respectifs, qui étaient très heureux de tirer avantage de la situation pour les tripoter. Tout ce spectacle me rendait mal à l'aise et je couvris ma poitrine en l'entourant d'un bras, regrettant de m'être aventurée dans un lieu public. J'étais beaucoup plus heureuse loin de la foule.

Un peu avant d'arriver au bout de la jetée, Dorris plaça un bras autour de moi et me guida pour m'amener au-devant de la foule, alors que le groupe continuait à marcher jusqu'au bout de la jetée, qui prenait la forme d'un immense pavillon s'avançant sur l'eau. Le groupe était sous son toit, mais nous autres, admirateurs enthousiastes, n'avions pas de protection contre le soleil chaud qui nous frappait. Je pouvais sentir la sueur commencer à perler sur mon front.

— Merci d'être venu, Tybee! Je suis Tucker et voici Damaged.

Il fit un sourire éblouissant et un clin d'œil.

Les filles devinrent folles autour de moi. Je n'arrivais pas à détourner mes yeux de lui. Je ne jetai pas un seul coup d'œil à la mer. J'étais en admiration devant lui.

Il commença à chanter et la foule se tut, se balaçant au son de sa voix.

— *Je suis ici pour sécher tes larmes*

Ses yeux se fixèrent sur les miens et mon cœur palpita, se mit à battre à la vitesse grand V dans ma poitrine.

— *Je ne te laisserai pas tomber.*

Ma main se posa sur le minuscule cœur en argent qui pendait à mon cou. Il sourit.

— Il semble t'apprécier.

Dorris se pencha plus près afin que je puisse l'entendre.

— T'es mieux de ne pas lui faire de mal.

Je levai les yeux au ciel devant sa menace, mais je ne dis rien. Je n'avais pas l'intention de blesser Tucker. Je craignais davantage ce qu'il ferait à mon cœur, s'il savait qu'il l'avait conquis. Lorsque nos yeux se rencontrèrent, j'eus le sentiment irrépressible que c'était le seul endroit au monde où j'avais envie d'être. Je sus à ce moment-là que même si j'avais déjà trébuché et tombé quelques fois dans ma vie, aujourd'hui, pour la première fois, j'étais finalement tombée amoureuse pour vrai. Mon cœur battait la chamade en regardant Tucker et soudain, sans savoir pourquoi, je sus qu'il ne me serait jamais plus possible de regarder une autre personne de la même façon.

Damaged passa en douceur à une autre chanson, celle-ci plus rythmée. La foule commença à danser autour de nous. Tucker dansait en chantant et la foule devint de plus en plus folle, imitant ses mouvements. Il avait du plaisir et c'était un spectacle éblouissant. Je rougis en me remémorant certains mouvements que nous avions faits ensemble en dansant, au bar. Il était si sûr de lui, si affirmé. Sa passion pour la musique était contagieuse.

Le soleil avait presque complètement disparu derrière les bâtiments et les rayons du couchant cascadaient dans le ciel avant de disparaître. De petites lumières installées autour du groupe illuminèrent le spectacle. Tucker retira son t-shirt, dévoilant son corps musclé et ses tatouages que je reconnaissais. Les femmes dans la foule devinrent surexcitées à la vue de son corps à demi nu et je sentis une émotion inconnue m'envahir. C'était la jalousie. Je n'aimais pas que les autres femmes le regardent ainsi.

Je rougis quand mes yeux remontèrent de son torse à son visage et que je le vis sourire. Il m'avait surprise à le regarder fixement et il ne se souciait aucunement des autres femmes autour de nous. Je mis les mains sur ma bouche et criai avec le reste de la foule.

Damaged présenta une dernière chanson et vint le moment pour le groupe suivant d'entrer en scène. Ils déambulèrent dans la foule pendant un bon vingt minutes, signant sur tout, que ce soit des photos ou des bouts de peau. Je restais à l'écart, ne voulant pas m'immiscer dans ce moment de « rock star » que vivait Tucker, même si chaque fibre de mon être voulait bondir sur lui comme un animal et le déclarer mien.

Quand il eut terminé, Tucker me prit la main et m'entraîna à travers la foule vers le stationnement. Pendant que le reste du groupe continuait sa sortie, Tucker m'attira dans un coin en bas de l'escalier qui menait directement à la plage. Je regardai Dorris pendant qu'elle se frayait un chemin jusqu'à l'aire de restauration. Elle allait être furieuse lorsqu'elle remarquerait notre disparition, mais je m'en foutais.

Nous nous esquivâmes sous la jetée et Tucker pivota, m'adossant contre l'un des gros piliers de bois. Ses lèvres planèrent au-dessus des miennes tandis que ses mains suivaient la courbe de mon dos, attirant mon corps tout contre lui. Ses doigts s'enfoncèrent dans la peau de ma hanche.

Il gémit, poussant son corps avec plus de force contre le mien. Mes mains remontèrent ses bras nus et musclés, ses épaules, puis se posèrent sur sa nuque. On ne m'avait jamais regardé comme Tucker le faisait ; je sentais que mes genoux allaient fléchir. Mes hanches se plaquèrent d'elles-mêmes contre lui, voulant à tout prix se rapprocher. Je voulais qu'il m'embrasse plus que tout au monde, mais sa bouche ne toucha jamais la mienne.

Tucker recula ; nos respirations étaient irrégulières et entremêlées, comme si son souffle me gardait en vie.

— Je mourrais d'envie de te toucher durant tout le spectacle.

Il fit un grand sourire, faisant voler une nuée de papillons dans mon ventre. Les battements rapides de mon cœur dans ma poitrine noyaient le son de la musique provenant de la jetée au-dessus de nous. Il appuya son front contre le mien.

— Je n'arrête pas de penser à nos danses au bar.

Il faisait trop sombre pour que je puisse voir son visage, mais je pouvais dire au son de sa voix qu'il souriait. Je laissai mes doigts glisser sur son dos, mes ongles suivant la trace de sa colonne vertébrale.

— Allons nous promener.

Il recula d'un pas et lança son t-shirt par-dessus son épaule, me tendant la main pour que je la prenne.

Je ne savais pas si mes genoux allaient pouvoir tenir le coup, mais je m'éloignai du pilier d'une poussée et glissai ma main dans la sienne, prête à le suivre dans l'obscurité et sous le clair de lune. Il m'amena jusqu'au bord de l'eau.

Je retirai mes sandales et les pris dans une main afin que l'eau puisse me caresser les orteils.

— Elle est chaude.

Je lui souris tandis que j'enfonçai mes orteils dans le sable mouillé.

— Viens.

Il inclina la tête d'un côté et me tira par la main. Je le suivis avec bonheur tandis que nous descendions vers la plage dans le noir. D'autres personnes s'y trouvaient, mais aucune ne le reconnut dans l'obscurité.

— Où m'amènes-tu?

— C'est une surprise.

Je ne me rappelais pas la dernière fois où l'on m'avait fait une belle surprise. Ça me rendait nerveuse.

— Tu vas l'aimer. Promis.

Il pressa ma main, provoquant une décharge électrique dans chaque partie de mon corps.

— Tu la vois ?

Il pointa l'eau. Le reflet de la lune bondissait sur une immense bande de sable dans la mer.

— Qu'est-ce que c'est ?

Je me mis sur le bout des pieds afin de mieux voir.

Tucker lâcha ma main un instant pour retirer ses chaussures et ses bas. Il s'empara de mes sandales et les plaça dans ses chaussures. Il laissa tomber son t-shirt sur la pile avant de reprendre ma main dans la sienne.

— C'est un banc de sable. Allons-y.

Il me tira vers l'eau.

J'hésitai.

— Je ne permettrai pas qu'il t'arrive quelque chose, Cass.

Son sourire suffit à me convaincre. Je le suivis joyeusement dans l'eau sombre. Je me sentais libre alors que mes orteils s'enfonçaient dans le sable sous mes pieds. Je n'avais pas peur de cette immensité inconnue quand j'étais avec lui. Il aurait pu m'entraîner à l'intérieur d'un volcan et je l'aurais suivi avec bonheur. L'eau était étonnamment peu profonde entre la plage et le banc de sable et je traînais les pieds pour voir si je ne pouvais pas faire remonter quelques coquillages.

Il me guida vers la petite plage secrète et m'enlaça la taille par derrière. Il me semblait que nous étions sur notre île déserte à nous.

— C'est merveilleux.

Il enfouit son visage dans mes cheveux et prit une profonde inspiration.

— Oui, ça l'est.

Je posai mes mains sur les siennes alors que nos corps commençaient à se balancer au rythme de la musique que l'on entendait au loin. Soudainement, je souhaitai en savoir plus sur cet homme qui m'avait fait sortir de ma routine merdique et qui m'avait fait prendre conscience que je méritais peut-être mieux qu'une vie de violence dans une roulotte.

— Tucker, parle-moi de toi, de ta vie.

Ses mains se raidirent autour de ma taille, qu'il serra momentanément avant de répondre :

— Il n'y a pas grand-chose à en dire. Ma vie maintenant n'est qu'une suite de spectacles. Je n'ai pas vraiment de temps pour quoi que ce soit d'autre.

Je hochai la tête, mais j'étais loin d'être satisfaite. Tout chez lui était une énigme. Je voulais qu'il me parle de sa famille, de la raison pour laquelle il s'était dirigé vers la musique, de ses tatouages et des histoires qui se cachaient derrière eux, de ce qui avait fait de lui la personne qu'il était aujourd'hui et des raisons pour lesquelles il s'intéressait à moi. Quand je l'ai rencontré pour la première fois, j'ai cru qu'il serait comme tous les autres, mais il était différent de tous ceux que j'avais connus.

— As-tu déjà eu une relation sérieuse ? demandai-je en retenant mon souffle.

Je savais qu'il avait vécu une enfance tragique, mais je ne pouvais pas croire qu'il n'avait aucun souvenir heureux. Même moi j'en avais quelques-uns.

Il poussa un profond soupir.

— Est-ce que tu lis les magazines à potins ? plaisanta-t-il.

Je savais qu'il cherchait à gagner du temps.

Je me tournai dans ses bras pour le regarder en face.

— Tu n'es pas obligé de me parler des choses que tu préfères garder pour toi. Je veux seulement en savoir plus sur toi.

Il sourit et repoussa doucement une mèche rebelle de mon visage.

— Je veux tout te dire, Cass.

Il prit une profonde respiration.

— Elle s'appelait Cadence. Nous avons commencé à sortir ensemble en troisième secondaire. Elle était rebelle.

Il rit doucement pour lui-même.

— Elle jurait comme un charretier. À cette époque, je passais déjà chacun de mes temps libres à jouer avec les gars, à faire de la musique. Elle s'en foutait. Elle s'assoyait dans le garage pendant des heures simplement pour nous regarder répéter.

— Que s'est-il passé ?

Tucker s'éclaircit la gorge en fixant son regard sur l'eau.

— Nous avons commencé à jouer partout où nous le pouvions. Surtout dans les bars et les boîtes de nuit de la région. Terry a trouvé un gars pour nous fabriquer de ridicules fausses cartes d'identité.

Tucker rit.

— Nous nous éclipsions en douce quelques fois par semaine et nous jouions jusqu'à la fermeture des bars, en essayant d'aller à l'école tous les jours. Cadence adorait ça. Elle se perchait au bout du bar et c'est elle qui criait le plus fort. Elle buvait quelques verres cul sec ; rien de grave, mais avec le temps, elle a eu besoin de quelque chose d'autre pour neutraliser les effets de la boisson qu'elle ingurgitait en fin de soirée

Il n'eut pas à en dire plus. Il posa sa main à l'arrière de ma tête et il m'attira contre son torse.

Je posai ma tête sur lui et laissai mon bras glisser autour de sa taille.

— Je suis désolée.

Je l'étais réellement. Je savais exactement ce que c'était que de voir la personne que l'on aime changer complètement à cause de la drogue. Ici, Tucker était entouré de milliers de fans, mais personne ne savait vraiment qui il était. Personne ne connaissait la douleur qu'il portait en lui.

— Ne t'en fais pas pour moi. Je suis heureux de la vie que j'ai maintenant. Je repasserais à travers tout ça en sachant que je serais un jour ici à tes côtés.

Je m'éloignai un peu de lui et contemplai son visage. Il penchait sa tête vers moi en souriant et je savais qu'il disait la vérité. Il était satisfait de sa vie et il n'avait ni besoin ni envie qu'on ait pitié de lui.

— Je resterais ici pour l'éternité, murmura-t-il.

Ça me ramena à la réalité.

— Oh! Mon Dieu. Je dois rentrer. Ça va me prendre au moins une demi-heure pour rentrer chez moi.

La panique commença à s'installer en moi lorsque j'imaginai Jax se rendant compte que j'étais partie. Ça allait barder et ma mère ne méritait pas de manger les coups en mon absence.

Tucker poussa un long soupir.

— D'accord. Allons-y.

Nous retournâmes sur nos pas à travers l'eau chaude pour rejoindre la plage. Tucker prit ses chaussures et me tendit mes sandales. Il passa son t-shirt par-dessussa tête. Nous allâmes directement au stationnement, plutôt que de continuer à nous promener paresseusement sur la plage. L'atmosphère avait considérablement changé. Je ne dis pas un mot. Rien ne pouvait changer la situation. Ma vie m'attendait à Eddington. Ma mère avait besoin de moi et je ne pouvais pas l'abandonner comme mon père l'avait fait.

Tucker m'amena à son hôtel pour que nous puissions nettoyer nos pieds pleins de sable et appeler un taxi.

Lorsque nous arrivâmes à sa chambre, Dorris nous attendait à l'extérieur, les bras croisés sur la poitrine. Elle était furieuse.

— Tu veux bien m'expliquer cette petite histoire de disparition ?

Tucker me serra la main et glissa sa carte d'accès dans la porte. Il recula pour me laisser entrer, puis il se tourna vers Dorris.

— Je ramène Cass à la maison. On se verra en Floride.

Sur ce, il ferma la porte au nez de Dorris abasourdie.

Je suis certaine que j'avais la même expression au visage quand il se tourna vers moi.

— Tu me ramènes à la maison ?

Il sourit largement tandis qu'il passa devant moi pour aller à la salle de bain.

Je le suivis.

— Je n'ai pas d'autres concerts avant deux jours et je dois rendre visite à cet enculé.

Il haussa les épaules et il ouvrit le robinet de la baignoire. Il mit sa main sous l'eau un moment pour s'assurer que la température était bonne et il me fit signe de me laver les pieds.

— Tu n'peux pas faire ça, Tucker. C'est pas toi qui devras vivre avec les conséquences.

Ses yeux étincelaient de colère.

— Je n'avais pas l'intention de le laisser assez en forme pour qu'il soit capable de lever la main sur toi de nouveau.

— Tucker...

Je m'assis sur le bord de la baignoire et laissai pendre mes pieds dans l'eau au fond. Elle était parfaitement chaude, comme l'océan. Je me rendais compte maintenant à quel point cette sensation me manquait. Le simple réconfort de l'eau chaude.

— Tu n'es pas ce genre de personne.

— Quel genre de personne je serais si je le laissais te faire du mal ?

Il serait comme toutes les personnes que j'ai connues dans ma vie. Je m'efforçai de trouver quelque chose à dire, n'importe quoi, pour changer le cours de notre conversation.

— Raconte-moi quelque chose sur toi.

J'avais besoin d'en savoir plus.

— Comment c'est, jouer devant des foules de filles en extase ?

— La première fois que nous avons fait un spectacle pour lequel les gens ont vraiment payé pour venir nous voir, c'était surréaliste. Je ne pouvais pas croire que certaines personnes connaissaient mon nom et chantaient avec moi les paroles de mes chansons. C'était à en donner la chair de poule.

— J'peux pas m'imaginer.

— Te fais pas d'idées. Nous faisions vraiment nos vedettes rock. Tous les soirs, il y avait une fête différente, dans une ville différente. Les filles étaient toujours différentes, mais en même temps, exactement pareilles. Personne ne se souciait de savoir qui nous étions, tant que nous faisions partie d'un groupe rock.

Je hochai la tête, ne sachant pas quoi répondre. Je ne voulais pas m'imaginer Tucker avec une femme pendue à son cou.

— C'est fou, j'avais l'impression que la femme la plus importante de ma vie regrettait de m'avoir connu et, du jour au lendemain, chaque femme se jetait sur moi et me disait qu'elle m'aimait. Avec le temps, j'ai compris qu'aucune ne m'aimait. Aucune.

Il soupira et se passa les mains dans les cheveux.

— L'argent, la célébrité, les fans… ça n'veut rien dire. Ça ne rend pas heureux. Je veux dire, j'adore ma musique, mais si on n'a personne avec qui partager ces trucs, on est quand même seul.

Je sentis son regard sur moi.

— Raconte-moi quelque chose sur toi, Cass.

— Y a rien à dire.

— Qu'est-ce que tu veux devenir quand tu seras grande?

Il rit.

— Une femme heureuse.

Il soupira en étendant la main vers la mienne.

— Tu n'es pas obligée de supporter tout ça. Je pourrais t'aider à sortir de là.

— Non, Tucker. Je dois le faire moi-même et je ne peux pas laisser tomber ma mère.

Je libérai ma main et la posai sur mes cuisses.

— Viens. Nous te ramenons à la maison, Cendrillon.

Il m'attrapa encore une fois la main, m'aidant à me relever de la baignoire.

Il me tendit une serviette blanche et je me séchai les pieds puis remis mes sandales. Il mit aussi ses chaussures et lança quelques trucs dans son sac à dos avant de me conduire à l'extérieur de la chambre.

Dorris était toujours dans le corridor, l'air encore plus en colère qu'avant. Comme si c'était possible.

Tucker prit ma main et continua à marcher.

— Je serai là, Dorris, lança-t-il par-dessus son épaule.

Si elle ne m'avait pas aimée au départ, elle devait certainement me détester à présent. Nous nous hâtâmes vers la cage d'escalier et sortîmes par la porte arrière du bâtiment. Sa moto nous attendait près de la porte.

— Tiens.

Il passa mes bras dans les bretelles du sac à dos et il tira fortement sur les courroies pour l'ajuster.

— Ça va ?

Je hochai la tête et il sourit puis il se tourna pour prendre un casque et le mit sur ma tête. Il repoussa quelques mèches de mon visage et attacha les sangles. Je me sentais comme une figurine à tête branlante. Il s'empara de son casque et le glissa sur sa tête avant d'enfourcher sa moto et la redresser.

J'enjambai la machine géante et glissai mes bras autour de sa taille, le serrant fortement. Sa main rencontra la mienne et il caressa mes jointures avec son pouce.

— On te ramène à la maison.

Nous partîmes dans l'obscurité, nous faufilant à travers la foule. L'air de la mer mêlé au parfum de noix de coco me fit facilement oublier que je rentrais chez moi, dans une roulotte déglinguée. Je posai ma joue sur son dos et fermai les yeux.

Tucker me pointa les endroits qu'il voulait me faire découvrir pendant le trajet. Il me dit qu'un jour, nous irions là-bas ensemble. L'idée me réchauffa le cœur, même si je savais qu'il ne reviendrait probablement plus dans la région lorsqu'il partirait en tournée en Floride.

CHAPITRE 15

*N*ous nous arrêtâmes dans le stationnement poussiéreux du Aggie's Diner. Mes jambes étaient endolo-
ries par le voyage, mais mon corps ne voulait pas s'éloigner
de celui de Tucker.

Il retrouva ma main, la caressant gentiment.

— Je vais me louer une chambre sur le chemin près de
la rivière. Le Bohemian, avec vue sur l'eau. Si tu as besoin
de moi… si tu as besoin de quoi que ce soit… s'il te plaît,
viens.

Je pouvais sentir son pouls s'accélérer sous mes doigts.

— Je vais devoir partir pour la Floride demain. Je ne
sais pas quand je vais pouvoir revenir ici…

Sa voix s'estompa.

Je hochai la tête contre son dos, essayant d'ignorer la
boule que j'avais dans la gorge. Je l'étreignis aussi fort que je
le pus pendant quelques minutes avant de m'obliger à
m'écarter de lui.

Il me suivit après avoir appuyé sa moto sur sa béquille.
Il retira son casque et le déposa sur sa moto, puis il se passa
les mains dans les cheveux quelques fois. Il s'avança vers
moi et sourit en voyant mon accoutrement comique. Il
détacha mon casque et le plaça sur sa moto. S'approchant
d'un pas, il m'enleva le sac à dos que j'avais toujours sur les
épaules et il le laissa tomber sur le sol derrière moi. Il glissa

sa main sur ma nuque, dans mes cheveux emmêlés. Ses yeux, d'un bleu profond et vibrant, me rappelaient l'océan.

— Si je ne te revois jamais, je veux que tu saches que le temps que j'ai passé avec toi a eu plus de signification pour moi que tu ne pourras jamais te l'imaginer. Je n'avais jamais été capable de parler de ma vie à personne avant toi. Je ne savais pas à quel point j'en avais besoin, à quel point j'avais besoin que quelqu'un comprenne réellement par où je suis passé… à quel point j'avais besoin de toi.

— J'ai été tellement méchante avec toi

Ma voix s'estompa et il rit tout doucement en pressant son front contre le mien et en fermant les yeux. J'inspirai profondément, savourant l'odeur de la noix de coco de la liberté. Mon cœur se serra dans ma poitrine quand ses doigts se refermèrent dans ma chevelure et qu'il pressa les lèvres sur ma joue endolorie. Je posai les mains sur son torse tandis que son pouls frénétique vibrait sous le bout de mes doigts.

Il éloigna sa bouche, mais garda la tête sur la mienne. Je reculai lentement et il laissa retomber ses bras de chaque côté de son corps. Je me tournai et traversai le stationne-ment en direction du restaurant, faisant tout pour ne pas partir à la course alors que des larmes menaçaient de rouler sur mes joues.

Lorsque j'atteignis l'entrée des employés, je pivotai pour regarder Tucker une dernière fois. Il me fixait, les mains enfouies profondément dans ses poches. Je lui fis un petit sourire, puis j'ouvris la porte et me glissai à l'intérieur.

Quand j'ouvris la porte des toilettes, je ne me sentais plus assez forte pour retenir ma tristesse. Je sanglotai en sortant mon sac de vêtements sous le lavabo et je commençai à me déshabiller. Je tins la robe jaune contre mon visage et inspirai les effluves de noix de coco qui s'attardait encore sur le tissu. Il me manquait déjà et je le connaissais à peine. Il avait chamboulé toute mon existence pathétique.

J'enfilai mes vêtements de travail et pliai la robe, la rangeant dans le sac avec mes sandales. Mes doigts allèrent à la délicate chaîne autour de mon cou. Mes larmes redoublèrent tandis que je tâtonnais le minuscule fermoir et lançais le collier dans mon petit sac à main bleu. Je m'assurai que tout était dans le sac et le nouai pour le fermer. Le faible rugissement de sa motocyclette s'éloignait dans le lointain alors qu'une deuxième ronde de larmes commençait à couler sur mes joues.

J'avais toujours su qu'il ne serait pas là pour toujours ; je n'avais simplement pas prévu à quel point j'aurais mal lorsqu'il partirait.

Je me tournai vers le lavabo et m'aspergeai le visage d'eau froide plusieurs fois avant d'être capable de maîtriser mes émotions. Mon visage était rouge et marbré. Ça n'avait pas d'importance, personne ne le remarquerait.

Je quittai le restaurant miteux et traversai le stationnement poussiéreux. Mes doigts suivirent la trace des siens sur mes lèvres. Elles picotaient encore après son contact. Je me demandai combien de temps il me faudrait pour ne plus sentir sa présence, pour ne plus sentir son odeur. Combien de temps avant qu'il ne devienne un souvenir irréel.

Je levai les yeux vers la porte délabrée de ma roulotte.

— *C'est notre nouveau foyer ?*

Je fis une grimace à Jackson.

— *Ce n'est pas si mal. Elle a seulement besoin d'un peu d'amour et d'attention, c'est tout. Nous pouvons la rénover pendant que nous l'habitons.*

Je passai la porte d'entrée et sentis une odeur de musc.

— *Je n'sais pas, Jax. Elle me semble plutôt délabrée. Nous pouvons peut-être trouver quelque chose en ville.*

— *Bébé, tu vois seulement les mauvais côtés. Oui, elle aura bien besoin d'un coup de peinture et d'un bon nettoyage, mais elle a de bonnes fondations.*

Il me tourna vers lui.

— *C'est comme nous.*

— *Puant ?*

Il rit et se passa la langue sur la lèvre inférieure.

Non.

Il attrapa son pulll et l'approcha de son visage pour le sentir.

— *Non. Elle a eu la vie dure, mais avec un peu d'amour, elle peut être comme neuve.*

— *Ahhhh !*

Je lui sautai au cou et je l'étreignis.

— *C'est un nouveau départ, alors.*

Il sourit et m'embrassa sur la joue.

— *Prenez-vous une chambre ! nous cria ma mère alors qu'elle rentrait une boîte dans la roulotte.*

Il était temps de revenir à la réalité. Je me faufilai en douce vers la fenêtre de ma chambre et lançai le sac de vêtements à l'intérieur. Je défripai mon tablier avec mes mains et repoussai mes cheveux de mon visage avant d'entrer. Je voulais m'enfuir, courir vers Tucker, mais si on découvrait mon absence au milieu de la nuit, je paierais.

Jax était assis sur le sofa, vêtu uniquement d'un short de basketball. Il me fit un signe de tête lorsque j'entrai. Je souris et traversai le salon en direction du couloir.

— Comment était le boulot? lança-t-il derrière moi, me stoppant net dans mon élan.

— Bien, répondis-je sans me retourner.

Il passa d'une chaîne de télévision à l'autre et n'ajouta rien. Je lâchai un gros soupir et me frayai un chemin jusqu'à ma chambre.

— Je suis rentrée, maman, lui criai-je du couloir.

Je l'entendis marmonner quelque chose lorsque je fermai ma porte. J'attrapai le sac de vêtements sur mon lit et le fourrai dans mon placard, l'enfouissant profondément sous des boîtes. La plupart des gens avaient des squelettes dans leur placard. Moi, j'avais de belles petites robes que je devais cacher au reste du monde.

Je me changeai pour enfiler un short et un débardeur avant de quitter ma chambre. Ouvrant le frigo, je cherchai quelque chose à boire. Je pris une bouteille de bière et fermai la porte avec ma hanche tout en décapsulant ma bouteille.

— Tu m'en donnes une?

Les mots de Jax étaient inarticulés.

Je levai les yeux au ciel et ouvris la porte du frigo pour lui prendre une bière.

— Cette caisse est presque vide.

Je ne m'adressais à personne en particulier. Jax ne se donna pas la peine de répondre.

J'apportai les bières dans le salon et lui tendis la sienne. Il me l'arracha des mains sans me regarder. J'inclinai la bouteille sur mes lèvres et commençai à boire autant que possible avant de devoir prendre une respiration. Je m'étais mise en garde de ne pas développer de sentiments pour Tucker, mais il avait réussi à me faire de l'effet. Une autre lampée et je vidai ma bouteille. Je retournai dans la cuisine et en pris une autre dans le frigo.

— Qu'est-ce que t'as?

Jackson haussa un sourcil tout en buvant sa bière.

— Rien. Je ne peux pas avoir un peu de plaisir et me détendre?

Je lui parlais sèchement et si je ne faisais pas attention, j'allais devoir affronter un ivrogne en colère.

— Va te faire foutre, Cass, fut tout ce qu'il marmonna avant de reporter son attention sur le téléviseur.

Cette soirée allait être difficile. J'avais espéré que Jax me traite avec un tout petit peu de gentillesse, mais c'était clairement trop lui en demander. Je pris une bière de plus dans le frigo pour Jax. S'il ne pouvait pas être gentil, peut-être pouvait-il seulement tomber dans les vapes.

Je lui tendis sa bière et m'assis à l'autre bout du sofa pour conserver une distance entre nous deux.

— Tu n'es pas comme d'habitude ces temps-ci, dit Jax en pointant le goulot de sa bouteille dans ma direction.

Mon cœur résonnait dans ma poitrine. Je me concentrai sur le téléviseur en prenant une nouvelle gorgée.

— Je suis comme j'ai toujours été. C'est toi qui as changé.

— J'ai grandi. Le monde n'est pas un putain de conte de fées, Cass.

Je roulai les yeux sans répondre. Qu'en savait-il? Il y avait tout un monde dehors où les gens s'aimaient les uns les autres et ne se traitaient pas comme s'ils étaient des moins que rien. Tucker en faisait partie.

— Veux-tu une autre bière? demandai-je en me levant d'un bond.

Jax me regarda comme si j'étais folle.

— Là tu parles.

Je lui décochai un sourire et me dirigeai vers le frigo. J'attendis que ses yeux se concentrent sur le bulletin de nouvelles avant de prendre sa bière tout en gardant ma bière dans la main. Je m'installai sur le sofa et lui tendis sa bouteille.

Il l'ouvrit et lança la capsule d'un coup de poignet à travers la pièce.

— Que peut-on vouloir de plus dans la vie?

Il rit et mit sa main sur ma cuisse. J'essayai de ne pas tressaillir quand je le vis boire tout le contenu de sa bière en une seule grande gorgée.

Il attrapa une cigarette et tâtonna son briquet. Je le pris et la lui allumai. Il inspira la fumée et laissa ses lèvres s'entrouvrir, faisant tomber sa cigarette brûlante sur son ventre.

— Aïe! Merde!

Il bondit et épousseta les cendres chaudes sur sa peau nue. Je bondis à mon tour et ramassai la cigarette sur le plancher. Il me l'arracha des mains et prit une longue bouffée en me dévisageant.

— Je parie que t'as trouvé ça plutôt drôle, hein?

Je secouai la tête et allai dans la cuisine lui chercher une autre bière. Il devait avoir ingurgité au moins onze bières et je savais qu'il était sur le point de perdre connaissance. J'avais seulement besoin qu'il se rende jusque-là avant que sa colère ne soit encore une fois déchaînée.

C'était comme si, ces jours-ci, il vivait sa vie pour rendre la mienne misérable. Et si je ne faisais rien contre ça, personne ne s'en chargerait. J'étais fatiguée de vivre ma vie à craindre ce que ferait Jax ou encore pire, de découvrir ma mère morte d'une overdose. Je devais me sortir de cette situation. J'avais besoin de sauter et, avec de la chance, Tucker serait là pour m'attraper lorsque je tomberais. Et sinon je devrais simplement arranger les choses moi-même. Tout ce que je savais était que Tucker m'avait ouvert les yeux sur un monde à l'extérieur du parc à roulottes, il m'avait donné le sentiment que je valais quelque chose. Je n'allais pas laisser ces sentiments mourir dans ce trou à rats.

Je tendis la bière à Jax et il s'effondra de nouveau sur le sofa. Sa cigarette pendait entre ses lèvres, les cendres s'accrochant encore au bout. Ses paupières étaient en berne alors que ses lèvres se relevaient en un sourire.

— Tu étais plus jolie avant.

Il rit.

— Oh, ouais ?

Je levai les yeux au ciel en retombant sur le sofa avec un soupir bruyant. C'était un côté de Jax que je détestais. Ce côté de lui qui avait besoin de me mettre en pièces et de me dire à quel point j'étais une nullité.

— Tu étais gentil avant.

Il rit et but une nouvelle gorgée.

— J'aurais pu faire mieux.

Ses mots se fondirent les uns dans les autres et il était presque impossible de les comprendre.

— Je pensais la même chose.

J'inclinai la bouteille sur mes lèvres et la vidai d'un trait.

— Pourquoi t'essaies toujours de me faire chier ? Hein ? T'aimes ça que je te punisse ?

Ses doigts serrèrent ma cuisse.

— Arrête, Jax !

Je tentai de décoller ses doigts, mais il tint bon.

— Tu me dis quoi faire, Cass?

Il déposa sa bière sur le plancher et commença à retirer son short. J'essayai de me lever, mais sa main me repoussa sur le sofa. Il pencha son corps sur le mien.

— Arrête tout de suite! cria ma mère derrière nous alors qu'elle sortait du couloir.

Jax retourna calmement à sa place sur le sofa, ajustant la ceinture de son short.

— On faisait juste jouer, c'est tout, Anne.

Il prit une longue bouffée de sa cigarette et me souffla la fumée au visage.

Je saisis l'occasion pour m'éloigner de lui autant que possible.

— T'es un vrai connard, dis-je entre mes dents serrées tandis que je repliais mes bras sur ma poitrine.

Ma mère prit quelque chose à boire dans le frigo et revint sur ses pas en trébuchant dans le couloir.

Jax se contenta de rire, ses yeux devenant plus lourds.

— Ta mère est un foutu zombie.

— Ouais, ben, tu devrais peut-être arrêter de lui fournir de la drogue.

— Tu devrais peut-être te déniaiser un peu et essayer. Tu ne serais peut-être pas aussi vache.

— Non, crachai-je. Je ne serai jamais comme toi.

Je regardai à ma gauche et vis que Jax avait déjà sombré dans un sommeil paisible. Sa respiration devint lourde et la cigarette resta pendue entre ses lèvres. Les cendres étaient tombées sur son torse et s'étaient prises dans un tas de poils. Je pensai à laisser la cigarette là, laissant le feu détruire toute ma tristesse, mais je ne pourrais jamais faire une chose pareille. Je sortis la cigarette d'entre ses lèvres et en pris une longue bouffée avant de la laisser tomber dans ma bouteille de bière vide.

CHAPITRE 16

*J*e me levai du sofa avec autant de précautions que possible, déterminée à ne pas réveiller le géant qui dormait. J'étais sûre que l'on pouvait entendre mon pouls accéléré partout dans le parc à roulottes. Je parcourus le couloir sur la pointe des pieds et manœuvrai avec prudence autour du seau d'eau jusqu'à ma chambre. J'étais folle de même songer à aller voir Tucker. Jackson n'était pas le genre d'homme à qui l'on mentait ou que l'on pouvait tromper. Il n'y aurait aucun pardon, aucune place à la discussion. S'il découvrait ce que je faisais à son insu, je serais chanceuse de me rendre à l'hôpital.

Je repoussai ces pensées au fond de ma tête tandis que je retirais mes vêtements et passais un plus joli débardeur et un short coupé. Je me passai une brosse dans les cheveux plusieurs fois jusqu'à ce qu'ils soient parfaitement lisses dans mon dos. Soit j'allais vivre, soit j'allais passer le temps en attendant de mourir.

Mon idée était faite. Je ne m'étais jamais sentie aussi heureuse qu'avec Tucker. Il m'en fallait plus. Il était ma dépendance et j'avais besoin de le revoir avant qu'il ne sorte de ma vie. Je traversai la maison sur la pointe des pieds et ouvris la porte d'entrée. Elle grinça sur ses gonds, je me mordis la lèvre et fermai fortement les paupières. Il n'y eut pas un son de Jax. Il était dans les vapes et le resterait jusqu'au matin si j'étais chanceuse. Je souris et passai silencieusement la porte ouverte, la tirant derrière moi. J'attendis quelques minutes pour voir s'il allait me suivre, mais il ne vint pas.

Ça y était. Je traversai presque en courant le parc à roulottes et le stationnement du restaurant. Je pris un peu de monnaie dans ma poche et la glissai dans le téléphone public. J'ouvris avec précaution le pendentif et dépliai le minuscule bout de papier avec le numéro de téléphone de Tucker. Mon cœur voulait me sortir de la poitrine tandis que je pressais avec attention les chiffres et attendais la sonnerie.

Tucker répondit à la première sonnerie et mon cœur était à présent coincé dans ma gorge, m'empêchant presque de parler.

— Cass ?

Sa voix contenait presque autant d'excitation que j'en ressentais.

— Tout va bien ?

Son ton avait pris un tour inquiet.

— Je vais bien, réussis-je à murmurer tout en enroulant le fil du téléphone autour de mon doigt. Peux-tu venir me chercher ?

— Je pars tout de suite.

Il raccrocha avant même que je puisse lui dire au revoir. Je souris en reposant le récepteur à sa place et me dirigeai vers le chêne géant à la limite du stationnement. Je m'assis à son pied et m'appuyai dessus. Il me fallait tout mon courage pour ne pas rentrer chez moi à la course. Mais je ne le fis pas ; les conséquences potentielles s'estompaient devant l'excitation qui m'envahissait en sachant que Tucker était en route. Pour la première fois, je sentais qu'il n'avait pas seulement pitié de moi, qu'il éprouvait réellement de l'empathie à mon égard. Il comprenait. Et il avait autant besoin de moi pour guérir que j'avais besoin de lui.

Ses parents semblaient être de la même trempe que les miens. Je savais que son histoire était plus complexe et j'espérais qu'avec le temps, il la partagerait avec moi.

Il ne fallait surtout pas que je me permette de penser à Jackson. À la place, je méditai sur ce qu'allait être ma vie quand je serais enfin capable de me sortir de cet endroit. Je devais cesser de balancer entre la conviction que j'avais la vie que je méritais et l'envie désespérée de faire quelque chose de mieux avec ma vie. J'économisais depuis des années pour améliorer mon sort et je devais faire en sorte que ça se réalise. À présent que l'on m'avait rappelé ce que c'était qu'être véritablement heureuse, excitée et libre, ce n'était plus une question de « si », mais de « quand ». Je savais que tout allait devoir changer pour que j'y arrive et je savais à présent que ce serait une erreur d'amener Jackson avec moi. Je ne le regarderais jamais comme j'avais regardé Tucker sur cette jetée et ne ressentirais jamais la même chose pour lui. Je ne pourrais pas vivre ma vie en sachant ce que je pouvais ressentir et ne plus jamais l'éprouver. Jackson n'était plus le même homme qu'avant. Même s'il était avec moi depuis si longtemps et malgré ma certitude que cette aventure avec Tucker se terminerait bientôt, je savais que Jackson ne ferait tout simplement pas partie de mon futur, pas plus que je ne laisserais ce parc à roulottes être mon futur.

Je n'arrivais même pas à considérer ceci comme une tromperie envers Jackson. Enfin, pas vraiment. Il n'y avait plus rien entre nous depuis plus longtemps que je n'étais prête à l'admettre. Ni sexuellement, ni même émotionnellement, de mon côté, du moins.

Le lointain grondement de la moto de Tucker m'arracha à mes pensées. Je n'allais pas réfléchir à l'avenir et à ce qui pouvait m'attendre. Je ne voulais penser qu'à ce soir. Le rugissement du moteur se rapprocha et je me relevai, époussetant la saleté et l'herbe sur mes fesses.

Quand le phare de la moto de Tucker m'éclaira, je me protégeai les yeux jusqu'à ce qu'il fut stationné devant moi.

Mes pieds ne pouvaient pas me porter jusqu'à lui assez vite.

Il représentait tout ce que je voulais dans la vie. Il était la liberté, il était un fantasme. Il était un rêve qui m'habitait depuis que j'avais appris à quel point le monde pouvait être cruel.

Je glissai ma jambe à l'arrière de sa moto et pris le casque qu'il me tendit. Je l'enfilai et mes bras enlacèrent son corps, me retenant à lui comme si ma vie en dépendait tandis que nous quittions le stationnement. En un clin d'œil, nous laissâmes cette roulotte sale derrière nous et nous nous frayâmes un chemin vers la ville. À chaque feu de circulation, la main de Tucker se posait sur l'une de mes jambes, caressant ma peau gelée. Il laissait une onde de chaleur dans le sillage de ses doigts. Nous ne ralentîmes que lorsque nous fûmes rendus sur les rues pavées. Tucker s'arrêta sur le bord de la route à côté du City Market. Des centaines de personnes occupaient les rues alors qu'un spectacle de musique jouait au loin.

— C'est épatant !

J'admirai un moment les lieux et retirai mon casque.
Tucker fit de même et se passa la main dans ses cheveux en
bataille. Je levai la jambe par-dessus la moto et restai debout
à attendre Tucker. Il appuya l'engin sur sa béquille.

— Et ce n'est que le début.

Il descendit de la moto et il me prit la main tandis que
nous contournions la fontaine publique qui était encore
animée par des enfants qui tentaient d'échapper à la
chaude soirée. Nous commençâmes à nous faufiler dans
la foule. Nous dépassâmes le groupe de musique et nous
mîmes le cap vers un endroit appelé Café qui était situé à
droite. L'hôtesse à l'entrée nous accueillit avec un sourire
chaleureux.

— Deux thés glacés alcoolisés Savannah, s'il vous plaît.

Tucker sortit une pile de billets de banque de sa poche et
il tendit un vingt dollars à la femme.

— Tout de suite.

Elle sourit joyeusement et partit préparer nos boissons.

Nous nous assîmes sur le banc de bois juste à l'extérieur
du restaurant, admirant la ville et nous laissant bercer par
ses bruits. La foule applaudit lorsque le groupe termina sa
version de *Hotel California*.

— *Freebird*, cria Tucker par-dessus les gens dans la foule
hurlant des suggestions de chanson.

Je ris et baissai vivement la tête lorsque le groupe commença à chanter la chanson qu'il avait demandée.

— Voici vos boissons.

L'hôtesse était devant nous, nous tendant deux verres
en plastique et la monnaie de Tucker. Il agita la main pour
refuser l'argent et il prit nos boissons, puis m'en tendit une.

Nous bûmes une gorgée et mes joues se creusèrent sous l'effet de l'alcool fort.

— Oh. Merde. Nous devons nous dépêcher !

Je le laissai m'entraîner dans la foule jusqu'à une calèche tirée par deux imposants chevaux. Son sourire s'élargit pendant que je commençais à comprendre que j'avais devant moi un immense véhicule en bois.

— Oh, non !

Je m'éloignai de lui, mais il retint fortement ma main.

— Tu n'as pas peur d'un couple de poneys, non ?

Ses lèvres se courbèrent en un sourire moqueur.

— Ils sont énormes !

Il s'approcha plus près et prit mon autre main dans la sienne.

— Je sais qu'ils ne sont pas blancs et, en principe, nous n'allons pas les monter, mais c'est le mieux que j'ai pu faire, comme ça, à la dernière minute.

Ses yeux scrutèrent les miens et je sentis mon cœur se serrer dans ma poitrine.

C'était mon conte de fées. Même si ce n'était que pour une seule nuit, je mis mes craintes de côté et hochai la tête, incapable de contenir mon sourire. Je n'essayai même pas.

Je le laissai me tirer plus près de la calèche pendant que la femme installait un petit marchepied pour nous. Je montai avec hésitation et me glissai sur la banquette en vinyle noir. Tucker me suivit et la femme retira le marchepied tandis que la calèche s'élançait brusquement.

Tucker glissa un bras autour de moi et m'attira sur son flanc. À cet instant, je ne craignais rien. Ni les chevaux imposants, ni ce qui m'attendait le lendemain matin, ni même Jackson.

Nous sirotâmes nos boissons pendant que nous visitions les rues pavées, sinuant à travers les places de la ville tandis que notre guide touristique nous racontait l'histoire de Savannah. Il était difficile de se concentrer sur ce qu'elle disait, Tucker étant si incroyablement près de moi. Nous voguions dans un autre temps et un autre lieu. C'était parfait. Nous passâmes même devant le théâtre de Savannah où j'avais regardé Tucker se produire seulement quelques jours plus tôt. On aurait dit qu'il s'était écoulé une éternité. Il s'était passé tellement de choses au cours des derniers jours que j'avais l'impression d'une vie entière. Nous apprîmes que la ville avait déjà brûlé trois fois et qu'elle avait été reconstruite à neuf. Je réfléchis à ce que ce serait d'abandonner ce que j'avais été, de ne laisser derrière moi que des cendres. De laisser les souvenirs s'envoler en fumée et de tout recommencer.

— À quoi penses-tu ?

Tucker fit descendre un doigt sur ma joue et le long de ma mâchoire.

— À la façon dont les gens changent. La vie change, mais tout reste pareil.

— C'est pas toujours une mauvaise chose.

— J'ai l'impression que mon destin, c'est d'être coincée dans cette roulotte et que, peu importe ce que je ferai pour m'en sortir, je finirai là quand même.

— J'crois pas au destin.

— C'est vrai ?

Je me tournai vers lui avec un petit sourire moqueur.

— Tu crois en quoi, Tucker White ?

— Au Karma.

— Au Karma ?

Je haussai un sourcil.

— Je pense que c'est le karma qui t'a amenée dans ma vie.

— Alors, dis-moi, qu'est-ce que j'ai fait pour mériter Jax?

— Tu ne l'as pas mérité. C'est le mauvais karma que, *lui*, il introduit dans le monde. Un jour, son karma va lui faire payer tout ce qu'il t'a fait.

Tucker attira ma tête sur son torse et passa une main dans mon dos.

— J'aimerais foutrement que le karma se dépêche.

Il rit et m'embrassa sur le dessus de la tête.

Notre randonnée se termina beaucoup trop tôt et nous nous arrêtâmes devant le City Market. Le marchepied réapparut sur le côté de la calèche, Tucker descendit et il tendit les bras vers moi. Il m'attrapa par la taille et, lentement, il me fit descendre au sol devant lui.

— Merci.

J'étais essoufflée, le regard fixé dans ses yeux bleus, qui scintillaient à travers la lumière des lampadaires. Il se pencha plus près et déposa un doux baiser sur mon front.

— Quand tu veux.

Ses doigts s'enroulèrent autour des miens et nous nous frayâmes un chemin plus loin dans le marché.

— As-tu faim?

L'air était fortement imprégné d'une odeur pizza et je me rendis compte que je ne me rappelais pas le dernier repas que j'avais mangé. Je hochai la tête et il m'entraîna vers une pizzeria du coin nommée Vinnie Van Go-Go's. L'hôtesse nous guida vers une petite table de style bistro sur la terrasse et nous laissa avec deux menus.

— Cet endroit est merveilleux. Je ne savais même pas qu'il existait.

— Parfois, on ignore ce que l'on manque jusqu'à ce qu'on le découvre.

Tucker sourit en regardant par-dessus son menu.

Mes joues rougirent et je baissai les yeux sur le menu, essayant de calmer mon pouls rapide.

— Qu'as-tu envie de manger?

Tout sur le menu semblait extraordinaire.

Tucker soupira.

— J'imagine qu'une pizza fera l'affaire pour l'instant.

La serveuse s'approcha de nous avec un sourire radieux.

— Puis-je vous offrir quelque chose à boire pour commencer?

Elle nous regarda l'un après l'autre et ses paupières se plissèrent lorsque son regard s'arrêta sur Tucker. Elle semblait reconnaître son visage sans pouvoir le replacer.

— De la bière?

Il ne jeta même pas un coup d'œil dans sa direction.

Je souris et acquiesçai d'un signe de tête.

— Deux Budweiser, ça irait.

Il décocha un éclatant et bref sourire à la serveuse.

Elle rayonna en souriant jusqu'aux oreilles, puis elle partit s'occuper de notre commande.

— Quand pars-tu pour la Floride? demandai-je bravement, osant parler de ce qu'on essayait à tout prix d'éviter.

— Est-ce qu'on pourrait oublier ça ce soir?

La serveuse revint avec nos boissons et déposa les bouteilles devant nous. Je saisis la mienne et bus une longue gorgée.

— Avez-vous choisi?

Elle battait des cils vers Tucker, mais il me fixait du regard.

— Je sais exactement ce que je veux.

Il se fendit d'un sourire et me fit un clin d'œil, faisant naître une nuée de papillons dans mon ventre.

— Une pizza moyenne au fromage.

— Je vous amène ça dans une minute.

Elle disparut à l'intérieur.

Tucker et moi, nous nous contemplèrent pendant ce qui me parut être une éternité, ne détachant nos regards que pour siroter notre bière. Enfin, Tucker rompit le silence, fouillant dans sa poche pour en sortir un petit carré noir qu'il me tendit.

— J'ai acheté ça pour toi aujourd'hui.

Je pris le petit téléphone de sa main et fronçai les sourcils, perplexe.

— Je veux que tu puisses me joindre chaque fois que tu… le veux.

Il s'éclaircit la gorge.

— Le numéro de mon portable est programmé dedans.

— Tu n'étais pas obligé

— Il le fallait, dit-il en mettant fin à la conversation juste au moment où la pizza arrivait.

Je souris et glissai le téléphone dans la poche arrière de mon short.

— Merci.

La serveuse installa un objet en métal au centre de la petite table pour y déposer la pizza au-dessus de la surface de la table. Elle déposa deux assiettes en métal devant nous et nous demanda si nous avions besoin d'autre chose. Sa question était dirigée vers Tucker et c'était plus qu'une offre de service alimentaire. Il sourit poliment et lui répondit par la négative. Elle nous laissa tranquilles.

Tucker fit glisser une tranche géante de pizza de style new-yorkais sur mon assiette avant de se servir lui-même.

C'était fort possiblement la meilleure pizza que j'avais mangée dans ma vie. Ça avait peut-être quelque chose à voir avec la personne que j'avais devant moi. Je regardai sa mâchoire bouger pendant qu'il mâchait et léchait la sauce sur ses doigts, faisant tourbillonner mille idées dans ma tête.

— Tu pourrais être ici avec n'importe quelle fille. Pourquoi moi?

J'avais soudainement besoin de me raccrocher à quelque chose de solide.

— Je ne veux pas être avec n'importe quelle fille. Je veux être ici avec toi.

Il sourit comme si c'était une question idiote.

— Tu comprends ce que c'est de ne pas avoir tout cuit dans le bec. Tu sais ce que c'est de travailler dur, d'en arracher. Personne d'autre au monde ne s'intéresse à cette facette de ma vie.

— Je veux être ici avec toi, moi aussi, dis-je doucement, puis je recommençai à manger.

Un silence confortable, mais un silence, tout de même, s'installa entre nous.

— Quel est ton plus beau souvenir? demandai-je après quelques minutes, essayant d'alléger l'atmosphère.

La serveuse revint vérifier où nous en étions rendus et nous commandâmes deux autres bières pour emporter pendant que Tucker payait l'addition.

— Le jour où je suis arrivé à la maison avec Dorris.

La serveuse revint rapidement avec nos boissons, la monnaie de Tucker ainsi qu'un bout de papier où elle avait écrit son numéro de téléphone. Je lui jetai un regard mauvais pendant qu'elle s'éloignait de notre table. Tucker eut un petit sourire narquois et il froissa le papier en une boule minuscule, qu'il déposa sur la petite pile de monnaie au centre de la table.

— C'était seulement quelques jours avant la période des Fêtes. Tout ce que je voulais pour Noël, c'était d'être désiré. Dorris était déjà venue me visiter, mais elle repartait toujours sans moi. Je commençais à penser qu'elle ne voulait pas de moi, que je n'étais pas assez bon.

— Tucker.

Mon cœur se brisait pour l'enfant en lui que je n'avais jamais connu.

Il sourit et tendit le bras par-dessus la table, glissant sa main sur la mienne.

— J'étais trop jeune pour comprendre que l'adoption est un long processus.

Il haussa les épaules.

— Comment était-ce, avoir une nouvelle famille et être capable de recommencer sa vie?

— C'était l'une des épreuves les plus effrayantes que j'avais traversées. J'avais tous ces nouveaux jouets, ces vêtements neufs tout était différent. C'était comme si j'avais pris la place de quelqu'un d'autre. Je l'ai fait, en quelque sorte. Dorris a eu un garçon qui est décédé dans un accident à l'âge de six ans. Elle a laissé sa chambre telle quelle pendant quatre ans avant de décider d'adopter un enfant.

— Oh mon Dieu.

— Ouais...

Il lâcha un long soupir et prit sa bière pour en boire une gorgée.

— C'est elle qui m'a donné le nom de Tucker. C'est ce que dit mon acte de naissance aujourd'hui. J'ai reçu un nouveau nom avec mes nouveaux jouets et vêtements.

Il secoua la tête.

— Je suis devenu une nouvelle personne.

— Quel était ton prénom ? À la naissance ?

— Nathaniel, en l'honneur de mon père.

— J'aime ça.

— Et toi, Cass ?

Il s'avança sur son siège, les yeux fixés sur les miens.

— Quel est ton plus beau souvenir ?

Je pris ma bière et en bus une longue gorgée. J'avais trop peur de lui révéler à quel point l'avoir rencontré était un événement important dans ma vie, alors je fouillai dans mes souvenirs pour un moment plus heureux.

— Mon père m'a offert un ourson en peluche pour mon anniversaire quand j'étais petite.

— Un ourson en peluche ? C'est ton plus beau souvenir ?

Il se fendit d'un sourire.

— C'est tout ce que j'ai pour me rappeler à quoi la vie ressemblait avant que tout se transforme en enfer.

Je hochai la tête et son sourire disparu.

— Bien, nous allons donc devoir te créer de nouveaux souvenirs. Partons d'ici.

Il se leva et me tendit la main. Je glissai mes doigts dans les siens et il m'aida à me relever avant de me guider vers la rue animée.

Nous nous rendîmes au premier pâté de maisons où le groupe de musique continuait à jouer. La musique ralentit et ils entamèrent *I Won't Give Up.*

Tucker m'attira dans ses bras au milieu de la rue et nous commençâmes à danser lentement au centre de la foule.

— *Even if the skies get rough, I'm giving you all my love.*

Il chantait si doucement dans mon oreille que personne d'autre ne l'entendait. Au milieu de cette place bondée, nous partagions un moment juste à nous.

Mon cœur fondit complètement. Je ne pouvais plus revenir en arrière. Je ne l'oublierais pas une fois qu'il serait parti. Je serais complètement perdue, à la poursuite d'un fantasme pour le reste de mon existence. Je glissai mes doigts dans ses cheveux emmêlés et guidai ses lèvres vers les miennes.

— Cass...

— Je te fais confiance, marmonnai-je contre ses lèvres.

Je l'embrassai doucement au début, laissant mes lèvres effleurer les siennes, mais le besoin d'être plus près de lui, de chérir cet instant prit le dessus. Sans le moindre souci, j'entrouvris les lèvres et fit courir ma langue sur sa bouche. Il gémit doucement et il me donna un baiser profond.

Sans avertissement, la foule explosa en encouragements ; la chanson était terminée et l'attention de tous s'était tournée vers nous. Tucker rit et enfouit mon visage dans son torse pour me protéger des regards.

— Viens.

Tucker enveloppa mes épaules d'un bras et m'entraîna en direction de sa moto. Lorsque nous l'atteignîmes, je tendis la main vers le casque, mais il m'arrêta.

— Montre-moi ton téléphone.

Je lui jetai un regard perdu, mais je sortis le téléphone de ma poche et le lui tendis.

Il sourit largement et il retira quelques trucs de ses poches puis les mit en sécurité sous le siège de sa moto avec mon téléphone. Il m'attrapa la main et me plaça dans la même position que tantôt.

— Viens.

— Où allons-nous?

Nous approchâmes de la fontaine géante et j'essayai de décoller mes doigts d'entre les siens. Il me lâcha et enroula ses bras autour de ma taille.

— Oh non, non, non!

Mes supplies tombèrent dans l'oreille d'un sourd tandis qu'il me traînait à travers les jets d'eau qui jaillissaient de la fontaine. Je poussai de petits cris pendant que nous nous dirigions vers le centre de la fontaine. Il enroula ses bras autour de ma taille trempée et tira mon corps contre le sien, me réchauffant instantanément dans l'eau froide.

Le temps se mit à ralentir tandis que sa main repoussait ma chevelure détrempée sur ma joue et qu'il se penchait vers moi, ses lèvres effleurant les miennes. Mes yeux se fermèrent alors que je laissais mon corps se détendre sur le sien, faisant remonter en douceur mes mains sur ses bras glissants et sur ses épaules. Mes lèvres s'entrouvrirent tandis que je respirais son souffle chaud, ainsi que le parfum de noix de coco qui me ferait à jamais penser à lui.

Le son de la musique à proximité emplit mes oreilles pendant que je m'agrippais à Tucker comme s'il était la source de la vie.

— Je reprends ce que j'ai dit plus tôt. Tu es mon plus beau souvenir.

Son murmure me pénétra si fort qu'il semblait avoir été crié au sommet d'une montagne. Il me traversa le corps et s'installa dans mon cœur, là où Tucker résidait maintenant pour toujours. Il resserra sa prise autour de moi dans une étreinte comme je n'en avais jamais connue auparavant. Je me sentais en sécurité, complète et véritablement heureuse pour la première fois depuis plus longtemps que je ne voulais bien l'admettre.

— Je me fous de l'endroit d'où tu viens ou de savoir qui t'attend à la maison. Ce soir, c'est juste toi et moi, Cass. Personne d'autre n'a d'importance.

— Personne d'autre.

Je poussai mes lèvres mouillées encore une fois sur les siennes, me sentant plus en sécurité dans ses bras que n'importe où ailleurs.

— Viens.

Il m'entraîna hors de l'eau fraîche jusqu'à sa moto, me tendant le casque. Je souris et l'enfilai sur mes cheveux trempés.

Il enfourcha son engin et le démarra. La moto rugit comme un monstre en colère. Je me glissai à l'arrière sans hésitation, serrant fermement mon corps contre le sien pour me garder au chaud pendant que nous nous faufilions dans les rues.

Heureusement, nous n'avions pas une longue distance à parcourir. Nous n'étions qu'à quelques pâtés de maisons du Bohemian. L'hôtel s'étendait sur deux niveaux, le rendant accessible par le bord de la rivière, mais aussi par Bay Street. L'hôtel abritait un restaurant chic où les clients pouvaient manger tout en contemplant la rivière.

Nous roulâmes jusqu'à l'entrée sur Bay Street et il y gara sa moto. Tucker rassembla nos effets qu'il avait rangés dans le compartiment sous le siège et nous nous dépêchâmes d'entrer, encore trempés jusqu'aux os.

CHAPITRE 17

 $\mathcal{N}$ ous entrâmes et nous nous dirigeâmes vers la chambre de Tucker sans recevoir de commentaires sur notre tenue, malgré les regards sévères que nous lancèrent les deux réceptionnistes. Nous entrâmes dans la chambre en riant. Elle était magnifique. Nous étions à l'étage du dessus, juste sous le bar qui se trouvait sur le toit. Tout dans l'hôtel faisait penser à un bateau de pirate : le bois récupéré des têtes de lit, le velours cramoisi des tentures et les perles de verre décorant les luminaires. Une immense fenêtre faisait tout le mur, surplombant la rivière scintillante où les bateaux étaient amarrés afin que les touristes puissent y monter. Les petites tables ressemblaient même à de vieux coffres au trésor. Je passai mes doigts sur la couverture en fausse fourrure qui recouvrait le lit en me rendant à la fenêtre.

— C'est incroyable.

Je frissonnais tandis que je contemplais les bateaux plus bas.

Tucker arriva derrière moi et enroula ses bras autour de ma taille.

— Tu es gelée.

Il déposa de minuscules baisers sur mon épaule, provoquant des sensations de chaleur partout où il me touchait.

— Viens.

Il prit mon bras pour me conduire vers la chambre principale. Le sol, les murs et même le plafond étaient couverts de carreaux, ce qui donnait un aspect caverneux au lieu. Tucker attrapa un peignoir blanc et moelleux sur le mur et me le tendit.

— Je peux envoyer nos vêtements au service de buanderie pour qu'ils soient séchés.

Il s'empara du second peignoir pour lui-même.

Je pris le mien et hochai la tête alors qu'il me laissa seule. Je fermai la porte et commençai à enlever rapidement les vêtements humides qui me collaient au corps, les abandonnant en tas sur le plancher pendant que j'enfilais le large peignoir en coton. Le plancher était étonnamment chaud sous mes pieds et je me demandai s'ils utilisaient une technique spéciale pour qu'il soit ainsi.

Je fis courir mes doigts dans mes cheveux et me regardai brièvement dans le miroir avant de rassembler mes vêtements mouillés pour les remettre à Tucker.

— Merci, dis-je en entrant dans la chambre à coucher.

Tucker portait un peignoir blanc assorti au mien. Je pouvais déjà sentir la chaleur me brûler le corps jusqu'au bout de mes orteils. Sa chevelure était encore plus en désordre que d'habitude, mais ça lui allait bien.

Il vint vers moi et prit les vêtements dans ma main. Il les déposa dans un minuscule sac de nettoyage à sec et appela la réception afin qu'on vienne les chercher. En quelques minutes, un homme arriva à la porte pour les prendre.

Tandis que Tucker revenait vers moi, il s'arrêta pour allumer le poste de radio sur la commode. *I'll Take Care of You* commença à jouer dans la pièce, sortant de haut-parleurs dissimulés dans les murs. Il s'arrêta à un mètre de moi et me tendit la main, m'invitant à danser avec lui. Je souris et posai mes doigts dans les siens et il attira mon corps tout contre le sien. Nos hanches oscillèrent au rythme de la musique et un brin de tristesse se mettait en travers de mon chemin pendant qu'il m'étreignait, qu'il me serrait plus fortement que d'habitude avec ses doigts me retenant désespérément dans son étreinte. Je pouvais sentir qu'un autre adieu pointait à l'horizon et ça me brisa le cœur en mille morceaux. Je m'accrochai à lui avec toute la ferveur qui m'animait. Je voulais que rien de tout ça ne s'arrête. La peau de son cou était encore humide et j'enfouis mon visage dans son creux, me noyant en lui.

— J'adore danser avec toi.

Ses mains bougèrent dans mon dos de haut en bas pendant que nous tournions lentement.

— Tu sais ce qu'on dit à propos d'un homme qui danse bien, non ? plaisantai-je.

— Aimerais-tu que je te le montre ?

Il recula son visage pour m'offrir un petit sourire satisfait.

— Je pense que j'aimerais essayer une nouvelle danse.

J'attirai de nouveau sa joue contre la mienne et fermai les yeux.

La chanson se termina en se fondant dans la suivante. Frank Sinatra allégeait l'atmosphère de sa plainte *The Way You Look Tonight*. Je souris alors que Tucker commençait à chanter les mots dans mon oreille, me chatouillant avec son souffle. Son humeur changea considérablement quand il recula et me fit tournoyer avant de me coller encore une fois contre lui. Je ris et regardai dans les profondeurs insondables de ses yeux alors qu'il continuait à me chanter la sérénade.

Nous valsâmes à travers la pièce comme si nous étions dans une salle de bal et que mon peignoir était une robe de soirée. Alors que Tucker chantait la dernière phrase, son front se posa contre le mien et je pus sentir le goût de menthe sucrée de son haleine soufflant sur mes lèvres.

— *Just the Way You Look Tonight.*

Nos yeux se fermèrent et, pendant ce qui me sembla être une éternité, nous restâmes complètement immobiles, ne voulant pas que ce moment se termine. Mes mains se relâchèrent autour de son cou et glissèrent sur son torse. Sa respiration devint plus irrégulière et ses mains remontèrent dans mon cou, ses doigts dessinèrent la courbe de ma clavicule en glissant par-dessus mon épaule, repoussant doucement le peignoir sur les ecchymoses d'un vert et jaune décoloré sur mon bras.

J'enfonçai mes dents dans ma lèvre inférieure tandis que je scrutais ses yeux à la recherche de réponses aux questions que je n'osais prononcer.

— Je ne te ferai pas de mal, dit-il à voix basse et il attendit ma réponse.

— Je te fais confiance, Tucker.

Il hocha la tête en signe de compréhension tandis que ses lèvres s'écrasaient sur les miennes. Ses doigts cherchèrent frénétiquement ma peau alors que mon peignoir tombait sur mes bras, s'arrêtant à mes coudes. Je glissai mes doigts à l'intérieur de son peignoir et les fis courir sur son torse nu tatoué et sur les muscles de son abdomen. Ils se contractèrent sous mes doigts pendant que sa langue cajolait habilement la mienne pour l'entraîner dans un baiser plus intense. Je remontai mes mains sur son corps et repoussai son peignoir pour libérer ses épaules. Il gémit et ses lèvres quittèrent les miennes, faisant courir des baisers passionnés le long de mon cou tandis qu'il leva sa main pour prendre à pleines mains mon sein qui s'offrait à lui. Son pouce glissa délicatement sur mon mamelon, le faisant durcir à son contact. Sa langue glissa dans le creux de mon cou pendant que son autre main se déplaçait dans le bas de mon dos, m'attirant davantage dans ses bras. Mon dos s'arqua sous son impulsion et je pouvais sentir à quel point il me désirait à travers le tissu de nos peignoirs.

Il me fit reculer jusqu'à ce que l'arrière de mes genoux se presse contre le bord du matelas. La musique de la chanson *I Really Want You* emplissait la chambre, noyait nos souffles haletants et nos battements de cœur frénétiques.

Tucker recula afin de pouvoir me regarder droit dans les yeux tandis que ses doigts dénouaient rapidement la ceinture à ma taille. Mon peignoir s'ouvrit et glissa sur mon corps pour tomber d'un seul coup à mes pieds. J'avais l'air d'attendre sur un nuage. C'est exactement ce que je ressentais. Tucker passa ses doigts sur mes joues et dessina la ligne de ma mâchoire.

— Tu peux dire non n'importe quand. Je ne t'obligerai jamais à faire quelque chose que tu ne veux pas.

Il avala péniblement comme s'il attendait que je lui dise d'arrêter, mais je ne le pouvais pas. Chaque fibre de mon corps le désirait. J'avais besoin de le sentir sur moi, en moi.

— S'il te plaît, n'arrête pas.

Je tendis la main entre nous et tirai avec des doigts tremblants sur la ceinture enroulée à sa taille. Son peignoir s'entrouvrit et rejoignit le mien sur le plancher à nos pieds. Ses yeux quittèrent enfin les miens pendant une fraction de seconde tandis qu'il contemplait mon corps nu. Je l'imitai, admirant l'œuvre d'art qui recouvrait son torse de couleurs vives et radieuses.

— Tu es parfaite.

Ses mots étaient respectueux et accompagnés d'un brusque baiser affamé. Nous basculâmes tous les deux sur le lit derrière nous. Ses doigts s'entremêlèrent aux miens quand il les poussa sur le matelas de chaque côté de ma tête. Il s'installa entre mes cuisses. Ses hanches bougèrent lentement sur moi tandis que sa bouche retrouvait la mienne. Je serrai ses mains tout en imitant ses mouvements. Mes lèvres s'entrouvrirent et sa langue trouva la mienne.

— Es-tu sûre?

Il était essoufflé.

— Tu es la seule chose dont j'ai été sûre dans ma vie.

Il se poussa lentement contre moi. Je gémis dans sa bouche quand il me remplit, immobilisant mes hanches tandis que mon corps s'adaptait à lui.

— Je te fais mal.

Il éloigna sa bouche de la mienne et scruta mes yeux.

— Non...

Je me poussai vers lui jusqu'à ce qu'il me remplisse complètement, qu'il remplisse mon corps et mon cœur. Mon dos s'arqua vers lui tandis que nous devenions de plus en plus frénétiques et consumés par ce désir irrépressible. Il fit rouler ses hanches contre moi en libérant mes mains et nous nous accrochâmes l'un à l'autre, voulant désespérément nous rapprocher.

Seul le moment présent comptait.

Nos corps bougeaient parfaitement à l'unisson, comme s'ils étaient faits l'un pour l'autre. Je n'avais jamais senti autant d'amour et je n'avais jamais été consumée à ce point par quelqu'un d'autre. C'était bouleversant. Mon corps vibrait au rythme des battements de nos cœurs tandis que nous ralentissions notre allure. Mes doigts empoignèrent ses cheveux quand il posa doucement ses lèvres sur chacune de mes ecchymoses. Je laissai mes yeux se fermer pendant que je gravais dans mon cerveau la sensation de sa peau contre la mienne pour m'en rappeler toute ma vie.

— Regarde-moi, Cass. Je veux te voir.

J'ouvris lentement les yeux et les fixai sur son regard intense. Des vagues de plaisir firent vibrer mon corps tandis que mes ongles s'enfonçaient dans sa chair. Sa bouche recouvrit la mienne, se délectant de mes gémissements tandis que nous jouissions ensemble, nous tortillant sous la passion.

Quand tout fut terminé, nous haletions tous les deux et nous étions couverts d'un mince voile de sueur. Le corps de Tucker s'effondra sur le mien pendant qu'il m'étreignait avec force.

Toute ma tristesse et mon regret m'envahirent alors, pendant que je m'efforçais de lâcher prise et de vivre le moment présent. La douleur de ma véritable existence était écrasante et je savais au fond de moi que j'avais commis une erreur en sortant de cette vie et en me faisant croire que je pouvais avoir plus. Mon cœur se déchirait dans ma poitrine alors qu'il battait contre le corps de Tucker. Je pouvais sentir des larmes se former et je serrai fortement les paupières, suppliant mes larmes de se tenir jusqu'à ce que je sois seule.

J'étais allée trop loin. J'avais trop de sentiments pour lui et je ne pourrais tout simplement plus l'oublier à présent. Je n'avais pas eu qu'une simple relation sexuelle avec Tucker, je lui avais fait l'amour.

— S'il te plaît, ne me regrette pas, Cass.

Sa voix était à peine audible tandis qu'il passait son pouce sur ma joue, attrapant la larme solitaire qui m'avait trahie. Ses mots déclenchèrent une inondation. Je ne regrettais pas d'avoir été avec lui. Je regrettais de l'avoir laissé entrer dans mon cœur et de savoir que j'allais en avoir bientôt le cœur déchiré. C'était tout à coup trop difficile à supporter.

Ses bras m'enveloppèrent et il m'étreignit avec force contre lui pendant que je sanglotais sur son épaule. Je savais que je devais dire quelque chose pour qu'il comprenne, n'importe quoi ; mais il n'y avait pas de mots. Il n'y avait rien à dire.

Je songeai soudainement à Dorris et à son groupe de musique et je compris qu'il était déjà en train de quitter ma vie. Rien n'allait changer ça. Même si Tucker voulait rester avec moi, je compris que je ne pourrais jamais mettre en péril sa carrière pour moi. Il fallait qu'il parte en tournée et qu'il devienne la célèbre star du rock qu'il était destiné à devenir. Je serais un obstacle à ça. Il avait besoin de se concentrer sur son but. Nos vies évoluaient sur deux routes différentes et j'étais seulement reconnaissante que nos routes avaient pu se croiser. Cependant, si je l'aimais vraiment, je savais que je ne pouvais pas me mettre en travers de son rêve.

Au lieu de lui dire que mon cœur souffrait parce que je ne voulais pas le perdre, au lieu de lui dire qu'il consumait chacune de mes pensées, je devais simplement lâcher prise.

Un coup résonna à la porte et je poussai son corps pour me dégager avant de sortir précipitamment du lit, puis de ramasser mon peignoir sur le sol. Je l'enfilai et le nouai, puis j'ouvris pour découvrir sur le pas de la porte un sac contenant nos vêtements fraîchement séchés. Je m'en emparai et me hâtai dans la salle de bain pour me changer. Il me fallait absolument sortir d'ici. Ce serait de plus en plus dur de partir.

Tucker se précipita de l'autre côté de la porte et frappa.

— Cass, je suis désolé. Pour la chose qui te fait souffrir. Je suis désolé.

Sa voix tremblait en prononçant ces mots et je me détestai. J'ouvris lentement la porte en évitant son regard. Il s'était lui aussi dépêché de s'habiller. Ça devait se terminer maintenant. J'étais déjà plongée jusqu'au cou dans cette histoire et si je ne le repoussais pas maintenant, je ne serais pas assez forte pour lui dire adieu.

— Il est trop tard pour toi et ton cheval blanc. Je ne peux pas être sauvée.

J'essuyai une larme sur mon visage et passai devant lui.

Il saisit le haut de mon bras pour m'arrêter. Je pivotai brusquement et lui jetai un regard noir.

Ses doigts libérèrent lentement mon bras tandis que ses yeux fixaient les miens de leur regard brûlant.

— OK. Je vais te ramener chez toi.

Il se passa les mains dans les cheveux avant de ramasser ses clés et son portefeuille sur la commode.

Il était furieux, confus, et l'atmosphère dans la chambre avait complètement changé. J'étais impatiente de partir. J'avais finalement cessé de flotter et je venais d'atterrir avec violence sur la terre ferme. Maintenant, j'avais seulement besoin de rentrer chez moi et de retrouver mon propre lit. C'était la réalité. Le parc à roulottes. Tout ça n'était qu'une cruelle plaisanterie qu'on faisait à mon cœur.

Nous nous frayâmes un chemin jusqu'à la moto de Tucker dans le silence total. Il me tendit le casque, mais ses yeux ne croisèrent pas les miens. Je voulais lui présenter mes excuses et lancer mes bras autour de lui, mais je ne le pouvais pas. J'étais brisée. Je devais faire ce qu'il y avait de mieux pour Tucker, même s'il finissait par me détester à cause de ça. Je glissai le casque sur ma tête et enroulai mes bras autour de sa taille. Il se raidit, mais il se détendit rapidement et partit dans la nuit. Il roulait à une vitesse effrayante, mais je ne dis pas un mot. Plus vite tout serait fini, mieux ce serait. La ville s'estompa dans l'obscurité alors que nous nous dirigions vers Eddington. Mon cœur cessa de battre lorsque je songeai à notre dernier adieu. Nous aurions à affronter ce moment, mais ce ne serait pas plus simple pour autant. Pour moi, du moins. Autant je savais qu'il y avait quelque chose de spécial entre nous deux, autant je savais aussi qu'il y avait une Cass dans chaque ville de sa tournée. Toutefois, il n'y avait qu'un Tucker pour moi. Aucune des punitions que m'avait infligées Jackson ne pouvait se comparer à la douleur que je me faisais subir maintenant.

Quand nous nous arrêtâmes sous le chêne géant, je m'accrochai à Tucker encore un instant avant de m'obliger à le laisser aller, physiquement et émotionnellement. Je retirai le casque et le lui tendis tandis qu'il retirait le sien et se levait devant moi.

— Je suis désolée.

Mes mots tremblèrent sous le sanglot qui s'échappa de mes lèvres.

Il tendit le bras et prit ma main dans la sienne en secouant la tête.

— Je ne suis pas désolé, Cass. Tu n'peux pas t'imaginer à quel point ce moment passé avec toi est important pour moi.

Il prit dans sa poche le petit téléphone qu'il m'avait offert plus tôt et il le glissa dans ma main.

— J'peux pas le prendre.

Je repoussai le téléphone vers lui, mais il le refusa.

— Je dois savoir que tu es en sécurité. Je me sentirai mieux si tu l'as.

Il soupira et donna un coup de pied dans la poussière avant de se passer à nouveau une main dans les cheveux.

— Merci.

Je ne le remerciais pas uniquement pour le téléphone. Je le remerciais pour le temps, l'affection, le bonheur dans lequel j'avais baigné avec lui à mes côtés. J'essayai de ne pas baisser la garde et de me protéger pour ne rien ressentir, mais je n'étais pas assez forte. Tucker s'était frayé un chemin dans mon cœur et ça me tuait de le repousser.

— Ça n'a pas à se terminer comme ça.

— Oui ; il le faut, Tucker.

Il hocha la tête et remonta sur sa moto. Il me jeta un dernier regard avant d'enfiler son casque et de faire vrombir le moteur. Je reculai de quelques pas pour éviter d'être prise dans son nuage de poussière tandis qu'il s'en allait. Je le regardai repartir sur la route et vis ses feux arrière disparaître dans le néant. Tout comme je disparaissais moi aussi, à nouveau, dans le néant.

Mon cœur se brisa en mille morceaux et chaque minuscule éclat me transperça l'âme. Je ne pouvais pas m'imaginer l'oublier un jour, de continuer ma vie. Je traversai lentement le stationnement sombre et désert en direction du parc à roulottes. Pour la première fois, je n'étais pas envahie par la peur. Je me foutais d'arriver face à face avec Jax. Je me foutais dorénavant de tout.

Je pris une profonde respiration et ouvris la porte de la roulotte.

CHAPITRE 18

*J*ax était allongé de tout son long sur le sofa, un bras sur le visage. J'entrai lentement en faisant attention de ne pas le réveiller. Alors que je traversais le salon, son bras surgit et il m'attrapa le poignet.

— Où étais-tu?

Sa voix était enrouée par le sommeil.

— Je fumais une cigarette dehors.

Ma voix tremblait et je fermai les yeux en me maudissant de ne pas être plus forte.

Il me lâcha et se réinstalla sur le sofa pour être plus confortable.

— Je pensais que tu avais arrêté.

— Oui. Je viens d'arrêter à l'instant. Rendors-toi.

Il marmonna quelque chose entre ses dents et il roula sur le dos.

Je soupirai et marchai jusqu'à ma chambre. Dès que j'entrai, les vannes s'ouvrirent et je sanglotai de manière incessante tout en étreignant mon ourson en peluche contre ma poitrine.

Je sortis le téléphone de ma poche arrière, me mourant d'envie de composer le numéro de Tucker et de lui dire à quel point j'étais désolée. J'avais besoin d'entendre sa voix. Je serrai le téléphone sur ma poitrine tandis que mes émotions me consumaient entièrement.

Tucker était probablement en route pour la Floride. Je l'avais traité comme une merde finie et je lui avais donné l'impression qu'il n'était rien pour moi, seulement une personne avec qui je pouvais coucher avant de la jeter derrière moi. Il avait laissé le téléphone uniquement pour les urgences. Je me répétai ça dans ma tête plusieurs fois avant d'enterrer le téléphone dans les profondeurs de mon placard, déterminée à ne jamais m'en servir pour appeler Tucker.

Ça ne ferait que tout empirer. J'avais besoin de l'oublier.

Je retirai mes vêtements et me dirigeai vers la salle de bain. Une douche chaude aurait été agréable ; l'eau n'était tout de même pas trop froide. J'enduis mon gant de toilette de savon et commençai à laver le parfum de sel et de noix de coco sur ma peau. Je pouvais sentir Tucker, sentir ses caresses. Ses paroles résonnaient dans ma tête et mon cœur était éparpillé en mille éclats acérés. Mes larmes se mêlèrent à l'eau de la douche et me recouvrirent comme pour me laver de mes péchés. Je frottai plus fort tandis que ma poitrine était secouée d'un haut-le-cœur ; je voulais désespérément me laver, me laver de lui.

J'avais toujours pensé que je tenais le mauvais bout du bâton. Je ne méritais pas la vie que l'on m'avait offerte. Aujourd'hui, cependant, je l'avais gagnée. Aujourd'hui, debout dans la roulotte que Jax avait achetée pour moi, mon foyer, je ne pouvais pas nier la vérité : j'avais menti à Jackson et je l'avais trompé. Peu importe ce qu'il m'avait fait, je me sentais tout de même coupable. Je ne voulais pas être ce type de personne.

Je laissai le savon se rincer sur mon corps et s'accumuler autour du drain avant de fermer l'eau et d'ouvrir le rideau de douche. Un frisson parcourut mon corps et mes pensées se dirigèrent vers la fontaine de Savannah. J'obligeai mes larmes à rester en moi en m'emparant d'une serviette suspendue sur la tringle, que j'enroulai rapidement autour de moi.

Je ne me donnai pas la peine de m'habiller. À la place, je m'effondrai sur le lit et me recroquevillai en petite boule. J'obligeai mes yeux à se fermer et priai pour tomber vite endormie. N'importe quoi valait mieux que la réalité. J'avais besoin de voir Tucker. Je savais que ça me ferait souffrir encore davantage lorsque j'allais me réveiller, mais je m'en foutais. Je voulais seulement voir son sourire.

Je finis par m'endormir en pleurant et je rêvai de la promenade en calèche. Mon corps était blotti contre le sien pendant que nous faisions le tour de la ville. Le monde cessa alors de tourner autour de nous. Je pouvais sentir chaque bosse sur les routes pavées, l'arôme de la pizza dans l'air se mêlant au délicieux parfum de noix de coco de Tucker. Je pouvais entendre le groupe de musique chanter *Hotel California* au loin : « You can check out anytime you like, but you can never leave. » Ces paroles sonnaient vrai au fond de mon cœur. Tucker était parti, mais il était encore avec moi. Je ne pouvais pas le chasser. Je pouvais sentir ses doigts s'entremêler avec les miens comme si nos mains avaient été moulées pour aller l'une dans l'autre.

Je me réveillai avec les yeux gonflés et un oreiller humide ; en partie à cause de mes cheveux mouillés et en partie à cause de mes larmes. Je fis taire mon réveille-matin et déroulai lentement la serviette autour de moi, puis je m'emparai de mes vêtements de travail et m'habillai rapidement. Je mis mon pendentif et le cachai sous mon polo. Le petit morceau de métal était un constant rappel de Tucker. Je savais qu'il vaudrait mieux brûler tout ce qu'il m'avait donné et passer à autre chose, mais je décidai que je méritais de souffrir en pensant à lui. Et la souffrance valait mieux que de ressentir ce vide, que de ne rien ressentir du tout.

J'enfilai mes chaussures de sport et me rendis au salon. Ma mère était dans la cuisine à préparer un pot de café frais.

— Que fais-tu debout ? demandai-je en prenant deux tasses dans le placard.

Elle ne répondit pas, se contentant de secouer la tête. Je lui tapotai l'épaule et remplis nos tasses. Je lui tendis la sienne, mais sa main tremblait violemment. Je savais qu'elle finirait par se brûler si je la lui donnais.

— Viens.

Je désignai la petite table d'un signe de la main. Elle s'assit et je fis glisser la tasse devant elle pendant que je prenais une minute pour me détendre avec elle.

— Qu'est-ce que t'as ? demanda-t-elle en buvant une petite gorgée.

— Rien. La fatigue.

Je levai ma tasse et commençai à boire.

— Tu as pleuré.

Je reposai ma tasse avec plus de force que nécessaire et le liquide chaud se renversa un peu sur ma main.

— Aïe merde ! Je vais bien, maman. Tu n'as pas le droit de te permettre de t'inquiéter si je pleure maintenant. Il est trop tard pour ça.

Je sortis de la cuisine en trombe et quittai la roulotte aussi vite que possible.

Si quelqu'un m'avait posé la question hier, j'aurais dit qu'il était impossible que je me sente encore plus mal, mais j'aurais eu tort. Ma mère était vraiment sobre ce matin et elle s'était inquiétée de mon bien-être, et je lui avais demandé de se taire. Qu'est-ce que je venais de faire ?

Je ne revins pas en arrière. Je me frayai un chemin à travers le stationnement désert vers le restaurant.

— Bonjour, Larry, lançai-je en passant l'entrée des employés.

— Merde, qu'est-ce qui a de bon dans cette journée ? lança-t-il depuis la cuisine. Foutrement rien.

Je ne pouvais pas argumenter avec lui sur ce point. Tout allait de travers. Je pris le bac d'ustensiles propres et une pile de serviettes en papier pour commencer mes tâches. Je levai les yeux sur la table où s'installait habituellement Tucker. Mon cœur se fissura encore un peu plus. J'avalai péniblement et m'occupai à enrouler les ustensiles dans les serviettes. Le temps chasserait tout ça. Je restai assise en silence, revivant mes souvenirs, parce que je n'arrivais pas à me résoudre à allumer le poste de radio. Si j'entendais sa voix à la radio, je perdrais toute maîtrise de moi-même. Au lieu de ça, j'essayai de repenser à une époque où Jackson n'était pas le monstre qu'il était aujourd'hui. C'était presque impossible.

— *Oh, mon Dieu. Quelle est cette odeur ?*

Jackson fronça les sourcils et tira une chaise à la table pour moi.

— *J'ai cuisiné.*

Il affichait un sourire rayonnant.

— *Tu as cuisiné ?*

Je me glissai sur ma chaise et il la poussa avant de se joindre à moi de l'autre côté de la table.

— *Bien, qu'est-ce que c'est ?*

Je pris ma fourchette et m'en servis pour pousser un morceau dur et brun non identifiable.

— *C'est du macaroni au fromage.*

— *Où ça ? plaisantai-je.*

— *J'ai ajouté quelques ingrédients. Je l'ai préparé avec amour.*

— *Le bout noir est-il censé représenter ton cœur ?*

— *Très drôle. Non. Je t'ai donné mon cœur il y a longtemps.*

Ces souvenirs, toutefois, semblaient appartenir à une autre vie et je savais qu'ils étaient loin de pouvoir compenser tout ce que je devais subir maintenant.

Larry passa les portes de la cuisine avec le petit déjeuner en main. Mon estomac se serra en percevant cette odeur. Je n'avais pas conscience à quel point j'avais incroyablement faim. J'étais tellement reconnaissante d'avoir Larry. Il pouvait être un connard, mais je savais qu'au fond de lui, il avait de l'affection pour moi. Il ne savait seulement pas comment l'exprimer. Exactement comme ma mère. Je savais que c'était dysfonctionnel, mais je savais aussi que maintenant plus que jamais, je devais saisir tout le bonheur que la vie me donnait et que ces moments étaient trop peu nombreux et rares. Cependant, lorsque mes pensées voguèrent vers Tucker, les larmes menacèrent de recommencer à couler.

— Merci, murmurai-je et j'arrachai un morceau de ma rôtie.

Je pouvais sentir les yeux de Larry sur moi, mais il ne dit rien.

Je m'obligeai à manger quelques bouchées. Je savais que mon estomac en demandait plus, mais mon cœur s'était logé dans ma gorge.

— Alors... heu... vas-tu rester pendant tout ton quart de travail aujourd'hui ? demanda-t-il en trempant son pain dans le jaune de son œuf.

Je m'éclaircis la gorge et acquiesçai d'un signe de tête, incapable de parler sur le coup.

— C'est bien. Aggie a posé des questions à ton sujet. Elle veut que tu passes faire un tour chez nous une bonne fois.

— D'accord.

Je fixai mon assiette, souhaitant pouvoir faire avancer le temps en vitesse accélérée.

— J'sais que ta situation est pas c'que t'avais espéré.

Il s'éclaircit la gorge. Je hochai la tête pour confirmer.

— On ne peut pas toujours avoir ce qu'on veut ou ce qui est le mieux, mais tout finit par s'arranger en fin de compte.

— Rien n'a changé, Larry. Je suis désolée de ne pas avoir été là dernièrement, mais ça ne se reproduira plus.

— D'accord. Si tu veux en parler...

— Larry, je ne vais pas partager mes problèmes de garçon avec toi.

— Bon Dieu, Cass. J'allais dire que Marla en connaît un bout sur les hommes. Elle couche avec un gars différent toutes les nuits. Parfois deux.

Larry rit, puis il but. Je réussis à sourire.

Nous mangeâmes le reste de notre repas en silence. Je savais qu'il parlait de Tucker. Il valait mieux que je ne prononce pas son nom.

J'avais seulement besoin que les choses reviennent à la normale. Ce n'était pas une bonne vie, mais c'était la mienne et sa simplicité me manquait tout à coup. Dans un monde parfait, j'aurais couru dans les bras de Tucker sans jamais regarder en arrière, sans revoir ce trou à rats, mais ce n'était pas la réalité. J'avais une mère dont je devais m'occuper et des factures à payer.

Je me levai de la banquette d'une poussée et tendis la main vers l'assiette de Larry. Il posa sa fourchette sur le fouillis à moitié mangé et il poussa son assiette de quelques centimètres vers moi. Je m'en emparai, pris la mienne aussi et je me rendis à la cuisine.

Les clients commencèrent à arriver lentement un peu plus tard et je fus enfin capable de penser à autre chose. Quand une femme me lança un regard méchant et marmonna quelque chose à propos de la difficulté de trouver de bons employés, je pensai que les choses allaient pouvoir revenir à la normale.

Néanmoins, chaque fois que la cloche sonnait au-dessus de la porte, mon cœur cessait de battre une fraction de seconde. Je voulais que ce soit Tucker. Je voulais qu'il vienne et m'emporte au loin et ne jamais regarder en arrière. C'était égoïste, mais ce rêve éveillé m'empêchait de m'effondrer complètement.

À l'heure du déjeuner, mon corps me suppliait de prendre une pause, mais j'étais contente de ne pas avoir le temps pour ça. Quand la cloche de la porte sonna, je relevai brusquement la tête et vis que c'était Jackson. Mon estomac se noua instantanément tandis que j'attendais de savoir s'il avait découvert ce que je m'étais efforcée de lui cacher.

Son regard appela le mien et il hocha la tête, un léger sourire jouant aux coins de ses lèvres. Je réussis à former un petit sourire et me hâtai d'apporter une tasse de café à l'un de mes clients, puis je marchai vers Jax.

— Hé, dis-je avec un lourd soupir tout en lissant mon tablier avec nervosité et en regardant partout sauf dans ses yeux.

— J'ai faim et j'ai besoin d'argent.

Il se passa la main sur le ventre et il réprima un bâillement avec son poing. Je pris un menu sur le poste de l'hôtesse et me tournai pour lui trouver une table.

— Viens, alors.

Je revins vers l'arrière à quelques tables plus loin et m'arrêtai devant l'un des box inoccupés.

Il se glissa sur la banquette et tendit la main pour avoir le menu. C'était l'habitude, j'imagine, car il connaissait le menu aussi bien que moi.

— Tu vas t'asseoir avec moi ?

Je déposai le menu sur la table avant de me tourner et de marcher jusqu'à la cafetière.

— Je suis trop occupée, dis-je par-dessus mon épaule.

En vérité, toutes mes tables avaient été servies et, bien que je dusse continuer de remplir des verres de temps à autre, je pouvais m'accorder quelques minutes de repos. Je n'arrivais pas à m'y résoudre. Le regarder droit dans les yeux et lui mentir alors qu'il était sobre, ce n'était pas la façon dont je voulais passer mon après-midi. Je m'emparai de la cafetière et fis ma tournée en prenant mon temps pour m'assurer que tout le monde était satisfait.

Jackson attendait patiemment mon retour afin de me dire ce qu'il voulait manger. Je notai sa commande, les mains tremblantes. Auparavant, je rêvais de ces rares journées où il n'était pas complètement bourré et où je pouvais revoir en lui le garçon dont j'étais tombée amoureuse des années plus tôt.

En repensant à ce que j'éprouvais pour lui à cette époque, mon souvenir pâlissait à côté de ce que je ressentais pour Tucker depuis quelques jours. Néanmoins, j'espérais que les choses changeraient avec Jackson. Il fallait que les choses changent.

— Je pensais descendre au ruisseau plus tard ce soir. Nous pourrions tenter à nouveau notre chance pour essayer d'attraper notre dîner ?

Je lui offris un sourire triste. Il était encore là, le garçon qui m'avait protégée et qui était resté à mes côtés lorsque ma propre famille ne semblait pas se soucier de moi. Et il me fallait faire la même chose pour lui. Je devais rester à ses côtés alors que sa vie tombait en morceaux. Je hochai la tête, espérant qu'il ne voudrait pas bavarder pour tuer le temps.

Je me rendis dans la cuisine et remis le papier de la commande à Larry, puis m'attardai à l'arrière pour laver quelques assiettes. Marla entra tout en nouant son tablier en bas de ses hanches.

— T'as pas l'air en forme, chérie.

Elle s'empara d'une tasse encore mouillée sur l'égouttoir et repartit vers la salle à manger.

— Que fait-elle ici ?

Je haussai un sourcil en direction de Larry.

Il s'éclaircit la gorge et centra son attention sur la cuisson du burger de Jax.

— Dernièrement, tu n'étais pas ici, même quand tu étais là.

Ses yeux croisèrent furtivement les miens une petite seconde. Il avait raison. J'étais dans mon monde dernièrement et si je ne faisais pas attention, j'allais finir par perdre mon boulot. Je ne pouvais pas imaginer ce qui m'arriverait à ce moment-là.

Larry déposa l'assiette chaude sur le passe-plat et je m'en emparai, déterminée à faire en sorte que tout revienne à la normale le plus rapidement possible.

J'apportai à Jackson son assiette et je la déposai devant lui avant de me glisser sur la banquette en face de lui.

— Hum, gémit-il en soulevant le hamburger pour en prendre une grosse bouchée.

Je souris largement quand il l'éloigna de sa bouche, laissant du ketchup au bord de ses lèvres.

— Tu es pire qu'un bébé.

Je ris et déroulai ses ustensiles afin de pouvoir essuyer son visage avec la serviette.

Il me fit un sourire espiègle en l'étirant d'un côté.

— C'est pourquoi je t'ai pour prendre soin de moi.

Je lui volai une de ses frites et lui souris faiblement. Je pouvais faire en sorte que ça fonctionne. Si ce Jax restait dans les parages, je pouvais apprendre à oublier Tucker avec le temps.

Larry sortit de la cuisine et s'appuya sur le poste des serveuses. Il hocha la tête une fois dans ma direction et je baissai les yeux sur la table.

— Alors… qu'est-ce que tu fais aujourd'hui ?

Jackson haussa un sourcil tandis qu'il fourrait une pleine poignée de frites dans sa bouche.

— J'ai entendu dire qu'on embauche des débardeurs…

Je cessai de parler quand le visage de Jackson se durcit.

Il me jetait maintenant un regard furieux, la mâchoire serrée.

— Je vais regarder ça.

Il mangea une nouvelle bouchée. J'attendis une menace, mais rien ne vint.

— Bien. Je pense que j'aimerais réessayer la pêche.

— Ouais?

— Ouais, pourquoi pas? Tant que tu retires les poissons de l'hameçon. Je pourrais les faire frire pour le dîner. Ce serait bon de prendre de nouveau un repas à table.

— Tu en veux?

Il me tendit son burger dégoulinant de graisse sur sa main.

Je me penchai par-dessus la table et en mangeai une petite bouchée.

— C'est bon, hein?

Il sourit et s'essuya la main sur son t-shirt.

La cloche sonna et je tournai la tête brusquement. Tom Fullerton entrait en chancelant. Mes yeux revinrent sur Jax en s'agrandissant. Ça n'allait pas bien se passer. Je savais que Jax lui devait probablement de l'argent pour de la drogue et Tom n'était pas le genre de gars à oublier qu'on lui devait quelque chose. Marla et Larry commencèrent immédiatement à observer le fauteur de troubles du coin.

Ses yeux rencontrèrent les miens et ses lèvres se tordirent en un rictus quand il vit Jax. Je tapai la main de Jax et lui fit signe de la tête de regarder derrière lui. Il lâcha son burger sur son assiette et se tourna pour affronter Tom qui se tenait à présent debout à côté de notre table.

— Je pense qu'on a encore quelques affaires à régler ensemble.

Tom sourit largement à Jax, puis il se tourna vers moi.

— Agréable de te revoir, Cass.

Jackson me fusilla du regard en s'imaginant que je sortais en douce avec ce cochon de Tom.

— Je l'ai vue à la buanderie.

Je levai les yeux au ciel.

Tom semblait bien s'amuser pendant notre petit échange.

— Il y a trois soirs. Je pensais qu'elle t'aurait dit clairement que nous devions nous parler.

Je jetai un coup d'œil à Marla, qui fronçait les sourcils en réfléchissant. Larry la regarda et secoua la tête. Je leur avais tous tellement menti. Marla et Larry le savaient à présent et j'espérais seulement qu'ils laisseraient Jax dans l'ignorance.

— Que veux-tu ?

Je me penchai plus près de Tom et gardai la voix basse afin de ne pas déranger les clients.

— Je veux l'argent que ce connard me doit.

— Il y a un temps et un endroit pour ce genre de choses, Tom.

— Je veux mon foutu pognon et je le veux tout de suite !

Je roulai les yeux et regardai Jax.

— Combien ?

J'avais un peu d'économies et il n'avait pas pu se placer dans de trop sérieux ennuis. En plus, quel genre de vendeur de drogues vendait à crédit ?

— Six cents.

Tom croisa les bras sur son torse.

J'expirai l'air que j'avais retenu dans mes poumons. Six cents dollars ?

— Je vais te l'donner, dit Jax en regardant son assiette.

— Comment ? Comment, Jax ?

Je ne pouvais plus continuer à murmurer maintenant. Je pouvais voir mes rêves s'envoler un à un et ça me faisait mal. Je me sentais devenir malade en comptant dans ma tête l'argent de mes économies cachées dans mon ourson.

— Ferme-la, Cass, et laisse parler les adultes, dit Tom en rigolant.

— Va te faire foutre !

— Hé, on peut arranger ça, rétorqua Tom.

Jax saisit le devant du t-shirt de Tom et il abaissa son visage près du sien.

— Ne lui parle pas comme ça, merde. Je t'ai dit que j'allais t'apporter ton foutu pognon.

— J'en ai assez d'attendre, putain, répliqua sèchement Tom. Quand ?

Je n'attendis pas la réponse. On pouvait traiter Tom de bien des choses et le mot « fou » était son meilleur qualificatif. Je me levai de table et sortis par la porte principale. Je me mis à courir dès que mes pieds touchèrent la terre du stationnement. Je voulais quitter cet endroit et ne jamais y revenir, mais au lieu, je me dirigeai vers ma roulotte. C'était ma punition. Je laissai mes larmes couler librement sur mes joues tandis que je me glissais dans la roulotte et que je me précipitais dans ma chambre à coucher. Je m'emparai de mon vieil ourson en lambeaux et je le serrai contre moi avant de glisser ma main dans l'ouverture de son dos pour en sortir mes économies. Je comptai l'argent une fois pour m'assurer que tout était là. Six cent quarante-cinq dollars. Je ne recommencerais pas tout à fait à zéro.

— Cass ? appela ma mère dans le couloir.

— Pas maintenant, maman.

— Cass, j'ai faim.

— Tu vas devoir attendre ! lui criai-je.

Je secouai la tête et fourrai l'argent dans mon tablier, embrassant rapidement le nez de mon ourson. Ça n'allait pas racheter ce que j'avais fait à Jackson, mais ça contribuerait à apaiser ma conscience. Je savais maintenant qu'il me faudrait une éternité pour échapper à cet endroit. C'était ma place et je ne pouvais pas me battre contre ça plus longtemps. Il était impossible d'échapper au destin.

CHAPITRE 19

*J*e revins au restaurant avec le moral détruit et les économies d'une vie. Jackson et Tom se disputaient à présent dans le stationnement. Tom avait la main à la taille et je savais qu'il faisait savoir à Jax qu'il portait une arme. J'ignorais s'il l'utiliserait, mais je ne douterais jamais de ce qu'une personne est capable de faire quand elle est sous l'influence de la drogue. À de nombreuses occasions, j'avais vu la drogue transformer Jackson en un monstre impitoyable. Je courus jusqu'à Jackson. Je me détestais pour ce que j'étais sur le point de faire. Mes rêves, ma nouvelle vie, tout ça dépendait de cet argent et je m'apprêtais à m'en départir à cause de la drogue. À cause d'une dépendance qui n'était pas la mienne.

— Reste en dehors de ça, Cass.

Jax me lança un regard sévère, mais je savais qu'il s'inquiétait de ce que Tom allait faire avec son pistolet. Il s'inquiétait de ma sécurité. Je savais que je devais protéger Jax, même si ça voulait dire abandonner mes rêves et vivre dans ce cauchemar pour toujours. Je jetai un regard au stationnement poussiéreux tandis que je m'obligeais à accepter encore une fois cette réalité.

— Et si tu venais ici, Cass ?

Tom sourit tout en sortant un petit pistolet argenté de sa ceinture et me faisait signe de me rapprocher. Je jetai un coup d'œil à Jax, le suppliant du regard de faire quelque chose. Il ne bougea pas et Tom n'était pas content que je ne lui obéisse pas. Il empoigna mes cheveux à la nuque brusquement et me tira devant lui. Il pressa le canon du pistolet sur ma poitrine, les mains tremblantes. Le métal froid était posé à côté du pendentif qui contenait mes secrets.

— Qu'est-ce que t'en penses, Jax? Ce n'est pas un échange très équitable, mais c'est un début.

J'en eus l'estomac soulevé et mes genoux cédèrent sous moi. Il me maintenait fermement en place par les cheveux.

— Jax! criai-je.

— Putain, ne lui fais pas de mal! Je vais te donner ton argent de merde.

— Quand?

Tom poussa le pistolet avec plus de force sur mon torse, indiquant à Jax qu'il ne plaisantait pas.

— Tiens.

Je pris la pile de billets dans mon tablier et la tendis devant ses yeux tandis que mon estomac se nouait. Mes jointures devinrent blanches comme des os alors que je serrais la petite pile de billets de banque, ayant désespérément envie de courir le plus loin possible.

Jax était sous le choc : il avait la bouche grande ouverte et ses yeux restaient fixés sur les billets que j'avais dans la main. Tom s'empara de l'argent avec un immense sourire, libérant enfin ma chevelure de sa prise. Je tombai à quatre pattes tandis que Tom commençait à feuilleter la pile et à compter la somme comme je l'avais fait un peu plus tôt. Mon cœur se serra quand il glissa le tout dans sa poche.

— C't'un plaisir de faire des affaires avec toi, Cass.

Il sourit et il commença à s'éloigner de nous.

— Tom, criai-je dans son dos, le faisant stopper et regarder derrière son épaule. Ne reviens plus jamais rôder autour de Jackson, putain. Il n'a plus besoin de ton genre d'amitié.

Tom se contenta de rire et secoua la tête en continuant de traverser le stationnement, emportant mon avenir avec lui. J'eus l'impression qu'on venait de mettre mon cœur en pièces lorsque je commençai à comprendre ce que j'avais fait. C'était plus que de l'argent pour moi. C'était une façon de sauver ma famille. C'était l'unique raison pour laquelle je me levais chaque matin et travaillais aussi dur. Maintenant, je n'avais plus rien.

D'abord, j'avais repoussé l'amour de Tucker et maintenant, je m'étais enfermée dans un cauchemar qui se perpétuait. Je relâchai enfin le souffle que j'avais retenu tout ce temps et me remis debout.

Jackson me souleva par les épaules pour m'aider à me relever.

— Où t'as pris cet argent, bordel ?

Je savais qu'il se préparait pour une dispute et il me fallait m'éloigner de lui le plus vite possible.

— Y a pas de quoi.

Je le contournai pour me diriger vers le restaurant. De nouvelles larmes menaçaient de couler et ma tête m'élançait.

— Cass !

Le ton de sa voix était effrayant et je stoppai net.

— Merci.

Je hochai la tête et entrai en vitesse dans le restaurant pour m'occuper de mes tables. Marla avait des couteaux dans les yeux et Larry se contenta de secouer la tête avant de retourner silencieusement dans sa cuisine. Tout s'était remis en ordre, sauf que Jax n'était maintenant plus la chose la plus effrayante dans le parc à roulottes.

Je continuai mon quart de travail comme un zombie. Je ne pouvais pas me donner la permission de ressentir quelque chose ni permettre à la tristesse de prendre le dessus. Personne ne voulait d'une serveuse triste qui pleurait comme un veau.

Quand mon quart de travail se termina, je ne savais pas trop si j'étais soulagée ou encore plus stressée. J'appréhendais mon retour à la roulotte, mais c'était le seul endroit où je pouvais aller.

— Cass, pourquoi tu ne laisses pas Marla s'occuper des petites tâches ce soir? dit Larry depuis la porte de la cuisine.

— Non, ça va. Je peux m'en sortir.

— Rentre chez toi.

— J'ai besoin de ce boulot, Larry. Je ne peux pas le perdre à cause de lui.

— Ton boulot sera encore là demain. Rentre chez toi.

J'étais à la fois soulagée et craintive de devoir retourner chez moi.

Je complétai ma dernière addition et me frayai un chemin dans le stationnement plongé dans le noir. Mes doigts jouèrent distraitement avec mon pendentif dissimulé sous mon polo. Je ne pouvais pas continuer à m'évader dans ces souvenirs. D'autres commençaient à le remarquer et Jackson finirait aussi par s'en rendre compte.

J'étais trop absorbée dans mes pensées pour remarquer le mouvement près de la clôture. Tom sortit de l'ombre et enroula ses bras autour de ma taille derrière moi. Son odeur désagréable assaillit mes sens tandis que je luttais pour arracher ses mains baladeuses de mon corps.

— J'attends impatiemment la prochaine fois où Jax me devra de l'argent. Tu sais, j'accepte d'*autres* formes de paiement.

Tom rit dans mon oreille tandis que je m'étouffais avec la bile qui m'était montée à la gorge.

— Il n'y aura pas d'autre fois. Garde ta sale drogue loin de ma famille.

J'essayai de me débattre, mais ses bras me serraient les flancs.

Il rit à nouveau.

— J'aime ça quand tu te débats.

— Va te faire foutre, Tom!

— Tu me donnes la permission?

— Je ne te donnerais même pas de l'eau si tu étais en feu!

— Je brûle pour toi, maintenant.

Il haletait pendant qu'il s'efforçait de me garder sous son emprise.

Je baissai la tête et la rejetai en arrière de toutes mes forces vers la sienne. Tom lâcha mon corps en criant et en jurant. Mon instinct de survie prit le dessus et je courus comme une folle vers ma roulotte.

J'entrai pour trouver Jackson sur le sofa, une bière à la main et ma mère assise dans le fauteuil inclinable en train de jouer avec ses mains. Je voyais qu'elle ne se sentait pas bien et qu'elle aussi, elle était très sobre.

— Salut, dis-je doucement en traversant le salon vers ma chambre à coucher dans un état d'hébétement.

— Qu'est-ce qui t'est arrivé?

Jackson bondit du sofa et me suivit dans ma chambre.

— *Toi*! C'est toi, le malheur qui m'est arrivé!

Je claquai la porte et commençai à retirer mes vêtements de travail, priant pour qu'il ne la défonce pas. Pendant que je retirais mes chaussures, je pouvais entendre le son faible de la musique par-dessus celui, plus bruyant, du téléviseur dans le salon. J'écoutai et me promenai dans la pièce pour mieux entendre. C'était la chanson de Tucker et la mienne. Je remarquai qu'elle venait du placard et je commençai à sortir des vêtements et des boîtes. J'attrapai le téléphone portable d'une main et regardai l'afficheur.

Tucker. Je soupirai. Je le tins contre mon cœur pendant un moment en me demandant si je devais répondre. Je fixai la porte de ma chambre à coucher en m'attendant à ce que quelqu'un surgisse brusquement. Je pressai le bouton RÉPONDRE et tins le téléphone contre mon oreille.

— Allô.

Je parlai d'une voix si basse que je n'étais pas certaine qu'il pouvait m'entendre.

— Cass.

Tucker soupira et je sentis qu'il venait de tirer sur une corde qu'il avait attachée directement à mon cœur. Je fermai les yeux et je m'appuyai contre la porte du placard.

— Comment vas-tu?

— Je m'suis déjà sentie mieux.

— Qu'est-ce qu'il s'est passé? Il t'a encore fait du mal? Putain, je vais l'tuer s'il te fait mal, Cass.

Sa voix était paniquée, maintenant.

— Non. C'est pas ça.

Mes larmes menaçaient de recommencer à couler et je dus avaler plusieurs fois pour repousser la boule dans ma gorge. Tucker soupira bruyamment dans le téléphone. Ses mots me faisaient me sentir en sécurité même s'il était vraiment loin. C'était réconfortant de savoir qu'une personne m'aimait, même si elle n'était pas avec moi.

— Cass... j'peux pas laisser les choses comme ça entre nous.

Je serrai fortement les paupières, sachant que j'allais devoir m'expliquer.

— Je ne l'ai jamais regretté. C'était ça m'a touchée plus que tu ne pourras jamais le savoir. C'est juste trop, tu comprends?

— Ce ne sera jamais assez.

Sa voix était remplie de tristesse et j'aurais aimé pouvoir l'envelopper dans mes bras pour le réconforter. Tout ce qui m'importait maintenant, c'était de lui enlever sa douleur, même si ça augmentait la mienne.

— J'peux pas supporter de pas savoir si tu es en sécurité. L'idée que ce salopard lève la main sur toi et que personne ne soit là pour l'arrêter me rend fou. Viens en tournée avec moi. C'est dément que nous ne soyons pas ensemble en ce moment.

— J'peux pas.

Les mots sortirent de ma bouche avant que je puisse réfléchir.

— Pourquoi pas? Qu'est-ce qu'il a de tellement mieux, *lui*?

Je pouvais entendre la colère dans sa voix quand il mentionna Jax.

— Rien.

C'était la vérité, mais je devais faire en sorte que Tucker soit libre. Faire ça signifiait donner encore une nouvelle chance à Jax, m'assurer que ma mère était en sécurité et qu'elle avait un toit sur la tête.

— Je ne peux pas laisser ma mère, Tucker. Elle a besoin de mon aide. Je suis tout ce qu'elle a.

— Tu n'es pas obligée d'être sa mère, Cass. C'est pas juste pour toi.

— C'est comme ça. Elle a besoin de moi, comme Jax. Je ne vais pas juste les abandonner comme ça. J'suis pas ce genre de personne.

Je retins mon souffle tandis que j'attendais qu'il réponde quelque chose. Je n'oublierai pas ce qui s'est passé entre nous pour tout l'or du monde, Tucker.

— Alors, pourquoi tu t'es enfuie ?

— Tucker, tu es sans limites. Ma limite, c'est la clôture délabrée qui entoure le parc à roulottes.

— S'il te plaît, ne parle pas comme ça.

— Tucker, tu sais que je suis qu'un boulet pour toi... j'peux pas te faire ça...

Je pouvais entendre des pas dans le couloir ; la peur me saisit à nouveau.

— Je dois y aller.

Je raccrochai avant qu'il ne puisse réagir. Mon cœur se sentit vide immédiatement et je ressentis la douleur de la tristesse dans ma poitrine. J'essuyai les larmes sur mes joues et je replaçai le téléphone dans sa cachette tout au fond de mon placard. Je finis de me déshabiller et enfilai un vieux t-shirt et un short.

Je sortis dans le salon et m'assis sur le sofa en examinant ma mère. Quelques secondes plus tard, Jackson émergea de la salle de bain et s'installa à côté de moi. Son bras s'allongea derrière moi et il me tira contre lui. Je voulais m'écarter, mais cette proximité était bienvenue dans un moment où je me sentais si fragile. Mes yeux se fixèrent sur le téléviseur, qui diffusait à présent un match de football collégial. Je laissai mes paupières se refermer et je m'imaginai dans les bras de Tucker.

Je m'endormis d'épuisement sur le champ, sans rêver. C'était un sommeil plus que nécessaire. Je me réveillai allongée sur le sofa, dans les bras de Jackson. Je faillis le réveiller lorsque je sursautai, m'attendant à voir le visage de Tucker plutôt que celui de mon petit ami. La culpabilité me consuma encore une fois à l'idée d'avoir pensé à un autre homme alors que j'étais dans les bras de Jackson. Personne ne méritait ce type de tromperie, pas même Jax. Je ne pouvais pas m'empêcher de me sentir en conflit au point de m'en donner la nausée. Je repoussai Tucker au fond de mon esprit, jurant de garder son souvenir caché comme les jolies petites robes que j'avais enfouies au fond de mon placard. Jax remua et ses bras se resserrèrent autour de moi. Je pouvais sentir son excitation à cause de notre proximité. J'écartai lentement mon corps du sien, ne voulant pas être pressée contre lui lorsqu'il se réveillerait. Je ne pouvais pas coucher avec lui après ce que j'avais fait avec Tucker. Un jour peut-être, je serais en mesure de me pardonner et de poursuivre ma vie, mais ce jour n'était pas encore arrivé.

Je glissai sur le sofa et atterris sans aucune grâce sur le plancher. Jax gémit et roula sur lui-même, de sorte que maintenant, il était dos à moi. Je soupirai de soulagement et me relevai du sol. J'avais besoin de café, de beaucoup de café.

J'entrai dans la cuisine en trébuchant et je commençais à préparer du café frais quand ma mère entra.

— Bien dormi?

Elle souriait tandis qu'elle prenait place à la table de la cuisine. Je haussai un sourcil dans sa direction, mais je ne répondis pas. Toutes ces années, j'avais eu besoin d'une mère et j'avais été obligée de régler moi-même tous mes problèmes. Aujourd'hui, elle changeait et je pouvais à peine lui dire deux mots. Je savais que sa nouvelle sobriété, ce n'était pas son choix, mais seulement le résultat de l'accrochage entre Jax et Tom Fullerton, qui gardait maintenant ses distances. Avec le temps, il se montrerait la face encore une fois et ma mère serait une cause perdue. Je ne pouvais rien y faire à présent. Je n'avais pas d'économies, pas de moyen de m'en sortir.

Je versai le café et emportai les tasses fumantes à la table. Elle tremblait et semblait souffrir physiquement. Je m'assis et bus une petite gorgée dans ma tasse.

— *Encore du thé, maman?*

Je tenais la théière en plastique décorée de roses roses devant ma mère.

— *Bien sûr, ma jolie.*

Elle sourit joyeusement tout en coinçant une longue mèche de mes cheveux derrière mon oreille. Mes mains minuscules tremblaient sous le poids de la théière tandis que je versais du thé glacé dans son verre, renversant quelques gouttes sur la table.

— *Laisse-moi t'aider, ma douce.*

— *Merci, maman.*

— *Je suis là pour ça, mon bébé.*

— Ça va?

Elle avait une mine d'enfer, mais elle n'était pas défoncée. Elle hocha une fois la tête et elle tenta de calmer ses mains afin de pouvoir boire.

— Comment va le boulot ?

Elle faisait un effort de conversation anodine et pour une raison inconnue, ça me mit en colère. Ce n'était pas juste. Toutes ces années. Pourquoi maintenant ? Maintenant, alors que j'avais des secrets que je ne pouvais absolument pas penser à partager. J'eus un mouvement de recul tandis que je souhaitais d'une manière égoïste qu'aujourd'hui en particulier elle soit perdue dans un rêve éveillé provoqué par la drogue. Une partie de moi aurait souhaité avoir gardé secrètes mes économies. Je me sentirais moins coupable par rapport à ce que j'avais fait à Jax si la drogue était encore leur priorité. Mais tout avait changé maintenant et tout restait pareil. J'étais enfermée dans un univers parallèle où régnait une misère sans fin.

— C'est le boulot, maman. Tu devrais essayer, une bonne fois.

Je levai les yeux au ciel et but une longue gorgée de mon café. Elle baissa les yeux sur sa tasse et hocha la tête une fois. Je me trouvais tellement conne. Je savais qu'elle souffrait. À l'extérieur comme à l'intérieur ; mais j'étais incapable de retenir ma colère contre elle. Je poussai ma chaise et me dirigeai vers le comptoir pour réchauffer mon café.

— Tout va bien pour toi ?

Je m'appuyai sur le comptoir et m'obligeai à me calmer avant de répondre.

— Tu n'as pas le droit de demander ça maintenant, maman. Tu n'as pas le droit de prétendre que tout va bien. C'est faux. Ça ne va pas.

Les larmes menaçaient encore de couler et je me maudis intérieurement de ma faiblesse.

— Tu as raison.

Elle se leva de table et traversa le couloir jusqu'à sa chambre, faisant claquer la porte derrière elle. Je soupirai et laissai mes épaules s'affaisser tandis que des sanglots me déchiraient. Je perdis totalement la maîtrise de mes émotions et je sanglotai, tout simplement.

J'attrapai un chiffon et commençai à laver furieusement la vaisselle dans l'évier tandis que mes larmes continuaient à couler. C'était thérapeutique et la roulotte serait un peu plus propre lorsque j'aurais terminé.

Je récurai tout avec plus de force que nécessaire et je passai même le chiffon sur les surfaces de travail et la table pour y aller à fond. Quand j'eus terminé, mes larmes s'étaient déjà taries et je sentais que je pouvais enfin parler à ma mère. J'étendis le chiffon sur le robinet et m'essuyai les mains sur l'arrière de mon short pour les sécher.

En me dirigeant vers la chambre de ma mère, j'avais l'impression de m'avancer dans le couloir de la mort.

Ma mère n'était pas une mauvaise personne. On lui avait brisé le cœur. La drogue et la dépression n'étaient que des effets secondaires. Elle faisait ce qu'elle pouvait. Je frappai à sa porte et attendis sa réponse. Elle ne dit rien, alors je collai mon oreille contre la porte et écoutai. Je pouvais entendre quelques reniflements étouffés. Je tournai la poignée et poussai la porte pour la voir recroquevillée en position fœtale sur son lit.

— Maman…

Je m'assis à côté d'elle sur le lit et appuyai mon dos contre le cadre de métal.

— Je suis désolée, Cass.

Ses doigts caressèrent doucement mes cheveux. Je ne m'écartai pas, je ne réagis pas.

— Ça t'arrive d'avoir envie de quitter ce lieu ? De partir et de trouver un nouvel endroit où vivre ?

Je marquai une pause, mais elle ne parla pas.

— J'imagine que c'est ce qui me préoccupe. Les choses avec Jax sont

Je secouai la tête et recommençai.

— Les choses vont mal depuis longtemps. Je sais qu'il ne va pas bien dans sa tête quand il consomme, mais ça n'veut pas dire que je sois obligée de supporter ça, non ?

Ses doigts continuèrent à peigner mes cheveux.

— J'avais économisé un peu d'argent.

Mon cœur se serra en pensant à ce qui en restait.

— Mais il n'y en a plus maintenant. Je peux en gagner encore, par contre. Ça va prendre du temps, mais j'peux arranger ça.

Je me tournai pour la regarder par-dessus mon épaule.

Elle avait un petit sourire sur les lèvres et ça m'encouragea à poursuivre. Je me retournai afin qu'elle puisse continuer à jouer dans mes cheveux et pour ne pas avoir à la regarder droit dans les yeux pendant que je lui ouvrais mon cœur.

— Jax a tort de porter la main sur toi, mon bébé.

Ses mots ne pouvaient pas changer le passé. Ils n'amélioraient en rien la situation, mais j'avais l'impression que mon cœur cessait d'être compressé. J'acquiesçai d'un signe de tête et me passai le dos des mains sur les yeux.

— J'ai rencontré quelqu'un, murmurai-je, terrifiée par sa réaction.

— Il est gentil avec toi ?

— Oui.

Je souris en pensant à Tucker.

— Il l'était. Il est parti maintenant.

Elle me caressa doucement le dessus de la tête pour me réconforter.

— Les hommes sont difficiles à garder. C'est dans leur nature de vagabonder. Jax n'est pas la meilleure personne pour toi, mais au moins il est toujours là.

Elle essayait de me faire me sentir mieux et je savais qu'elle pensait à papa et à comment il nous avait abandonnées.

— *Tu n'peux pas simplement nous quitter. Qu'est-ce que je vais dire à Cassie ?*

Je pouvais entendre trembler la voix de ma mère tandis que je me cachais dans l'obscurité du couloir.

— *Dis-lui que je pars me chercher un meilleur boulot. Je ne pars pas pour toujours. Je vais revenir vous chercher lorsque j'aurai réglé mes choses à la Nouvelle-Orléans.*

— *Amène-nous avec toi.*

Elle le suppliait et je voulais courir hors de ma cachette pour le supplier avec elle, mais la peur m'emprisonnait dans le couloir.

— *Je te l'ai dit, j'peux pas. Quand j'aurai tout remis en ordre, je reviendrai vous chercher. Je vais vous envoyer de l'argent chaque fois que je le pourrai. Je n'pars pas pour toujours.*

— *On dirait que c'est un adieu.*

Un sanglot s'échappa de sa gorge tandis que les pas de mon père s'éloignaient et que la porte d'entrée s'ouvrait et se refermait. J'entrai sur la pointe des pieds dans la cuisine faiblement éclairée par la lumière au-dessus de la cuisinière. Quand les yeux de ma mère croisèrent les miens, ils étaient gonflés et rougis à cause de ses larmes.

Elle me prit dans ses bras et me berça.

— *Où est allé papa ?*

Mes propres yeux commencèrent à se remplir d'eau, ne comprenant pas vraiment la situation.

— *Papa est parti travailler dans un pays lointain et il va acheter un gros château pour sa princesse.*

J'avais attendu nuit après nuit, éveillée, le retour de mon père. Chaque soir, ma mère me racontait des histoires pour me dire à quel point il était extraordinaire et pour me dire qu'il reviendrait bientôt. Mais ce jour n'était jamais venu. Nous n'avions jamais eu notre fin heureuse comme dans les contes.

— Ce serait peut-être mieux si Jax n'était pas là.

Elle ne réagit pas.

Je me relevai et m'éclaircis la gorge. Alors que je m'avançais vers la porte pour quitter sa chambre, elle parla enfin.

— J'aimerais que tu m'en dises plus un jour. Sur ce garçon.

Je hochai la tête et quittai sa chambre en refermant sa porte derrière moi.

Ça me faisait du bien de parler enfin de Tucker à quelqu'un, même si je n'avais pas dit son nom. Je ne savais pas si j'aurais été capable de le prononcer sans m'effondrer. Je pouvais aider ma mère à aller mieux et elle pouvait peut-être m'aider à traverser cette peine d'amour.

Je longeai le couloir sur la pointe des pieds et dépassai Jackson, toujours profondément endormi. Je sortis de la roulotte et me dirigeai vers le restaurant. J'avais réussi à entrevoir ce que ma mère avait déjà été et je n'allais certainement pas laisser cette vision disparaître. Au moins, cette partie de mon plan pouvait encore se réaliser.

Je passai la porte d'entrée du restaurant et me dirigeai vers la pile de dépliants et de cartes professionnelles disposés sur la petite table près de la porte. Je les feuilletai jusqu'à ce que je mette la main sur le dépliant intitulé *Narcotiques anonymes*. Je pliai le papier en deux et le glissai dans ma poche arrière avant de partir à la recherche de Larry. Il était dans la cuisine en train de nettoyer son gril.

— Jour de paye!

Je lui fis un sourire et il marmonna quelque chose d'impoli entre ses dents. Il marcha jusqu'à son bureau dans le coin et fouilla parmi quelques enveloppes avant d'en tirer une sur laquelle était marqué *Cass*. Il me la tendit et je l'attrapai impatiemment, mais il ne la lâcha pas.

— Ton petit ami doit rester loin d'ici, Cass. Il cause que des ennuis.

Il me lança un regard sévère. Je hochai la tête et il lâcha le chèque.

— Merci Larry.

Je savais que le chèque serait minime, mais chaque cent comptait.

Je rentrai dans la roulotte en sautillant avec le sentiment que les choses allaient peut-être s'améliorer. Je méritais une vie meilleure. Et si maman était prête à rester sobre, alors je pourrais nous aider à nous trouver un nouveau foyer.

J'allai dans ma chambre et sortis mon téléphone secret de mon placard. Après avoir tendu l'oreille pour m'assurer qu'il n'y avait personne autour, je composai le numéro inscrit sur le recto du dépliant. Je découvris qu'il y avait plusieurs groupes de Narcotiques anonymes qui se réunissaient quelques fois par semaine. Ils se rencontraient dans une pièce au fond de l'église sur Maple Street, à quelques pâtés de maisons le long de l'autoroute. Nous pouvions marcher jusque-là sans difficulté.

J'étais ravie. J'étais impatiente d'en parler à maman. Jax, c'était une autre histoire. Je savais que ces réunions pouvaient l'aider, mais j'étais certaine qu'en lui proposant d'aller là-bas, il penserait que je le traitais de faible et ça risquait de mal finir pour moi.

Un problème à la fois. Je passai le doigt sur l'écran du téléphone et remarquai une petite icône. Au-dessus d'elle, il y avait un numéro en rouge. Je le touchai du doigt et un dossier de messages s'ouvrit.

Je peux encore sentir ton odeur partout sur moi. Je n'arrête pas de penser à toi. Tucker.

Mon cœur bondit en relisant le message. Je me mordillai la lèvre en tapant rapidement une réponse.

Quand aura lieu ton concert?

Je tins le téléphone dans ma main comme s'il allait exécuter un tour de magie. Je n'arrivais pas à croire que je pouvais être assise ici et parler à Tucker chaque fois que je le désirais. Le téléphone bipa, me faisant sursauter, et je cliquai sur l'icône.

Ce soir. J'aimerais que tu sois ici.

Mon pouls accéléra.

Peut-être la prochaine fois.

Je pressai sur le bouton *ENVOYER*, mais je souhaitai pouvoir réécrire mon message. Je n'aurais pas dû écrire ça en sachant que je ne le reverrais probablement jamais. Ce n'était bon ni pour lui ni pour moi. Je rangeai le téléphone dans le placard et me rendis dans la salle de bain pour me brosser les dents et me peigner les cheveux. Il y avait une rencontre de NA aujourd'hui et je voulais m'assurer que ma mère y soit. Je me préparai aussi vite que possible, évitant de me regarder directement dans les yeux dans le miroir. J'étais déchirée : Tucker me manquait terriblement et je me détestais d'être tombée amoureuse de lui. Je savais que le temps finirait par tout effacer, mais l'attente me tuait. Une heure me semblait durer une vie. Maintenant, au moins, je pouvais me concentrer sur ma mère.

Je m'aspergeai le visage d'eau froide et la laissai couler dans mon cou tandis que je fermais les yeux et repoussais Tucker de mes pensées.

Quand je sortis de la salle de bain, je tombai sur Jackson dans le couloir. Il ne semblait pas complètement délirer ; il ne souffrait certainement pas autant que ma mère, qui vivait très difficilement le sevrage.

— Hé.

Il sourit et ses mains se glissèrent autour de ma taille tandis que nous changions de place. Le couloir était incroyablement étroit.

— Salut.

Je souris et m'étonnai de découvrir que mes joues brûlaient, les sentant rougir. Il avait une note taquine dans la voix, un son agréable à mes oreilles. Il entra dans la salle de bain et il me jeta un regard par-dessus son épaule, me faisant un clin d'œil avant de fermer la porte. Une minuscule étincelle d'espoir s'alluma dans mon ventre et je souris. Ce ne serait peut-être pas aussi difficile que je l'avais cru. Je me décidai à lui demander de nous accompagner à la rencontre plus tard. Le pire qu'il pouvait faire, c'était de dire non. Non, ce n'était pas vrai. Le pire qu'il pouvait faire c'était de me frapper, mais je chassai cette pensée de mon esprit et me dirigeai vers la chambre de ma mère.

Je frappai et attendis une réponse. Comme aucune réponse ne vint, j'ouvris la porte d'une poussée. Elle dormait au centre de son lit, les genoux remontés sur sa poitrine et elle était couverte d'une fine couche de sueur.

— Maman, murmurai-je en la secouant doucement par l'épaule.

Il fallut quelques tentatives avant que ses yeux ne s'ouvrent brusquement. Elle me regarda comme si elle n'avait aucune idée de qui j'étais, puis ses yeux se fixèrent sur moi et elle sortit enfin complètement de son cauchemar.

— Cass.

Elle se frotta les mains sur le visage plusieurs fois avant de s'asseoir.

— Qu'est-ce qu'il y a?

— Rien. C'est juste… Il y a un endroit où je veux que l'on aille.

— J'peux aller nulle part, Cass. J'ai l'air débraillé.

Elle se passa les doigts dans ses cheveux châtains emmêlés.

— Ça va, maman. Tu as l'air correct.

Je souris et lui attrapai la main pour l'aider à se lever. Elle commença à me suivre dans le couloir.

— Où m'emmènes-tu?

— Il y a une réunion à l'église Cobbler.

Je me rongeai nerveusement les ongles.

— Une réunion? Tu sais que je n'aime pas les religions organisées.

— Ce n'est pas une messe. C'est une rencontre de NA.

Ses pieds cessèrent de bouger et je me tournai pour la regarder en face.

— Je n'ai pas besoin de... je vais bien, Cass.

Elle croisa les bras sur sa poitrine en signe de défi, comme une enfant.

— Tu ne vas pas bien, maman. Personne ici ne va bien et nous devons tous guérir. Notre famille est brisée. J'ai besoin que tu m'aides à la réparer.

Je m'étais entièrement ouverte à elle. J'espérais qu'elle allait saisir la branche d'olivier que je lui offrais et qu'elle m'aiderait à améliorer les choses. Je savais que si elle ne le faisait pas, cette famille s'effondrerait et je ne pourrais plus la soutenir seule. J'étais fatiguée. Il ne me restait plus aucun esprit de combativité. Et maintenant, j'avais un énorme chemin à parcourir pour gagner à nouveau l'argent que je venais de perdre pour payer la dette de Jax.

J'attendis pendant qu'elle réfléchissait à ce que je venais de lui dire. Je savais qu'elle se sentait terriblement mal et qu'elle aimerait mieux se recroqueviller, être misérable, mais elle continua à avancer et passa devant moi pour aller dans le salon.

— Bien, nous ferions mieux de nous bouger dans ce cas, dit-elle.

Le sourire sur mon visage aurait pu éclairer toute la ville de Savannah. J'avais l'impression que mon cœur était en train d'être recollé dans ma poitrine.

À ce moment, Jax entra dans la pièce.

— Où allez-vous ?

Il décocha à ma mère un regard perplexe.

Elle ne répondit pas.

— Nous allons à une réunion à l'église. Une rencontre des NA. Tu veux venir ?

Je m'avançai vers lui. Le sourire sur mon visage se fit plus petit, mais ne disparut pas.

Il me rit longtemps au visage, d'un rire dur, avant de me faire un geste de la main.

— Vas-y. Amuse-toi.

Il s'affala sur le sofa et passa d'une chaîne de télévision à l'autre.

Je savais qu'il était inutile de discuter, alors je me retournai vers ma mère et je la conduisis vers la porte. Je m'occuperais de Jax plus tard. Pour l'instant, je voulais au moins m'assurer qu'elle aille mieux.

CHAPITRE 20

— Je m'appelle Anne et je suis toxicomane.

Elle joua avec le mouchoir dans sa main tandis qu'elle laissait son aveu résonner au fond d'elle.

— J'ai toujours aimé les médicaments. Qu'est-ce qu'il y a de mal à ça ? Si un médecin pouvait les prescrire…

Elle me jeta un coup d'œil tout en s'éclaircissant la gorge.

— J'ai commencé à en prendre pour ma douleur aux mains. J'étais coiffeuse avant.

Elle sourit, mais son sourire s'effaça vite.

Je repensai à l'époque où ma mère avait l'habitude de me coiffer à la maison. Quand mon père vivait encore avec nous. Je ne m'étais jamais rendu compte que sa dépendance s'était étalée sur une si grande partie de ma vie. Je tendis le bras vers elle et je serrai sa main dans la mienne, l'encourageant à poursuivre.

— J'ai commencé à consommer

— Continuez, Anne. Nous sommes ici pour vous écouter.

Elle hocha la tête et s'essuya le nez.

— J'ai commencé à consommer de l'héroïne avec Jackson, le petit ami de ma fille.

Les vannes s'ouvrirent et elle se mit à sangloter de manière saccadée.

L'homme reporta son attention sur moi.

— Tu le savais ?

— Je les ai surpris à consommer ensemble. Ils étaient tellement défoncés qu'ils ne savaient même pas qui j'étais.

— Ce n'était pas la première fois, Cass, avoua ma mère.

En quittant, je me dis que cette réunion s'était étonnamment bien passée. Ma mère avait parlé, mais elle ne s'était pas ouverte autant que je l'avais espéré. Néanmoins, pour sa première réunion, c'était un progrès stupéfiant. Je n'arrêtais pas de me dire que, pour moi, le plus important avait été de l'amener là. Elle pleura un peu, et moi aussi, mais nous pleurions surtout de soulagement. J'avais de nouveau l'impression que les choses allaient s'améliorer.

Avec le temps, nous allions pouvoir renforcer notre relation. Je le désirais plus que tout au monde. Après avoir encaissé mon chèque de paie, nous nous arrêtâmes dans un magasin pour faire provision des bonbons durs qui l'aideraient à soulager ses envies.

L'homme qui dirigeait la réunion m'avait attirée à l'écart pour m'informer que les choses allaient empirer de beaucoup avant de s'améliorer. Ma mère allait mourir d'envie de fuir la réalité et elle pourrait vouloir évacuer ses frustrations en s'en prenant à ses proches. J'imagine que ça m'incluait. Je m'en foutais. Je pouvais supporter n'importe quoi pour qu'elle aille mieux.

Nous marchâmes lentement jusqu'à la maison, savourant la brise avant la tempête imminente. L'ouragan avait changé de direction et finirait dans le Golfe. Nous allions quand même recevoir quelques orages violents venant des bandes spirales de pluie, mais il n'y avait pas de quoi s'inquiéter. La véritable inquiétude à avoir, c'était le nouvel ouragan qui se formait au milieu de l'océan. Néanmoins, on n'avait pas à y penser avant un bout de temps.

— Parle-moi plus de ce garçon.

Maman me fit un sourire tandis qu'elle dégustait une sucette à la fraise.

— C'est juste un gars.

Je lançai un bonbon dans ma bouche.

— Tu n'en aurais pas parlé s'il n'avait pas d'importance pour toi.

Ses questions me rendaient nerveuse. Si Jax apprenait un jour l'existence de Tucker, je le regretterais.

— Tout ce que tu me diras restera entre nous, Cass. Je sais comment il est, Jax.

— Je l'ai rencontré au restaurant. Il est beau et il ne s'en fait pas avec mon petit caractère.

Nous éclatâmes de rire toutes les deux.

— Alors, il est où ce prince charmant?

Elle sourit largement.

Je levai les yeux au ciel en entendant cette expression.

— Parti.

Je donnai un coup de pied dans la poussière au sol alors que nous arrivions dans le stationnement du restaurant.

Elle ne demanda pas où il était parti ni pour quelle raison. Elle n'avait pas besoin de le savoir. Nous ne dîmes rien de plus sur le sujet.

Nous répétâmes cette routine les huit semaines suivantes. Maman m'obligea lentement à m'ouvrir à propos de Tucker et elle m'écouta attentivement, sans me donner des conseils, mais sans me juger non plus. Je ne la lâchai pas et m'assurai qu'elle restait sobre. Ce n'était pas une mince affaire.

Jackson était loin d'être sobre, qu'il s'agisse de drogue ou d'alcool. J'avais recommencé à économiser et le ventre de mon ourson commençait finalement à se remplir un peu plus. Les perspectives étaient encourageantes. Je continuai à texter Tucker et à lui téléphoner en secret chaque fois que son horaire le permettait. J'essayais d'ignorer ses appels, mais une partie de moi croyait en nous. Il avait besoin de savoir que j'allais bien, alors je continuai à lui parler chaque jour, même si je savais que ça allait rendre les choses plus difficiles pour nous deux. La dernière fois que j'avais entendu parler de lui, il était en Pennsylvanie, se produisant au York Fairgrounds. J'essayai de prendre mes distances autant que possible, mais mon cœur refusait de le laisser partir. J'aurais à m'occuper de ça plus tard. Un morceau de casse-tête à la fois.

— Travailles-tu aujourd'hui, Cass?

Maman rassemblait la lessive afin de l'apporter à la buanderie.

Je levai les yeux vers elle et lui souris. C'était bon de la voir sortir seule. Elle était loin d'être guérie, mais elle faisait des progrès et je ne pouvais pas être plus fière d'elle.

— Je pars dans quelques minutes.

Je pris un de ses «bonbons thérapeutiques» dans un plat sur le comptoir et le lançai dans ma bouche. Je pense que je développais une dépendance au sucre. C'était un petit prix à payer pour maintenir ma mère en bonne santé.

— Je te verrai plus tard, alors.

Elle sourit pendant que je passais la porte d'entrée.

Je me faufilai en douce dans ma chambre et vérifiai les messages sur mon téléphone.

J'ai besoin de te parler. Tucker.

Je glissai le téléphone dans ma poche et me dirigeai vers l'extérieur.

Jackson ne me salua même pas au passage. Il était trop absorbé par le bulletin de nouvelles. Le dernier ouragan qui se dirigeait vers nous avait faibli alors qu'il parcourait la côte de la Floride. Au moment où il allait nous frapper, ce ne serait plus qu'une faible dépression tropicale. Ce qui n'était pas rien. Maintenant, il y en avait un autre et tout le monde était à nouveau sur les dents. Je n'étais pas inquiète. S'il arrivait, nous ne pouvions rien y faire. Nous n'avions pas les moyens d'évacuer notre maison.

Je me faufilai derrière la roulotte et composai le numéro de Tucker. Je sentis des papillons dans mon ventre quand j'entendis la sonnerie.

— Salut, mon cœur.

— Tucker…

— Je sais. Tu n'es pas mon cœur.

Il soupira profondément dans le téléphone.

— C'est comment la Pennsylvanie ?

Mes yeux scrutèrent les autres roulottes dans les environs pour m'assurer que personne ne m'observait.

— Nous sommes à New York, maintenant. Nous sommes arrivés vers minuit hier. Tu ne croiras pas comme il fait froid ici. Ce serait agréable d'avoir quelqu'un contre qui se blottir la nuit.

Je sentis mon cœur s'effondrer.

— J'ai vu que vous avez évité la tempête. J'étais inquiet.

— La météo est complètement folle, par contre. Je pense avoir attrapé quelque chose.

Je posai la main sur mon ventre.

— Est-ce que ça va ?

— Je vais survivre.

Je soupirai.

— Une simple gastro.

— Tu n'es pas bien depuis des semaines. Tu devrais consulter. J'aimerais être là pour prendre soin de toi.

— Je peux prendre soin de moi-même.

— Je vois ça... Merde, Cass. Je dois y aller. On doit reprendre la route.

— D'accord.

J'essayai de ne pas montrer ma tristesse.

— À plus tard, mon cœur.

— Salut.

Je rangeai le téléphone dans mon tablier et retournai rapidement dans la roulotte.

Mon ventre se mit à gargouiller quand je traversai le stationnement et j'espérai que Larry était de bonne humeur aujourd'hui et qu'il m'avait préparé mon petit déjeuner. Je détestais devoir payer pour ça. J'avais besoin d'économiser autant que je le pouvais.

— Salut, Larry, lançai-je dans le restaurant en me dirigeant vers le bac d'ustensiles propres.

Larry sortit la tête par la porte de la cuisine et leva sa spatule.

— Il est à peu près temps, répondit-il et il retourna dans son coin.

— Je ne suis pas en retard, lançai-je dans son dos.

Il réapparut avec les deux assiettes qu'il avait gardées pour nous. Je lui souris et me dirigeai vers notre box.

— Tu arrivais plus tôt, avant. Je m'ennuie de mon employée bénévole.

Je ris et lui jetai un regard taquin.

Larry ne me semblait plus être l'homme amer et méchant qu'il était. Il avait une vie difficile et il s'en accommodait un peu comme je le faisais moi-même. Nous n'étions pas si différents.

Nous mangeâmes en silence et pour une fois, je vidai mon assiette. La vie n'était pas si mal. Bien sûr, il me fallait encore aider Jax avec sa dépendance, mais même lui semblait aller mieux ces temps-ci. Nous n'avions pas eu de disputes majeures depuis des semaines, mais le stress de devoir prendre soin de nous trois avait encore des conséquences négatives sur mon corps. J'étais plus épuisée que jamais.

Quand je revins de la cuisine, Larry était encore assis dans le box, fixant la fenêtre sale.

— Tout va bien ?

Il ne passait jamais plus de temps que nécessaire à l'extérieur de la cuisine. Il agita la main pour chasser ma question, mais je voyais bien que quelque chose le préoccupait.

— Qu'est-ce qu'il y a ?

Je me glissai dans le box et j'appuyai ma tête sur mes mains.

— Tu es une bonne fille, Cass. Tu avais l'habitude de chercher la bagarre et avec la vie que tu as, personne ne t'en blâmait. Tu as beaucoup changé et Aggie et moi, nous sommes fiers de toi.

Il se releva du banc et marcha jusqu'à la cuisine, me laissant seule à la table. Je restai bouche bée.

C'était la chose la plus gentille que Larry ne m'avait jamais dite. Mes yeux se gonflèrent de larmes. Des larmes de joie. Pourquoi dernièrement étais-je aussi ridiculement émotive ? Mon humeur ne semblait pas avoir d'importance, je pleurais toujours pour quelque chose. Mon quart de travail fila à la vitesse de l'éclair et je me trouvai encore plus compréhensive et patiente avec mes clients. C'était stupéfiant de voir qu'un peu de gentillesse pouvait changer notre perspective de la vie. En assistant à de plus en plus de réunions avec maman, je comprenais que ces rencontres m'aidaient à me décharger d'une grande part de ma colère. Je commençais à comprendre pourquoi j'étais comme j'étais.

Après le boulot, je rejoignis ma mère dans le stationnement et nous prîmes la direction de la vieille église. La salle était bondée comme d'habitude et tout le monde qui était présent eut l'occasion de se présenter et de raconter son histoire.

— Aimerais-tu nous parler ? me demanda l'homme assis directement en face de moi tout en ajustant ses lunettes.

— Oh, non. Je suis ici seulement pour ma mère.

Je baissai les yeux sur mes mains, souhaitant que la pièce m'avale tout rond. Je détestais parler en public, particulièrement d'un sujet aussi personnel.

— Il n'y a personne ici pour te juger.

Toute l'attention de la salle était à présent centrée sur moi.

— Je m'appelle Cass. Ma mère et mon petit ami sont toxicomanes.

Tous ensemble, les gens dans la salle me saluèrent. Je ris nerveusement tandis que je me concentrais sur mes ongles.

— Ton petit ami est toxicomane ? Pourquoi, selon toi ?

Quelle étrange question. Je n'avais jamais essayé de comprendre. Les choses étaient comme elles étaient.

— Euh... bien, j'imagine qu'il a vécu beaucoup de choses négatives. Parfois, on ne peut pas toujours arranger les choses, vous savez? Parfois, les gens cherchent des moyens de guérir leurs émotions.

— C'est bon, Cass. Mais je me demandais pourquoi, selon toi, tu avais cherché un autre toxicomane pour partager ta vie.

— Oh heu En vérité, c'est lui qui m'a trouvée. Il m'a défendue, il m'a toujours un peu protégée.

— Mais, quand a-t-il commencé à prendre de la drogue? As-tu pensé qu'il vaudrait mieux prendre tes distances d'avec lui? Pour te protéger de lui?

— Jackson ne m'a jamais abandonnée. Je ne lui ferais pas ça.

— Intéressant. J'avais présumé que tu avais trouvé du réconfort auprès d'un autre toxicomane à cause de ta mère. Je ne suis pas sûr que ce soit ton cas. Cass, où est ton père dans cette histoire?

— Il est parti quand j'étais enfant.

Je sentis mon visage rougir pendant que tout se mettait en place. Jax avait pris la place que mon père avait abandonnée. Ça n'avait pas d'importance qu'il n'ait jamais été le bon gars pour moi, il remplissait un vide dans mon cœur.

Le lendemain, au travail, mon esprit vagabondait. Je pensais à mon père, à Jax et, même si j'essayais de l'écarter de mes pensées, à Tucker. La poche de mon tablier vibra et je bondis de mon siège pour me diriger vers les toilettes afin vérifier mes messages.

Tu me manques. Tuck.

Tu me manques aussi.

Je pressai la touche *ENVOYER* et attendis un autre message.

C'était bon d'entendre ta voix aujourd'hui. Tuck.

Fais pas ça, Tucker.

On arrive en Caroline du Sud. Je vais être là en fin de soirée. Tuck.

Mon cœur s'emballa quand je lus son message. Il revenait. Soudain, l'idée de le repousser me semblait impossible. Chaque os dans mon corps avait envie de lui.

Vraiment???

Je savais pas trop si je devais te le dire. Je sais pas si je pourrai supporter d'être si près de toi sans te voir.

Je sentis à ce moment des papillons dans mon ventre et j'avais l'impression que j'allais être malade. Nous avions déjà poussé notre chance et nous pourrions ne pas être aussi chanceux que nous l'avions été dans le passé. Ce n'était pas juste. Je voulais le voir plus que tout, mais je ne le pouvais pas. Ce ne serait pas juste pour Jax.

Je ne peux pas.

Ça va ? Il s'est passé quelque chose ?

Non, je vais bien. Vraiment. S'il te plaît, t'inquiète pas.

C'est impossible de ne pas m'inquiéter quand je n'ai aucun moyen de te voir.

Je suis désolée, Tucker.

Je mis le téléphone à sa place dans mon tablier et quittai les toilettes. Je sentis la vibration familière du téléphone, mais je m'obligeai à l'ignorer. Je terminai mon quart de travail comme si rien ne me préoccupait. J'étais bonne pour faire semblant. Quand il fut terminé, tout ce que je voulais, c'était de courir à la maison et de me prouver que j'avais raison. Jax commençait à s'en sortir. La vie commençait à aller mieux.

Dès que je fus dans le confort de ma chambre, je retirai mes vêtements de travail et enfilai quelque chose de plus confortable. Je me sentis malade lorsque je vérifiai les messages sur mon téléphone.

S'il te plaît. J'ai besoin de te voir. Tuck.

Cass, s'il te plaît ne me fais pas ça. Tuck.

Je vais rester au Marriott sur Hilton Head Island. Tuck.

Je rangeai le téléphone dans mon placard sans répondre. Tucker ne méritait pas ça. J'aurais dû lui dire beaucoup plus tôt que je ne pouvais plus lui parler. Même s'il me disait qu'il avait de l'affection pour moi, j'avais toujours su que nous ne pouvions rien partager de sérieux ensemble. Il était une vedette rock. Il méritait mieux. Je me recroquevillai en boule sur mon lit et m'obligeai à m'endormir.

Je ne rêvai pas de Tucker. Je ne rêvais presque plus maintenant. Je savais que je n'allais jamais plus avoir ce que je voulais et je tirais maintenant le maximum de ce que j'avais. C'était tout ce que je pouvais faire.

Lorsque je me réveillai le lendemain matin, je me levai et me rendis dans la cuisine pour y préparer du café.

Je sursautai lorsque je sentis le bout des doigts de Jax glisser le long de ma colonne vertébrale. Je ne l'avais même pas entendu arriver derrière moi.

— Ça va?

Il se pencha par-dessus mon épaule.

Je secouai la tête.

— Je ne me sens pas bien.

J'ouvris le robinet et commençai à laver quelques bols.

Il s'appuya contre le comptoir.

— Tu devrais peut-être prendre congé aujourd'hui. Tu travailles tout le temps. Tu aurais besoin d'une pause.

J'arrêtai ce que j'étais en train de faire et le regardai. Il se montrait sincère et attentionné. Je me détestais de pleurer à cause de Tucker. Je pris un torchon et essuyai les bols.

— Tu as raison. Je devrais simplement rester à la maison. Nous pourrions faire quelque chose d'amusant. Faire un pique-nique?

— Ouais, je veux dire, ce que tu veux.

Il se passa les mains sur le visage et s'éloigna du comptoir d'une poussée.

Je suppliai mes larmes de ne pas couler. C'était ce que j'avais toujours voulu. L'ancien Jax. Il revenait enfin.

Une fois qu'il fut parti, je m'essuyai les mains sur mon short et je retournai à ma chambre. J'enfilai un débardeur foncé et un short en jeans. Je m'emparai d'un billet de vingt dollars dans mon ourson et le glissai tout au fond de ma poche.

— Je vais aller nous chercher de quoi manger pour plus tard, lançai-je avant de sortir sous le soleil.

On n'avait vraiment pas l'impression qu'une tempête se préparait. Je relevai la tête vers le ciel et laissai les rayons du soleil me réchauffer la peau.

Je sortis du parc à roulottes et remontai la rue principale. Le trajet jusqu'à l'épicerie Stewart, notre épicerie du coin, ne prenait que cinq minutes à pied. C'était une journée parfaite pour une promenade. Il n'y avait pas trop d'humidité dans l'air. Il y avait même une brise agréable.

L'autoroute était un peu plus achalandée que d'habitude, les gens voulant quitter les lieux à cause de l'ouragan avant qu'une évacuation obligatoire ne soit décrétée. Il n'était pas prévu que la tempête atteigne la côte est de la Floride avant demain, mais les trombes de pluie devraient tomber sur nous tard dans la soirée.

Je me frayai un chemin dans le petit magasin et regardai autour de moi. Les tablettes étaient pratiquement vides. C'était habituel chaque fois qu'une tempête approchait. Je trouvai l'allée des pains et me décidai pour un sac de petits pains à salade parce que les pains réguliers avaient depuis longtemps été vendus. Mon estomac se mit à gargouiller quand je pris un pot de beurre d'arachides et de la confiture de fraises. C'était ce que Jackson préférait. Ensuite, je me rendis dans l'allée des boissons et je choisis une bouteille de vin. Ce n'était rien d'extraordinaire et elle ne coûtait que cinq dollars, mais ce vin avait un goût fruité et je savais que ça ajouterait une touche agréable à nos repas. Je pris une pêche pour la route et je me dirigeai vers la caisse.

Je payai et sortis sous le soleil avec le sourire aux lèvres. Lorsque Jax et moi étions jeunes, nous nous esquivions tout le temps en douce pour faire de petits pique-niques ensemble. C'était le seul temps où j'avais l'impression d'échapper à ma vie. Lui seul importait. Beaucoup de choses avaient changé depuis et nous savions tous les deux qu'être adulte ne réglait en rien les problèmes. Au contraire, les choses empiraient. La vie était beaucoup plus dure.

— Jax!

Je déposai les sacs d'épicerie sur le comptoir de la cuisine et je me dirigeai vers le couloir.

— Jax?

Je frappai à la porte de la salle de bain, mais je n'entendis qu'un grommellement. J'ouvris la porte lentement, ne voulant pas le déranger, mais désirant l'informer de ce que j'avais acheté pour notre sortie.

— Oh mon Dieu!

Jax était sur le plancher, affalé sur le côté. Un élastique tubulaire de couleur orange était encore autour de son bras et il tenait une aiguille dans la main opposée.

Il tourna lentement la tête vers moi.

— C'est une petite quantité. Je vais bien. Nous pouvons encore y aller, marmonna-t-il avant que sa vision ne devienne floue et que la drogue ne s'empare complètement de lui.

Je claquai la porte derrière moi et courus jusqu'à ma chambre. Que m'importait ce qui était juste pour Jax? Ce qu'il faisait n'était pas juste pour moi. Je ne pouvais pas croire que je me sois laissé tromper par Jax. Encore une fois. Soudainement, le mince sentiment d'espoir qui me permettait de garder la tête hors de l'eau et qui, en même temps, me gardait loin de Tucker depuis ces derniers mois explosa, ainsi que le reste de mon sentiment de loyauté envers Jax. Soudain, je compris très clairement que Jax n'avait pas un véritable désir de changer et que même la force de ma volonté ne pourrait jamais faire ressusciter ce garçon qui m'avait un jour amenée à la pêche et m'avait un jour fait me sentir en sécurité.

J'attrapai mes effets personnels dans ma chambre et fourrai mon argent dans mon sac à main. Je sortis le téléphone pour envoyer un message à Tucker.

Je suis en route.

Je me rendis dans la chambre à coucher de ma mère et lui remis le téléphone.

— Si tu as besoin de quelque chose, appelle à ce numéro-ci. Je reviens à la maison plus tard. Je t'aime.

Je posai un baiser sur son front et quittai les lieux.

CHAPITRE 21

Ce voyage en taxi sembla durer une éternité. Hilton Head était à environ une heure et demie de route et je savais que ce trajet coûterait une fortune, mais il en valait chaque cent. Je m'étais obligée à rester loin de Tucker, et tout ça, pour rien.

Ça me brisait le cœur de savoir ce que Tucker avait dû endurer à cause de ce que je croyais être la bonne chose à faire. J'étais une idiote. Je m'inquiétais toujours pour les autres. Je ne me permettais jamais de penser à moi en premier et j'étais fatiguée. C'était à mon tour.

Quand le taxi s'arrêta devant l'hôtel, je bondis en ouvrant la portière avant même que la voiture ne soit immobilisée.

Tucker se tenait debout à quelques mètres seulement du taxi, vêtu d'un jeans taille basse, foncé et délavé, et d'un t-shirt gris sombre qui épousait bien son torse. Je remis l'argent au chauffeur de taxi et m'élançai. Tucker me tendit les bras et je courus m'y réfugier en sautant et en serrant mes jambes autour de sa taille. C'était bon de le toucher de nouveau. Il me serra avec force et il embrassa mes cheveux encore et encore. La barbe naissante sur son visage non rasé me chatouilla les joues.

— Je suis désolée, Tucker. Je suis si désolée.

Je l'embrassai dans le cou.

— Chut... tout va bien. Tu es ici maintenant, mon cœur.

Il me caressa les cheveux tandis que je laissais lentement glisser mes jambes le long de son corps, puis je déposai la pointe des pieds au sol.

Il s'écarta un peu de moi, déposant ses mains de chaque côté de mon visage. Il essuya doucement mes larmes de joie avec ses pouces. J'appuyai mon visage contre sa main en lui embrassant la paume.

— Tu m'as tellement manqué, murmurai-je.

Il rit et un sourire s'étira sur son visage, creusant ses fossettes. Il attira mon visage vers lui et déposa un baiser sur mon front.

— Viens.

Ses doigts s'entremêlèrent aux miens, et nous entrâmes dans le hall d'entrée de l'hôtel et marchâmes jusqu'à l'ascenseur. Il fit glisser sa carte et m'enveloppa dans ses bras, debout derrière moi. Je laissai mon corps s'affaler sur le sien, je fermai les yeux et inspirai son parfum de noix de coco. Je me sentais en sécurité.

La cloche de l'ascenseur sonna et les portes s'ouvrirent beaucoup trop rapidement. Je ne voulais pas bouger. J'ouvris les yeux et m'aperçus que nous étions déjà dans sa chambre. Les murs étaient d'une couleur brun chocolat, illuminés par les luminaires bleu pâle et les peintures. Les comptoirs de la petite cuisine étaient beige moucheté et il y avait un réfrigérateur en acier inoxydable encastré dans le coin gauche. Un petit sofa brun était installé contre le mur droit et, directement en face, se trouvait la porte d'entrée de la chambre à coucher.

— Génial, dis-je avec stupéfaction alors que j'avançais d'un pas hors de l'ascenseur.

— J'ai pris une chambre plus luxueuse quand j'ai su que tu venais. Tu l'aimes?

— C'est extraordinaire. T'étais pas obligé.

Je secouai la tête et il sourit en se passant les mains dans les cheveux.

Il avança la main vers moi, plaça mes cheveux derrière mon oreille et il me fit un clin d'œil.

— Je ferais n'importe quoi pour toi, Cass.

Mes genoux ramollirent en entendant ces mots. Il avança d'un pas, réduisant la distance entre nous, et ses mains se refermèrent dans mon dos.

— Je suis tellement content que tu sois ici.

— Moi aussi.

Ses lèvres effleurèrent les miennes et tandis que ses yeux continuaient à scruter les miens, il se pressa douce-ment contre moi. Mes doigts remontèrent son torse ferme jusqu'à son cou pour afin de l'attirer plus près de moi. Avec sa langue, il convainquit ma bouche de s'ouvrir, ce que j'ac-ceptai avec bonheur.

Les portes de l'ascenseur s'ouvrirent brusquement et un homme s'éclaircit la gorge, me faisant sursauter et m'écarter de Tucker.

Il rit et se tourna vers l'homme.

— Laissez ça près du lit.

L'homme poussa dans la chambre un chariot plein de nourriture pendant que Tucker me lançait un regard interrogateur.

— As-tu faim?

Mon ventre gargouilla quand l'odeur de la nourriture emplit l'air. J'avais été tellement absorbée par Tucker, je n'avais même pas remarqué que je n'avais pas encore mangé de la journée.

— Très faim.

Il posa la main dans le creux de mon dos et me guida vers l'immense lit. La pièce était équipée d'une petite table, mais je n'allais pas me plaindre d'être seule dans une chambre à coucher avec Tucker.

Tucker donna un pourboire à l'homme qui le remercia et quitta la pièce. Tucker retira les cloches d'argent qui recouvraient les assiettes de nourriture, dévoilant un large éventail de mets prêts-à-manger. Mes yeux se posèrent sur la cuisse de poulet, qui était si imposante que je me demandai où ils avaient bien pu trouver un animal aussi gros. Le steak semblait juteux à vous donner l'eau à la bouche. Un autre plateau portait une haute pile de sand-wichs coupés en triangles et disposés parmi des montagnes de fruits exotiques coupés en tout petits morceaux. Je tendis la main et soulevai l'une des fourchettes, surprise de sa lourdeur. La poignée était ornée de fleurs et d'arabesques gravées dans le métal. Je n'avais jamais rien vu de tel auparavant.

— Je ne savais pas ce que tu aimais, alors j'ai commandé tout ce qui me semblait bon.

Ses lèvres, qui dessinaient un sourire coquin, tressaillirent.

— Ça a l'air incroyable.

Je me penchai pour inspirer l'odeur du steak, mais mon estomac se révulsa et j'eus l'impression que j'allais être malade.

— Oh, mon Dieu!

Je sautai en bas du lit et me dirigeai vers la première porte que je pus trouver. Heureusement, c'était celle de la salle de bain principale. Je me précipitai vers la toilette et m'agrippai aux côtés du siège. Je sentais que mon estomac se tordait, j'eus un haut-le-cœur et je me mis à vomir.

— Est-ce que ça va?

Tucker était derrière moi, rassemblant mes cheveux tandis que je continuais à avoir des haut-le-cœur, même si je n'avais pas mangé de la journée. Tucker tendit la main devant moi et tira la chasse.

— Te sens-tu encore malade?

Il se leva et remplit d'eau un verre qui était sur le comptoir. Je fis non de la tête et acceptai le verre, prenant de petites gorgées.

Il me caressa les cheveux plusieurs fois, les sourcils froncés.

— Ce n'est rien. Ça va et vient.

— As-tu consulté un médecin?

Je levai les yeux en entendant sa question. Évidemment que je n'avais pas vu de médecin. Qui avait les moyens de payer des frais exorbitants ou de manquer un jour de travail?

— C'est juste le stress.

— Si j'avais su que tu étais encore malade, je ne t'aurais pas demandé de venir.

Mon cœur se serra à ces mots et mon estomac se révulsa encore une fois, m'envoyant basculer vers la cuvette.

— Oh mon Dieu.

Je posai la tête sur la porcelaine froide.

— Je devrais peut-être appeler Dorris.

— Non.

Je me relevai d'un coup, me sentant immédiatement étourdie. Tucker enroula un bras autour de ma taille pour me stabiliser.

— Elle ne m'aime déjà pas beaucoup.

— Elle t'aime bien, elle est seulement... trop protectrice.

Il rit et je levai les yeux au ciel.

— C'est bien qu'elle te protège.

J'étais contente de savoir qu'il y avait quelqu'un qui veillait sur lui.

— Qui te protège, Cass?

— Moi.

Il me tourna pour que je le regarde en face, posant ses paumes de chaque côté de mon visage.

— Eh bien, maintenant, c'est moi.

Il coinça mes cheveux derrière mon oreille. Son beau visage était rongé par l'inquiétude. Je hochai lentement la tête et il m'attira plus près de lui, m'embrassant sur le front.

— Allonge-toi.

Il m'amena jusqu'au grand lit et il m'aida à m'y étendre comme si mon corps pouvait se briser. Il se glissa derrière moi, appuyant mon dos contre son torse. Ses lèvres déposèrent de doux baisers sur mon épaule.

— J'aimerais pouvoir éliminer toute ta douleur.

— Tu le fais déjà.

Je souris, songeant à la dernière fois où Tucker et moi étions dans une chambre d'hôtel, seuls tous les deux. Je poussai mon dos contre lui et il lâcha un rire.

— Je ne me suis jamais sentie aussi bien avec une autre personne qu'avec toi. Personne ne s'est jamais soucié de ce que je voulais ou de ce que je ressentais

Je laissai ma phrase inachevée, ne sachant pas trop comment lui dire que quand j'avais fait l'amour avec lui, c'était comme si c'était ma première fois...

Je centrai mon attention sur la petite table. On aurait dit qu'elle avait été volontairement brisée en petites pièces puis recollée morceau par morceau. C'était ainsi que je me sentais, comme si ma vie avait été démolie en un million de morceaux et que Tucker était la colle qui me retenait quand je voulais m'effondrer.

Il enfouit son visage dans mon cou. Je fixai la lampe sans la voir et comptai les morceaux de verre brisé. Quand il éloigna son corps du mien, je me sentis tout de suite vide à cause de la distance qu'il y avait entre nous.

— Je reviens tout de suite. J'ai juste besoin d'une petite minute.

Il se leva et se tourna pour quitter la chambre, mais il s'arrêta juste avant la porte.

— Est-ce que ça ira sans moi?

J'acquiesçai d'un signe de tête et il partit rapidement. Je me relevai du lit et me dirigeai vers le lavabo pour me rafraîchir. Ma peau était pâle et j'avais l'air aussi mal en point que je l'étais. Je pris la pâte dentifrice, en pressai un peu sur mon doigt pour me laver les dents, et je terminai de me rafraîchir la bouche avec le contenu de la bouteille de rince-bouche miniature. J'ouvris le robinet d'eau froide et m'aspergeai le visage.

— *Confessez-vous et soyez lavé de vos péchés par l'amour du Christ.*

Je m'avançai, la main blottie dans celle de ma mère. Je levai les yeux vers elle et elle pressa ma main pour me rassurer. Elle me lâcha et elle recula d'un pas tandis que je fixais le pasteur, qui me surplombait.

Je plaçai mes mains en coupe et les trempai dans l'eau glacée. Il pencha sa tête vers moi en souriant et je fus envoyée vers la file suivante. Je ne me sentais pas différente, mais j'espérais que ce que j'avais fait, quoi que ce fut, pour amener mon père à nous quitter me serait à présent pardonné afin de pouvoir le ravoir avec moi. Je voulais simplement être à nouveau heureuse.

J'entendis la cloche de l'ascenseur sonner et je sortis lentement de la salle de bain en cherchant Tucker. Il tenait un petit sac et il remit un peu d'argent au préposé qui était venu plus tôt. Tucker lui donna une claque sur l'épaule et le remercia avant de se tourner et de fixer son regard sur le mien, l'abaissant lorsqu'il revint vers la chambre.

Il m'avait presque rejoint quand son téléphone se mit à sonner. Il lança le sac sur le lit et décrocha le récepteur.

— Allô?

Je m'assis au bord du lit et examinai le chariot de nourriture à la recherche d'un morceau à manger qui ne me donnerait pas la nausée.

Tucker me tourna le dos et il baissa davantage la voix.

— Non. Je descends tout de suite. Merci.

Il raccrocha.

Je pris une poignée de raisins et les enfournai dans ma bouche.

Tucker se passa les mains dans les cheveux tout en serrant les paupières.

— Tout va bien?

— Tout ira bien.

Il attira ma tête vers lui et il m'embrassa rapidement sur le dessus de la tête.

— Dépêche-toi de revenir.

Je souris faiblement et mis un autre raisin dans ma bouche. Tucker quitta la chambre à coucher et quelques secondes plus tard, j'entendis le son familier de la cloche de l'ascenseur.

Je mis la main à l'intérieur du sac que Tucker avait laissé sur le lit et en sortis une bouteille de Pepto-Bismol. Je dévissai le capuchon et bus le tiers de la bouteille, priant pour que son contenu ne me remonte pas dans la gorge.

Je tendis la main derrière moi pour prendre le petit sac et le posai sur mes cuisses. Je l'ouvris et y découvris trois boîtes de tests de grossesse. Je laissai tomber le sac sur le plancher devant moi et son contenu s'éparpilla. Je portai vivement la main à ma bouche. Je ne pouvais pas être enceinte.

Ce n'était pas possible.

Alors même que j'y pensais, je savais que ça n'était pas vrai. J'oubliais souvent de prendre la pilule contraceptive et Jackson et moi on ne se touchait presque plus, alors ça m'était sorti de l'esprit.

Ma tête commençait à tourner. Je glissai au bord du lit et tombai à genoux. Je ramassai l'une des boîtes et relus ses inscriptions à travers mes larmes. Mon estomac se noua. Je rassemblai les boîtes et me dirigeai vers la salle de bain. Il était inutile d'être effrayée par ces tests. Soit j'étais enceinte, soit je ne l'étais pas. Je devais le savoir dès que possible.

Je déchirai la première boîte et lus rapidement les instructions. Elles étaient plutôt simples : je devais aller aux toilettes et attendre quelques minutes pour obtenir les résultats. Je déchirai toutes les boîtes et alignai les tests sur le comptoir. Je m'emparai des verres jetables près du lavabo et je pris mon courage à deux mains.

Les minutes s'écoulèrent comme s'il s'agissait d'heures. Je faisais les cent pas, les yeux rivés sur le réveille-matin qui se trouvait à côté du lit. Une fois le temps indiqué écoulé, je revins dans la salle de bain en courant. Je pris une profonde respiration pour me purifier tandis que mes yeux se promenaient sur les tests. Le premier montrait un signe d'addition, le deuxième avait deux lignes et le troisième disait *Enceinte*.

Le monde commença à tourner autour de moi et j'agrippai le bord du lavabo en serrant les paupières avec force. Ça ne pouvait être possible. Comment pouvais-je être enceinte? Après avoir passé une seule nuit passionnée avec Tucker? Était-ce même possible? Ça ne pouvait pas être vrai ça ne pouvait pas arriver... je fixai les petits bâtonnets blancs, souhaitant pouvoir faire disparaître ces lignes par ma seule volonté, faire en sorte que le plus devienne un moins. Mais je savais que ça ne se produirait pas. Une partie de moi devait le savoir depuis le début, devait savoir qu'il y avait une raison qui expliquait pourquoi je continuais à m'accrocher à Tucker. Parce que maintenant, une partie de lui était en moi.

Je ne pouvais pas m'occuper seule d'un bébé. Et puis, il y avait Jax Oh, mon Dieu! Je n'arrivais pas à réfléchir. Dans neuf mois, Tucker serait parti depuis longtemps et je ne pouvais pas m'occuper d'un bébé dans cette roulotte.

Je revins dans la chambre à coucher en chancelant et m'effondrai sur le lit, ramenant mes genoux sur ma poitrine tout en songeant à l'embarras dans lequel je m'étais plongée.

Je fermai les yeux et imaginai la nouvelle maison dont j'avais toujours rêvé. Je m'efforçai d'imaginer Tucker à mes côtés. Je m'efforçai de l'imaginer faisant partie de mon avenir. Je m'obligeai à prendre de profondes respirations tandis que je le voyais à mes côtés, sa main sur mon ventre sans cesse grossissant. Je pouvais le voir être là pour moi, prendre soin de moi. Je pouvais aussi voir Jackson. Le voir détruire tout ce qui me faisait sourire dans la vie. Je me secouai pour effacer cette terrible vision.

Mes yeux se tournèrent brièvement vers le réveille-matin. Où était Tucker ? J'avais besoin de lui plus que jamais. Je me levai du lit et me dirigeai vers l'ascenseur. Je devais le trouver. Je pressai le bouton du rez-de-chaussée tout en me tordant les mains ensemble. Ce trajet en ascenseur me sembla durer une vie entière.

Quand les portes s'ouvrirent enfin, je balayai du regard le hall d'entrée à la recherche de Tucker. Je le repérai alors qu'il était de dos près du comptoir de la réception. Pendant que je me dirigeais vers lui, je remarquai qu'il n'était pas seul. Il était avec une jeune femme. Ils semblaient avoir une conversation intense, mais ils parlaient à voix basse et je ne pouvais pas les entendre. Je m'arrêtai à quelques pas d'eux quand la brunette qui discutait avec lui croisa mon regard. Je reconnus immédiatement le visage que j'avais vu dans le magazine que Dorris m'avait laissé au restaurant. La brunette remonta ses mains sur le cou de Tucker et elle tira son visage vers le sien, l'embrassant passionnément. Je fus soudainement incapable de respirer. J'avais l'impression que l'on m'avait donné un coup de poing dans le ventre, que l'on m'avait coupé le souffle.

— Tucker.

Je détestais la voix tremblotante que j'avais quand je dis son nom. Il s'éloigna de la fille d'une poussée et tourna la tête pour me voir. Je me précipitai vers l'ascenseur. Je pressai le bouton à répétition. Je ne pouvais pas croire à quel point j'avais été stupide de penser que j'étais aussi spéciale pour Tucker qu'il l'était devenu pour moi. Bien sûr que non.

J'avais eu besoin de croire qu'il y avait quelque chose de mieux pour moi dans ce monde. J'avais cru à un conte de fées qui n'était visiblement pas réel, qui n'avait jamais été réel.

Les portes s'ouvrirent et je pressai le numéro d'un étage au hasard tandis que Tucker courrait vers moi. Les portes se fermèrent devant lui et je commençai ma descente aux enfers.

Les portes s'ouvrirent et je sortis au troisième étage, les jambes tremblantes. Je devais m'éloigner d'ici. J'avais besoin de m'enfuir. Je marchais en vacillant dans le corridor quand les portes de l'ascenseur s'ouvrirent de nouveau, laissant sortir Tucker qui se mit à courir derrière moi.

— Cass! Cass! Ne fais pas ça. Je ne te ferais pas de mal.

Il me rejoignit et posa la main dans le creux de mon dos.

— C'est trop tard.

Je sanglotai et m'écartai de lui.

Il se plaça devant moi et il m'enveloppa dans ses bras.

— S'il te plaît. Laisse-moi t'expliquer.

— M'expliquer? Je pense que je sais ce que j'ai vu. Aucune excuse ne réussira à effacer ça. Oh mon Dieu. C'était sa voix que j'ai entendue au téléphone, l'autre jour? Merde, tout s'explique maintenant. Tout ça, ce n'était qu'un jeu pour toi? Est-ce que je suis réellement aussi *stupide*?

Je le poussai loin de moi avec autant de force que je le pus.

— Non! Mon cœur, je ne t'ai pas menti.

— Je ne suis pas ton cœur, putain! Tu sais, je croyais que c'était impossible de souffrir plus que lorsque Jax me frappe, mais j'me trompais. Rien de tout ça ne se compare à la douleur que j'ai dans mon cœur en ce moment. J'avais *confiance* en toi!

Les portes de l'ascenseur se rouvrirent derrière moi et je me précipitai à l'intérieur, pressant le bouton à répétition. Les portes commencèrent à se refermer tandis que je fixais les yeux de Tucker remplis de larmes. Je m'effondrai sur le plancher de l'ascenseur et enroulai mes bras autour de mes genoux.

J'ignorais que je pouvais souffrir à ce point. J'aurais choisi n'importe quelle punition de Jax à n'importe quel moment, plutôt que d'éprouver ça.

Les portes s'ouvrirent et je me relevai, sortant en vacillant dans le hall d'entrée rempli de gens qui ne pouvaient se douter de ma tourmente intérieure. Je me frayai un chemin dans cette masse de gens.

— Il ne t'aimera jamais comme il m'aime, sale paumée, murmura dans mon oreille une voix féminine.

Je figeai sur place.

— Mon cœur!

La voix de Tucker m'appela derrière nous.

— Je suis juste ici, bébé, répondit la vache à tête brune.

J'étais fatiguée de fuir mes problèmes, lasse des gens qui s'amusaient à gâcher mon bonheur. Il était temps de me battre pour moi-même pour une fois. Au sens figuré et au sens…

Je pivotai brusquement et je balançai mon poing vers l'arrière. Il atterrit sur joue de la fille et fit tourner brusquement sa tête en arrière, ses cheveux bruns volant dans mon visage. Sa main se releva comme une flèche pour se poser sur son visage, sous le choc, tandis que sa bouche s'ouvrait.

Je mis mon poing dans mon autre main pour arrêter la douleur qui le faisait palpiter.

— Sécurité! cria un homme derrière le comptoir de la réception.

— C'est à *moi* qu'il parlait! crachai-je avec colère.

Les lèvres de Tucker se courbèrent en un petit sourire satisfait lorsqu'il se plaça devant moi. Je passai devant lui en retournant vers l'ascenseur. Il me suivit, sans même se donner la peine de regarder la femme que je venais de frapper.

Il était debout à côté de moi, tendant la main pour presser le bouton de sa chambre.

— C'était mon ex. C'était Cadence.

— Je m'en fous.

Je croisai les bras sur ma poitrine et j'essayai d'ignorer la nouvelle vague de nausée qui me submergeait.

— À en juger par la façon dont tu l'as frappée sans prévenir, je dirais que tu ne t'en fous pas du tout et je te dois une explication.

Je ne répondis pas, alors il poursuivit.

— Cadence est allée en désintox, mais je ne la reprendrai pas. Je ne pourrais pas. Tous les deux mois, elle resurgit et elle tente de me faire changer d'avis. Je retombe parfois dans son piège. Tout va bien pendant quelques semaines avant qu'elle rechute. Vivre ce genre de mode de vie n'est pas pour tout le monde. Je suis désolé je suis désolé que tu aies eu à voir ça.

Je me tournai pour regarder son visage.

— T'as pas… T'as pas changé d'idée?

Il prit mon visage entre ses deux mains.

— Jamais. Tu es tout ce que je veux, Cass. J'ai l'impression de t'avoir attendue toute ma vie. J'attendrai plus longtemps si c'est ce dont tu as besoin, mais moi, je reste là pour toi.

Je plongeai mon regard dans ses yeux, désespérément mêlée et dépassée par les événements. Il me fallait descendre de cette montagne russe où j'étais montée le jour de ma rencontre avec Tucker et je me devais d'atterrir en terrain sûr. Pouvais-je lui faire confiance ? Soudainement, je compris quelque chose d'autre.

— C'est elle qui vend ton histoire aux magazines.

— Alors, tu les lis ?

Il eut un sourire bête.

— Non. J'ai uniquement lu celui que Dorris m'a laissé au restaurant.

Ses yeux se plissèrent et je compris que j'en avais trop dit.

— Quand Dorris est-elle venue au restaurant ?

— T'inquiète pas de ça, Tucker. Je pense qu'elle s'inquiétait simplement pour toi. Elle essayait seulement de me faire peur.

Il serra la mâchoire et ne répondit pas. Je savais que je venais de provoquer de nouvelles frictions entre lui et sa mère adoptive.

La porte de sa chambre s'ouvrit enfin et j'avançai devant lui, attendant qu'il me suive.

Il le fit, me saisissant le coude pour me tourner vers lui, pour m'attirer contre lui.

— Elle n'a rien à dire sur ce qui se passe entre nous, je te le promets.

Je pressai mon visage contre son torse et écoutai son cœur battre rapidement contre ma joue. Son menton se posa sur ma tête. Je n'étais pas sûre qu'il allait ressentir la même chose une fois qu'il verrait les résultats des tests de grossesse, mais j'étais prête à le savoir. S'il voulait me voir partir, c'était mieux de le savoir maintenant.

CHAPITRE 22

— *J*'ai fait le test.

Je reculai et me tournai vers la chambre. J'avais l'impression d'attendre ma sentence de mort.

— Je ne voulais pas que tu vives ça toute seule. Je suis désolé.

Il me guida lentement vers la chambre à coucher et attendit près de la porte de la salle de bain.

Je me détachai de ses bras et pris une profonde respiration. Ça y était. Je pris un test et le tendis devant lui.

— Je suis enceinte.

Il baissa les yeux sur le test et les reporta sur moi deux fois avant de me soulever dans ses bras pour m'étreindre.

— Es-tu furieux contre moi?

— Non, mon cœur. Je ne suis pas furieux. Comment est-ce que je pourrais l'être? Mais j'ai peur.

— J'ai peur aussi.

J'enfouis mon visage dans son cou et j'inspirai son parfum.

— Ce n'est pas important…

Il était à court de mots.

— Ça n'a pas d'importance pour moi s'il n'est pas de moi. Il sera à *moi*. C'est *notre* bébé, Cass. Tu n'as pas besoin de t'inquiéter.

Il laissa lentement mes orteils retomber au sol. Mon cœur se gonfla. Je n'en revenais pas de toutes les responsabilités que cet homme était prêt à assumer pour moi.

— Ça fait longtemps, Tucker. Ce bébé ne peut pas être celui d'un autre.

Ses lèvres se collèrent aux miennes avec passion. Ses mains glissèrent en bas de mon échine et s'arrêtèrent juste en haut de mon short. J'inclinai mon corps vers le sien, sans pouvoir me rapprocher suffisamment à mon goût. Je suivis la ligne de sa lèvre supérieure avec ma langue et je sentis son gémissement vibrer en moi tandis qu'il nous faisait pivoter vers le lit. Je sentis le matelas contre mes jambes et je me glissai dessus sans que ma bouche quitte celle de Tucker. Il rampa sur moi, m'embrassant avec voracité alors que son corps se logeait entre mes cuisses.

Mes mains tâtèrent le bord de son t-shirt, le relevant afin que mes ongles remontent dans son dos. Il poussa ses hanches sur les miennes et je poussai un petit gémissement au contact de sa langue. Le téléphone à côté se mit à sonner. Tucker l'ignora, glissant la main sous mon débardeur et saisissant mon sein. Je m'arquai sous sa main. Le téléphone continuait de sonner.

— Merde, gronda Tucker tandis qu'il éloignait sa bouche de la mienne et qu'il posait sa tête sur ma joue pendant que nous reprenions notre souffle. Je dois le prendre.

J'acquiesçai d'un signe de tête, même si j'étais déçue.

Il tendit la main par-dessus nos têtes et s'empara du récepteur.

— Ouais?

Tout son corps était encore fermement pressé contre le mien. Il soupira bruyamment et descendit de mon corps pour s'asseoir au bord du lit, sa main libre courant dans sa chevelure. Je roulai sur le côté et posai ma tête sur son bras tandis que je regardais son dos musclé.

— OK. Monte.

Il ferma violemment le téléphone et se retourna vers moi. Il passa sa main sur ma mâchoire.

— C'était Dorris. Elle monte.

Je pouvais dire par son ton qu'il n'était pas content.

Je me relevai et rampai sur ses genoux. Je savais que ça allait barder. Cette femme me détestait déjà. Elle allait devenir folle lorsqu'elle apprendrait que j'étais enceinte.

L'ascenseur s'ouvrit et Dorris entra. Elle nous repéra tout de suite sur le lit et ne sembla pas étonnée.

— Pourquoi as-tu changé de chambre et qu'est-ce que c'était, ce putain de numéro de cirque dans le hall? As-tu la moindre idée de ce que je vais devoir faire pour arranger ça?

Elle me lança un regard et ses yeux retournèrent se poser immédiatement sur Tucker.

— J'avais besoin de plus d'espace.

Il haussa les épaules.

— Tucker, vas-tu aller au concert ce soir?

Les yeux de Tucker revinrent vers moi.

— Évidemment.

Ses bras se resserrèrent autour de moi.

— Après, je dois ramener Cass chez elle.

Mon cœur se serra. Je n'étais pas prête à le quitter.

Je commençai à m'écarter de lui, mais sa prise se resserra et il déposa un baiser rapide sur mon front.

— Nous devons aller chercher quelques-unes de ses affaires.

Mon cœur rebondit dans ma gorge. Chercher mes affaires ? Allait-il m'amener avec lui ? Je ne pouvais pas laisser ma mère sans plus de cérémonie et partir en tournée dans le pays. Pas avec un bébé. Pas après ce qui s'était passé avec son ancienne petite amie. Je songeai à la brunette dans le lobby qui promenait ses mains partout sur lui et j'eus l'impression que j'allais encore être malade.

— Chercher ses affaires ?

Dorris regarda le plancher en plissant les yeux.

Je quittai les bras de Tucker juste au moment où elle se penchait et prenait le petit bâtonnet blanc dans sa main. Ses yeux s'arrondirent comme des soucoupes tandis qu'elle lisait *Enceinte* sur le dessus du test.

— Occupe-toi de ça, Tucker.

Ses dents grincèrent lorsqu'elle parla.

Il répondit.

— Je ne vais pas...

Dorris agita la main.

— Occupe-toi de *ça*. Débarrasse-t'en.

Elle me regarda de haut en bas comme si elle était dégoûtée. Je me glissai en bas des genoux de Tucker et m'assis à côté de lui.

— Tu as travaillé trop dur. Le groupe a travaillé trop dur pour que tu gâches tout pour une une aventure.

Elle pivota et entra en trombe dans le salon.

— M'en débarrasser ? Est-ce que t'entends ce que tu dis ?

Il se releva du lit et se mit debout devant elle.

— T'as pas à te mêler de ça.

Elle posa la main sur son bras.

Il fit un mouvement pour la retirer.

— Comme mes parents ne se sont pas occupés de moi ? Tu veux que je jette mon enfant ? J'imagine que je peux tout simplement en ramasser un en chemin plus tard comme t'as fait.

— Ça, ce n'est pas juste de ta part, Tucker. Que tu aimes ça ou non, je suis ta mère et je ne veux que ton bien.

Elle lança les bras en l'air et, en furie, elle partit d'un pas pressé vers l'ascenseur.

— Je sais ce que je fais ! cria Tucker dans son dos.

Elle ne répondit pas. Les portes de l'ascenseur s'ouvrirent et elle entra, fixant un regard mauvais sur Tucker tandis que les portes se refermaient.

Il me serra contre son torse et me berça lentement.

— Je ne vais pas t'abandonner. Je ne ferai jamais ça. Je me fous de ce qu'elle pense.

Je hochai la tête, mais je savais que ce n'était pas vrai. Tucker avait un avenir devant lui et je ne me le pardonnerais jamais s'il le perdait par ma faute. Je posai la main sur mon ventre. Il était trop tard pour tout ça. J'avais déjà détruit son avenir. Sa main glissa sur la mienne.

— Promis, dit-il.

Je le laissai m'étreindre quelques minutes de plus avant de quitter ses bras.

— Tu dois te préparer pour ton concert.

Je baissai la tête en lui souriant, tandis qu'il se penchait pour déposer un baiser sur mon ventre.

— Amenons notre bébé à son premier concert.

Il se leva et se dirigea vers la salle de bain pour se préparer.

Je m'affalai sur le matelas et laissai ma tête retomber mollement dans mes mains, dépassée par la situation.

Tucker sortit de la salle de bain avec sa brosse à dents dans la bouche et il s'appuya contre le cadre de la porte.

— Tout ira bien.

Il pencha la tête d'un côté.

— Je sais, soupirai-je.

Il me décocha un grand sourire et retourna dans la salle de bain pour finir de se brosser les dents.

— Tucker?

Il se pencha en arrière afin que je puisse le voir par la porte de la salle de bain.

— Que voulais-tu dire par «aller chercher certaines de mes affaires»? M'amènes-tu en tournée avec toi?

J'étais nerveuse.

Il me lança un drôle de regard et il cracha dans le lavabo avant de répondre.

— Ça ne serait pas vraiment une bonne idée pour le bébé.

Il ouvrit l'eau et se rinça la bouche. Mon cœur se serra encore une fois. Ne pouvait-il pas me dire tout ce à quoi il pensait? L'eau cessa de couler puis Tucker sortit de la salle de bain et vint s'agenouiller devant moi. Il leva mon menton avec ses doigts afin que je le regarde droit dans les yeux.

— Je ne veux pas que notre bébé grandisse dans un autobus de tournée. Je veux que nous ayons un foyer. Je veux que tu crées un foyer pour nous. Toi et moi. Ensemble.

Je volai pratiquement dans ses bras et enroulai les miens autour de son cou. Je ne m'étais jamais sentie aussi protégée, aussi aimée. Ça pouvait-il vraiment être réel? C'était bouleversant après la journée que je venais d'avoir.

— Maintenant, allons-y. Je dois donner un spectacle qui déménage.

Je déposai un baiser rapide sur son nez.

— Allons-y, rock star.

Tucker me tira du lit et enroula un bras autour de ma taille tandis que nous marchions vers l'ascenseur. La journée n'aurait pas pu mieux se passer compte tenu de toutes les choses qui s'étaient produites, mais j'étais encore inquiète pour Tucker. Je ne voulais pas être responsable de la destruction de ses rêves, de sa relation avec Dorris. Il y avait aussi le fait dérangeant que nous n'aurions jamais fait ce pas de géant si je n'étais pas enceinte. Étais-je en train de l'obliger à faire ça ? S'engageait-il envers moi à cause d'un sentiment chevaleresque ou voulait-il vraiment faire sa vie avec moi ?

Nous entrâmes dans l'ascenseur pour partir. J'enroulai mes bras autour de la taille de Tucker et l'attirai plus près de moi. J'étais terrifiée par la soirée qui s'en venait et par ce qu'elle allait nous apporter comme surprises, mais je repoussai ces pensées au fond de mon esprit. J'allais voir Tucker donner un spectacle et j'avais très hâte.

Nous nous glissâmes dehors par la porte du fond du hall d'entrée et nous bondîmes sur la moto de Tucker.

— J'imagine que nous devrons nous procurer quelque chose de plus pratique bientôt, dit-il par-dessus son épaule.

Je l'étreignis avec force alors que sa moto rugissait et nous entrâmes en flèche sur l'autoroute principale de l'île.

Je fermai les yeux et pressai mon visage dans le dos de Tucker. J'espérai ne jamais oublier ce moment. J'étais optimiste et je voulais m'accrocher à ce sentiment le plus longtemps possible. Je repensai à tous les moments passés avec Tucker. J'avais couru beaucoup de risques pour être avec lui et à présent, il prenait un gros risque avec moi. L'idée d'avoir une petite famille me terrifiait. Je n'avais pas eu une bonne vie à la maison depuis que mon père était parti, de sorte que je n'avais jamais voulu fonder ma propre famille. Je ne pensais pas pouvoir créer un foyer heureux pour un enfant étant donné que je n'étais pas capable de m'en faire un pour moi-même.

La moto ralentit et vira à gauche, sur une rue secondaire qui était bordée d'arbres et de grandes maisons comme on en trouve au bord de la mer. Nous nous faufilâmes à travers quelques rues de plus et un petit parc avec des courts de tennis et un gros terrain de soccer caché.

Tucker s'arrêta à côté d'un petit bâtiment et recula sa moto dans une place de stationnement avant d'éteindre le moteur.

— Où sommes-nous ?

Je retirai mon casque et secouai mes cheveux.

— Tu verras.

Je relevai la jambe par-dessus la moto et m'étirai tandis que je tendais mon casque pour que Tucker le range.

— Viens.

Il me tendit la main et sourit. Je glissai mes doigts entre les siens et il me tira sur une petite route jusqu'à un trottoir en bitume entouré d'arbres.

— C'est beau !

Je pointai un petit étang à notre gauche.

— Ce n'est que le début.

Le pouce de Tucker dessinait de petits cercles sur le dos de ma main tandis que nous traversions une clairière qui débouchait sur un autre petit stationnement. Le sentier se poursuivait, mais cette fois, il était en sable.

— Nous sommes à la plage ?

Je me protégeai les yeux d'une main et tentai de regarder devant, mais je ne voyais pas l'eau. Tucker hocha la tête et je poussai un petit cri de joie. Nous marchâmes encore un peu avant de voir apparaître l'eau scintillante à l'horizon.

Le long de l'eau, je vis aussi une imposante masse de personnes regroupées autour d'une scène noire qui avait été érigée devant l'océan. Dorris nous attendait à l'entrée du sentier qui menait à la plage. Elle me décocha un regard noir et nous amena vite vers le reste du groupe, qui traînait derrière la scène avec l'équipe technique et quelques autres groupes musicaux.

— Salut, mec.

Chris donna une claque sur la main de Tucker et l'attira vers lui afin que leur épaule se frappe amicalement l'une contre l'autre. Il me fit un salut de la tête avec un grand sourire.

— Quoi de neuf, Cass?

Je souris et coinçai mes cheveux derrière mes oreilles, mais je ne savais pas du tout par où commencer pour répondre à sa question.

Un homme monta sur scène et commença à électriser la foule. Les gens applaudissaient et criaient d'une manière tellement assourdissante qu'il m'était impossible d'entendre mes propres pensées. Ce n'était pas nécessairement une mauvaise chose.

Apparemment, Damaged était le premier groupe à jouer ce soir-là. Tucker m'attira contre son torse et me donna un baiser rapide avant de faire un signe de tête à Dorris. Elle passa son bras sous le mien et me guida à l'avant de la foule devant la scène afin que je puisse regarder le spectacle. Dès que nous arrivâmes, je libérai rapidement mon bras.

L'homme parlait encore sur la scène et Dorris se pencha plus près de moi pour que je puisse l'entendre.

— Tucker est un homme bien et il ferait tout ce qu'il faut pour agir correctement, mais ce groupe est son rêve et je ne le laisserai pas le jeter aux orties.

Ses yeux restaient fixés sur la scène devant elle pendant qu'elle parlait.

— Alors, nous sommes d'accord, lui assurai-je tandis que Damaged montait sur scène.

Les gens autour de nous devinrent dingues, mettant efficacement fin à notre conversation.

J'applaudis avec tous les autres quand Tucker apparut. Il sourit en me voyant et il me fit un clin d'œil, faisant fondre mon cœur en flaque à mes pieds. Les Jumeaux Tordus commencèrent à jouer de la guitare et l'enthousiasme de la foule ne fit que s'intensifier. Ils commencèrent par la chanson *Loved*. Mon cœur fondit au son de la voix de Tucker.

Ses yeux se fixèrent sur les miens pendant qu'il chantait à propos des kilomètres à parcourir avant d'arriver à ma porte. Ma main alla sur mon ventre et je me balançai avec la foule pendant qu'il chantait pour moi. Je jetai un regard en coin à Dorris, qui souriait fièrement vers le groupe. Elle avait raison de s'inquiéter de l'avenir de Tucker. Moi aussi, je m'inquiétais. Je ne voulais pas lui enlever ça. Il était né pour faire ce métier. Néanmoins, l'idée de passer ma vie avec Tucker était trop bonne pour y résister. Même s'il était sur la route des mois complets, nous pouvions nous arranger pour que ça fonctionne, n'est-ce pas ? Des gens l'avaient toujours fait.

La chanson se termina et le groupe passa avec fluidité à la chanson suivante, qui parlait de détermination et de peur. J'étais assurément capable de comprendre les paroles et elles me firent venir les larmes aux yeux. Cette chanson était beaucoup plus intense et il la chanta presque au complet les yeux fermés.

Tout notre monde s'effondrait autour de nous et Tucker était capable de me faire me sentir en sécurité et aimée pour la première fois de ma vie, d'aussi loin que remontaient mes souvenirs. Le jour où il était entré dans le restaurant avait changé ma vie et provoqué une série d'événements qui, au bout du compte, changerait le cours de nos vies pour toujours, pour le bien ou pour le pire. Je ne savais pas ce qui l'avait amené à moi, si c'était le destin ou le karma, mais j'étais reconnaissante de l'avoir dans ma vie, même si tout s'écroulait autour de nous.

Le soleil disparut vite derrière nous et étincelait sur l'eau derrière la scène. C'était magique. Les femmes autour de moi chantaient en chœur ses belles paroles et je me joignis à elle.

Tucker effectua une transition vers une nouvelle chanson que je n'avais pas encore entendue, à propos de secrets. Je rougis quand ses yeux se fixèrent sur moi lorsqu'il chanta *I Want You So Bad*. J'en adorai chaque minute. J'aurais voulu qu'elle ne s'arrête jamais, mais bientôt la chanson fut terminée et c'était le tour du groupe suivant de jouer.

Je suivis Dorris derrière la scène où Tucker buvait une longue gorgée d'eau d'une bouteille. Ses yeux s'illuminèrent lorsqu'il me vit. Son bras s'accrocha à mon cou et il pressa ses lèvres humides sur mon front.

— Hé, les gars, dit Dorris aux membres du groupe, qui scrutaient déjà la foule à la recherche de femmes.

Ils se rassemblèrent autour de Tucker et moi et ils attendirent d'entendre ce qu'elle avait à dire.

— Vas-y, Tucker. Partage ta nouvelle avec ton groupe. C'est aussi avec leur avenir que tu joues.

Le bras de Tucker se resserra autour de moi.

— Je suis désolé, murmura-t-il dans mon oreille avant de m'embrasser la joue. Cass et moi, nous allons avoir un bébé.

Tous les yeux se promenèrent de Tucker à moi et au début, personne ne parla. Je retins mon souffle pendant que j'attendais qu'ils disent quelque chose, n'importe quoi.

— Ça alors.

Chris s'avança en se passant une main sur le visage, sous le choc, avant d'attirer Tucker dans une étreinte. Terry suivit son exemple, tapotant Tucker dans le dos et lui murmurant quelque chose. On pouvait voir une expression d'inquiétude dans leurs yeux, mais ils s'efforçaient surtout de sembler heureux pour Tucker.

— Eric?

Tucker regardait son batteur, attendant une réponse pendant que nous retenions notre souffle.

Les yeux d'Eric se tournèrent durement vers moi avant de se reporter sur la scène et de frapper une grosse malle qui était appuyée à l'arrière.

— Fais pas ça, mec.

— Fais pas ça? Faire quoi, Tucker? Bousiller tout notre avenir pendant que vous pensez juste à vous? C'est ça que *moi* je fais, mec?

— Ce n'était pas prévu. C'est arrivé, c'est tout.

— Ouais, ben, ça peut ne plus arriver.

Eric fulminait et une petite foule commença à le remarquer.

Tucker s'avança, il donna une poussée sur le torse d'Eric et il pointa un doigt sur lui.

— Putain, ne parle plus jamais de mon enfant comme ça.

— Pense à c'que tu dis.

Terry s'interposa entre eux.

— Il dit seulement ce que vous pensez tous, dit Dorris en croisant les bras sur sa poitrine.

— C'est assez ! lui hurla dessus Tucker avant de prendre une grande respiration. Dorris, j't'aime comme une mère. J'aurais vraiment besoin d'une mère en ce moment. Tu sais que ce groupe a toujours été mon rêve et rien de tout ça n'y changera quelque chose.

Il se passa la main dans les cheveux.

— Vous êtes comme ma famille.

Il se tourna vers le groupe.

— Cass est ma famille aussi maintenant.

Il rencontra leur regard l'un après l'autre.

— Ne m'obligez pas à choisir.

L'avertissement ne passa pas inaperçu.

— Parce que c'est elle que je choisirai.

Eric s'avança, défiant du regard Tucker, qui refusa de détourner le sien. Il ne rusait pas, il allait tout mettre en jeu pour moi et ce bébé. Eric soupira et regarda au ciel un moment avant d'attirer Tucker dans une étreinte à un bras. Les autres membres du groupe l'imitèrent.

J'étais incroyablement soulagée. Je ne voulais pas être une cause de problèmes entre Tucker et son groupe, bien que, ça ne faisait pas de doute, une conversation bien plus longue se tiendrait en mon absence.

Le groupe suivant monta sur scène et il fut impossible de continuer à parler. Tucker s'appuya contre Terry pour lui parler directement à l'oreille. Ce dernier hocha la tête et donna un dernier câlin à Tucker avant qu'il m'amène de nouveau vers le sentier de sable par lequel nous étions arrivés.

CHAPITRE 23

*O*ù est-ce que nous allons ? lançai-je à Tucker avec un regard interrogateur.

— Chercher tes affaires.

Il sourit largement et m'étreignit la hanche. Je ravalai la boule dans ma gorge, la réalité me submergeant tout à coup. J'allais devoir affronter Jax.

— Ça ira, ne t'inquiète pas. Ce n'est qu'un nouveau début.

J'offris un faible sourire à Tucker. Il avait raison. Après ce soir, nous pourrions être ensemble et je n'aurais plus à me soucier de rien sauf de notre avenir et de notre famille. Je pris une profonde respiration et essayai de chasser mon inquiétude tandis que nous remontions le sentier.

Quand nous rejoignîmes sa moto, il m'attira dans ses bras et il m'étreignit avec force tout en me murmurant à l'oreille :

— Je sais que tu as peur. J'ai peur aussi. Nous pouvons traverser ça ensemble.

Il pressa ses lèvres sur mon cou avant de m'éloigner un peu pour me regarder droit dans les yeux. Je hochai la tête et pris mon casque à l'arrière de la moto.

— Comment tu peux être certain que tout s'arrangera ?

J'étais terrifiée et je ne comprenais pas son comportement calme.

Il haussa les épaules et regarda au loin.

— Pas le choix. Je ne pourrai plus jamais vivre avec moi-même dans le cas contraire. Je ne ferai pas les mêmes erreurs que mes parents.

Il pressa la main sur mon ventre et son humeur s'égaya.

Je passai mes doigts sur sa joue et le long de sa mâchoire, qui se contractèrent sous ma caresse. Je ne comprenais toujours pas comment il avait pu traverser autant d'épreuves dans sa vie et finir d'une manière aussi extraordinaire.

— Allons commencer notre nouvelle vie.

Je baissai le casque sur ma tête.

Tucker repoussa doucement mes cheveux de mon visage et il s'occupa de fermer l'attache sous mon menton. Il me donna un baiser rapide sur les lèvres et il enfila lui aussi son casque.

Le trajet du retour jusqu'à la roulotte semblait toujours plus rapide que celui du départ. Je savais que Jax serait très probablement complètement dans les vapes et que j'avais peu de raisons de m'inquiéter, mais j'étais tout de même craintive. Des orages approchaient et le tonnerre claqua tandis que des éclairs striaient le ciel. Ça illustrait parfaitement la journée que nous venions de passer. Aujourd'hui, tout changerait, soit en bien, soit en mal, mais j'étais prête pour ça.

Alors que nous roulions sur le stationnement du restaurant, Tucker se gara près de la clôture du parc à roulottes et je m'obligeai à descendre lentement de la moto. Il y avait un silence inquiétant. Tout le monde était à l'intérieur à se préparer avant que mère Nature ne se déchaîne avec fureur.

— Attends-moi chez Aggie's. J'ai seulement besoin de prendre quelques effets et de parler à ma mère.

Je retirai mon casque et le tendis à Tucker.

— Je ne pense pas que ce soit une bonne idée que tu y ailles seule.

Il descendit de la moto. Je le regardai mettre nos casques sur les poignées. Je soupirai, ne voulant pas avoir cette discussion. Si Jax était réveillé, les choses s'envenimeraient rapidement en présence de Tucker.

— Ça ira. Promis. Je serai entrée et ressortie en cinq minutes. Il n'est même pas au courant pour nous.

Je me penchai vers lui et je pressai mes lèvres sur sa joue, m'y attardant quelques secondes supplémentaires.

— Ça ira pour moi. J'ai fait ça souvent depuis notre rencontre.

— Cinq minutes, sinon je viens te chercher, mon cœur.

Il était sérieux et il était inutile d'essayer de le convaincre d'agir autrement. Je hochai la tête et me frayai un chemin à travers la clôture. Je regardai par-dessus mon épaule pour voir Tucker me fixer du regard avant d'avancer de quelques pas et de se diriger vers la porte du restaurant.

Ça y était. Ma vie changeait et en l'espace d'un clin d'œil, tout serait différent. Je pris une profonde respiration et ouvris la porte de la roulotte.

Le salon était vide et le seul son qu'il y avait provenait du téléviseur. Je lâchai un soupir de soulagement devant la grande finale de mes déboires qui n'aurait finalement pas lieu. Toutes les lumières étaient éteintes, mais quand un éclair frappa, je pus voir parfaitement bien dans le corridor étroit. Je contournai le seau et agrippai la poignée de la porte de ma chambre à coucher. Je poussai pour l'ouvrir juste au moment où un autre éclair brilla, suivi du claquement bruyant du tonnerre. Jackson était assis sur mon lit.

C'était la seule chose qui n'était pas renversée et mise en pièce dans ma chambre. Ma commode gisait sur son flanc, les tiroirs étaient ouverts et leur contenu, éparpillé sur le plancher. Les portes de mon placard étaient arrachées de leurs rails et reposaient à l'autre extrémité de la pièce. Mes belles robes étaient en lambeaux, dispersées sur les débris qui constituaient auparavant tout mon univers. On aurait dit qu'une tornade avait décidé de s'abattre exclusivement sur ma chambre. Cette tornade me regardait droit dans les yeux.

— Bordel de merde, t'étais où, putain?

Sa voix était basse et menaçante. Ses yeux se levèrent lentement pour rencontrer les miens.

J'essayai de parler, mais ma gorge enfla et se ferma de peur. Jackson se leva et s'approcha assez pour que je puisse sentir l'alcool dans son haleine. Je fermai les yeux et rassemblai tout mon courage pour l'affronter une dernière fois.

— Avant que tu mentes, putain, je suis allé au restaurant et j'ai aussi échangé quelques mots avec ta bonne à rien de mère.

Il me contempla avec dégoût.

— Je sais que t'as menti sur l'endroit où t'étais l'autre soir, espèce de putain.

Mes yeux s'ouvrirent brusquement tandis que mes secrets se déversaient de sa bouche. Je tressaillis en entendant ces mots. Mes secrets ne m'avaient jamais blessée auparavant. Je me rendis compte que depuis quelques jours, j'avais commencé à douter de la réalité de ces secrets..

— Tu as beaucoup menti dernièrement.

Il sourit et j'en eus un frisson le long de la colonne vertébrale.

— Va te faire foutre, dis-je d'une voix étranglée.

Le premier coup atterrit sur le côté de mon visage. Je ne savais pas si un éclair avait brillé ou si ma vision était défaillante. Un jet de douleur chaude me frappa de côté et je me cognai contre le mur derrière moi. Je pris mon visage dans mes mains, espérant me protéger du prochain coup. En vain. Le coup suivant vint de son poing fermé et toucha mon ventre. Je tombai sur le dos et me recroquevillai en boule, haletant pour chercher mon souffle. Je ne pouvais pas respirer. Je luttais pour prendre une inspiration tandis que son pied s'abattait violemment sur ma hanche.

— Comment as-tu pu me faire ça ? cria-t-il se penchant au-dessus de moi avec des yeux rouges.

Je tendis la main vers lui, le suppliant de m'aider tandis que je réussissais finalement à respirer.

Il frappa ma main de dégoût.

— Tout ça, c'est de ta faute ! J'voulais pas en venir à ça.

Il se passa les mains dans les cheveux avec colère.

— Jax, s'il te plaît fais pas ça. S'il te plaît, j'suis désolée.

Il me regarda avec de la douleur dans les yeux et il secoua la tête.

— Il est trop tard.

Il était calme et ça m'effraya plus que ses cris.

Il se pencha sur moi, prenant mon pull dans ses poings et il tira mon corps du sol en se penchant plus près.

— Tout ça, c'est ta faute.

Il lâcha mon corps et il s'élança avec le poing fermé. Sa main se frappa contre ma tempe et le monde se mit à tourner autour de moi tandis que mon corps absorbait le choc.

— Je t'aimais, sanglota-t-il.

Je pleurai, sanglotai alors que la douleur prenait le dessus. Je voulus tout abandonner à ce moment-là, que tout s'arrête. Si je n'allais pas sortir vivante de cette roulotte, je voulais que tout se termine rapidement.

— Dis quelque chose ! cria-t-il alors que la colère prenait le dessus.

Je me couvris le visage avec mes bras pour me protéger.

— Finis-en, gémis-je en levant les yeux sur lui.

Il rit et secoua la tête.

— Même ta mère n'a pas abandonné aussi facilement.

La panique me submergea alors que la volonté de me battre s'intensifiait. *Qu'avais-je fait ?*

Je me précipitai hors de la chambre à quatre pattes pour me rendre à celle de ma mère. Le corps ensanglanté et meurtri de ma mère apparut. Elle était allongée de tout son long sur le plancher, ses yeux dans le vide, aveugles.

— Oh mon Dieu ! Jackson ! criai-je.

Ses doigts me lâchèrent et je filai à côté de ma mère, la poussant sur le dos.

— Maman !

J'agrippai son pull, voulant désespérément la réveiller. Je posai ma joue sur son visage, espérant l'entendre respirer, mais ma tête tournait à cause de la douleur que m'avait infligée Jax. Je posai ma bouche sur celle de ma mère et lui pinçai le nez. J'essayai de lui insuffler la vie alors même que je commençais à faire de l'hyperventilation.

— Maman !

Je m'accrochais à son corps sans vie, priant pour que l'on prenne ma vie à la place de la sienne.

— Tu ne peux pas, sanglotai-je alors que mes doigts se détachaient du tissu trempé de sang de son pull. Tu ne peux pas me quitter, maman! Oh, mon Dieu! Qu'est-ce que t'as fait?

Mes doigts étaient tachés du sang de ma mère et je les frottai sur mes propres vêtements, cherchant désespérément à le faire disparaître.

— Tu pensais que j'allais te laisser partir, Cass?

Son pied recula et il me donna un violent coup dans le dos. Mon échine se redressa brusquement et je tombai sur le plancher aux pieds de ma mère. Je criai sous cette douleur atroce tandis que j'essayais de me recroqueviller en boule pour me protéger. Ce n'était pas la première fois que Jackson me frappait, mais cette fois je l'avais mis dans une rage noire et j'avais libéré le monstre qui s'était tapi juste sous la surface tout au long de ces années. J'ignorais jusqu'où il irait ou s'il respecterait sa promesse de mettre fin à ma misère. Je devais protéger mon bébé à tout prix. Je tentai de me relever sur mes mains et mes genoux encore une fois, balayant la pièce du regard à la recherche de mon téléphone. Jackson se contenta de rire devant mes sanglots.

— C'est ça qu'tu cherches?

Il lança le téléphone sur le sol. Je me précipitai vers l'appareil et l'ouvris en le renversant d'un coup sec, priant pour que je puisse empêcher mes doigts de trembler assez longtemps pour composer le numéro de Tucker.

— C'est qui, Cass? Ce foutu connard du restaurant? Je vais le tuer, putain.

Un autre coup de pied. Celui-là me frappa à l'arrière des cuisses, envoyant le téléphone valser sur le plancher dans la flaque de sang poisseuse.

— Personne! criai-je en tentant désespérément de me protéger.

Ses coups cessèrent, mais je n'osai pas lever les yeux pour voir ce qu'il faisait. J'avais déjà commis cette erreur auparavant. Il ne faut jamais laisser son visage à découvert. La dernière fois, je m'étais promenée avec une joue gonflée d'ecchymoses pendant trois semaines.

Sa main tordit mes cheveux alors qu'il me tirait debout. La douleur dans mon dos vibra dans tout mon corps pendant que j'essayais de rétablir mon équilibre. Depuis combien de temps étais-je ici ? Mon cerveau travaillait à toute allure tandis que j'essayais de compter les minutes. Ça me paraissait une éternité. Tucker devrait venir me chercher bientôt. Je ne savais pas si ce serait assez vite. Une douleur paralysante irradia en moi, partant du ventre et pénétrant mon torse douloureux.

Son visage se pressa sur ma joue tandis qu'il murmurait à mon oreille :

— Tu veux agir comme une putain ? Je vais te traiter comme une putain.

J'avais envie de vomir. Je vacillai et trébuchai en essayant de me libérer. Il rit pendant qu'il me traînait jusqu'à ma chambre. Ma tête tournait, noyée dans la douleur et mes yeux étaient embrouillés par les larmes.

— Non ! Non !

Mes mains tentèrent d'arrêter les siennes et je le griffai, essayant de me libérer. Il rit en me poussant dans la chambre. Je lui donnai des coups de pied et des ruades, voulant désespérément me libérer.

Il lâcha enfin mes cheveux et je tombai sur le bord de mon lit, puis par terre. Je me relevai rapidement et me précipitai vers ma commode, attrapant dans mes bras l'ourson en peluche de mon père qui était appuyé sur le mur. Il me fallait partir, être n'importe où sauf ici.

Jackson pencha la tête d'un côté et il sourit.

— Cet ourson ne te protégera pas tout comme ton père ne t'a pas protégée des gars que ta putain de mère a amenés ici.

Mon sang bouillait à présent. Je plissai les yeux dans sa direction tout en serrant l'ourson contre mon cœur. Il me fallait seulement passer devant lui. Si je réussissais à sortir par la porte, je savais que je pouvais courir plus vite que lui.

— C'était un autre secret que tu me cachais.

Ses yeux regardèrent brièvement l'ourson et il s'approcha d'un pas. Jackson poussa un autre rire sadique tandis qu'il éliminait rapidement la distance entre nous. Ses bras s'enroulèrent autour de ma taille pour me soulever et me lancer sur le lit. J'atterris durement sur mon dos douloureux, son corps s'écrasant ensuite sur le mien.

Je frappai son torse avec mes poings, essayant de relever mes genoux entre nous.

— Je te déteste!

Je serrai les dents tandis que je me débattais pour avoir le dessus sur lui. Ses mains trouvèrent mes poignets et il cloua les miennes au-dessus de ma tête avec une seule de ses mains. Il me frappa violemment au visage et ma bouche se remplit du goût métallique du sang.

— C'est bon.

Il glissa sa main entre nous et il releva mon pull.

— Au secours! criai-je.

Jackson s'immobilisa une seconde, écoutant avant de sourire vers moi.

— Y a personne qui va t'aider, Cass.

Je libérai une de mes mains et le frappai aussi fort que je le pus au visage. Ma paume brûlait à cause de ce contact violent. Chaque once de la rage et de la douleur que je ressentais s'étaient rassemblées dans ce coup. Jackson reporta lentement son regard sur moi, un petit filet de sang suintant de sa lèvre inférieure. Sa main libre se précipita sur ma gorge, l'agrippa et la serra sans pitié. Je donnai des coups de pied et essayai de le combattre, cherchant désespérément de l'air. Ses yeux plongèrent dans les miens tandis qu'il poussait ses hanches contre les miennes. Son autre main tira sur mon short, le tissu s'enfonçant dans ma chair pendant qu'il l'arrachait.

— Petite pute de merde, gronda-t-il tandis que sa prise se resserrait.

Je pouvais sentir mon visage se refroidir à cause du manque de circulation sanguine. Je n'avais pas peur de mourir, de mettre fin à cette douleur, mais je ne voulais pas quitter ce monde en regardant les yeux de Jackson.

Un coup violent retentit dans l'entrée de la maison. Tucker était arrivé. Il était venu me sauver. Les yeux de Jackson se fixèrent sur les miens une minute et je priai pour qu'il ne me tue pas avant que je puisse voir Tucker.

— On dirait que le plaisir est fini.

Jackson m'embrassa sur la joue et il souleva son poids de sur mon corps. Je tentai désespérément de reprendre mon souffle tandis qu'il sortait de la chambre en trébuchant. Je pouvais entendre la porte d'entrée ouverte se frapper contre le mur extérieur.

— Putain, où est Cass ? entendis-je crier Tucker.

Je voulais courir jusqu'à lui, mais mon corps était trop faible et la douleur, trop forte.

— Merde, pourquoi ça te regarde ? gronda Jackson.

Ses mots furent immédiatement suivis par un craquement bruyant. Je priai pour que ce soit Jackson qui se prenait les coups, mais je ne pouvais pas en être sûre.

— Parce que je l'aime, connard.

Jackson rit, et il y eut un autre coup sonore sur le côté de la roulotte.

— Elle est tout à toi, ce qui reste d'elle. J'espère que ça te dérange pas que je l'aie prise une dernière fois, cracha Jackson en réponse.

Je rampai dans le couloir, ignorant la douleur insoutenable qui vrillait dans mon ventre et dans ce qui semblait être chacune des terminaisons nerveuses de mon corps. Mes mains et mes genoux trempèrent dans la flaque d'eau que je fis en renversant le seau qui accueillait l'eau de pluie.

« *Confessez-vous et vous serez lavé de vos péchés par l'amour du Christ.* »

J'ouvris la porte d'entrée à temps pour voir Tucker reculer son poing avant d'envoyer un coup violent sur le nez de Jackson. Du sang gicla, recouvrant le t-shirt de Jax et éclaboussant Tucker. Je fus choquée d'en voir autant.

Jackson s'élança sauvagement, mais il fut incapable de rendre le coup. Tucker s'avança et attrapa Jackson par le col de son t-shirt, puis il lui enfonça un genou dans l'estomac. Il émit un gémissement grave et guttural, le souffle coupé.

— Ce n'est pas aussi facile de se battre avec une personne de sa propre taille, hein ? le railla Tucker.

— Va te faire foutre ! haleta Jax.

— C'est pour toutes les fois où tu lui as fait du mal. Pour toutes les fois où j'étais pas là pour la protéger de toi.

Tucker planta son coude dans le dos de Jackson, le mettant à genoux. Il lutta pour se relever et Tucker recula pour le lui permettre. C'était comme regarder un chat jouer avec une souris. Ce n'était pas une facette de Tucker que je pensais voir un jour.

Jackson réussit à se mettre debout, mais il vacilla pendant qu'il tentait de retrouver son équilibre.

— Je vais te tuer, putain!

Tucker bouillait de rage et je savais qu'il pensait ce qu'il disait. Son poing recula encore et Jackson ne leva même pas les mains pour le bloquer.

— Arrête, criai-je.

Il y avait eu assez de mort et de tristesse en une journée. Je ne pouvais pas en endurer plus.

Tucker pivota brusquement. Ses yeux s'écarquillèrent quand il me vit sur le plancher, battue et blessée.

— Oh mon Dieu! Cass!

Il se précipita vers moi et il me souleva dans ses bras comme un bébé.

Dès que je fus en sécurité contre son torse, je commençai à sangloter sans pouvoir me contrôler.

— Ça va. Tu es en sécurité maintenant.

Il passa ses mains sur mes cheveux d'une manière réconfortante tandis qu'il m'étreignait avec force. Tout mon corps souffrait.

— Ma mère

Je m'écartai légèrement de lui pour le regarder dans les yeux. Il poussa doucement mon visage dans le creux de son cou.

— Chut…

Il me transporta dans la pièce et m'assit délicatement sur le sofa pour m'examiner.

— Je vais aller voir où elle est.

— Non !

J'agrippai son t-shirt, voulant désespérément le garder à côté de moi.

— Ne retourne pas là.

— Ça va, Cass. Je ne te laisserai pas.

De nouvelles vagues de douleur me transpercèrent le corps. Sa main s'étendit sur mon ventre et, alors que je baissais les yeux sur mes cuisses, je vis qu'elles étaient maintenant teintées de la couleur rouge du sang. Son regard suivit le mien.

La douleur et la tristesse que je lues dans ses yeux me tuèrent. Je n'aurais jamais dû revenir seule. Je n'aurais jamais dû mentir à Jax, je n'aurais jamais dû avoir des secrets pour lui. Maintenant, mon bébé et ma mère en avaient payé le prix. Je compris que Jax, en me laissant en vie, avait voulu m'infliger la punition la plus cruelle. J'allais me sentir coupable de leur mort pour le reste de mon existence. Toute la douleur que j'allais ressentir allait être méritée et j'allais devoir la supporter.

J'allais être incapable de regarder Tucker dans les yeux le reste de ma vie en sachant ce que je lui avais fait endurer. Je décidai à ce moment-là que j'allais le sauver de moi.

CHAPITRE 24

*T*ucker ne me quitta pas une seconde. Je passai par des états d'inconscience et d'éveil jusqu'à ce que les sons étouffés des sirènes m'emplissent les oreilles. Tucker me transporta dehors jusqu'à l'ambulance et m'allongea sur la civière.

Des policiers grouillaient dans toutes les directions, mais je pouvais à peine garder les yeux ouverts.

— Cherchez un homme blanc, début vingtaine, nommé Jackson Fisher. Le suspect pourrait être armé et il est extrêmement dangereux.

Tucker serra ma main tandis que son visage planait au-dessus du mien.

— Tout ira bien, mon cœur. Ça va maintenant. Je t'aime. Je t'aime tellement.

Je tentai de répondre, mais ma gorge était blessée et douloureuse. Je sentais les mains d'autres personnes sur moi, examinant mes blessures. Je laissai le sommeil m'emporter pendant qu'ils s'efforçaient de tout guérir, à l'exception de mon cœur brisé.

— *Ma douce, pourquoi tu boudes ?*

Ma mère finit d'insérer les épingles dans mes cheveux.

— *Papa va rater mon anniversaire. Tu as promis qu'il serait là !*

— *Tu sais qu'il veut être avec toi, mon bébé. Il a eu un empê-chement, c'est tout.*

Ma mère se leva et se hâta dans le couloir vers sa chambre. Je l'entendis déplacer quelques affaires avant qu'elle ne revienne.

— *Qu'est-ce que c'est ?*

— *Bien, vas-y. Ouvre-le.*

Je pris la boîte de sa main et j'en retirai le papier journal.

— *C'est un ourson en peluche ! C'est de papa ?*

— *Bien sûr que oui, mon bébé.*

Je bondis sur mes pieds et j'enroulai mes bras autour de son cou, la serrant aussi fort que j'en étais capable.

— Où suis-je ?

Je me frottai la gorge.

— Bon retour.

Une infirmière joyeuse baissa la tête vers moi en sou-riant et me tapota l'épaule.

Le souvenir des circonstances qui m'avaient amenée dans ce lit m'assaillit avec la force d'un tsunami.

— Tucker.

— Le médecin va vous examiner rapidement et ensuite je vais faire entrer vos visiteurs, d'accord ?

Je hochai la tête alors qu'un homme vêtu d'un long sarrau blanc entrait.

— Là voilà !

Il sortit une petite lumière et il éclaira mes yeux.

— Je vais bien.

Je repoussai sa main. Ma tête me faisait mal.

— Vous avez été très chanceuse.

« Chanceuse » était le dernier qualificatif que j'aurais utilisé pour parler de moi.

— Pas d'os brisés. Beaucoup de bosses et d'ecchymoses, mais rien qui ne guérira pas avec le temps.

Il sourit, mais son sourire n'atteignit pas ses yeux.

— Mon bébé.

— Je suis désolé. Vous n'en étiez qu'à quelques semaines de grossesse et le fœtus n'a pas été capable de supporter le traumatisme. La bonne nouvelle est que vous êtes encore jeune et qu'il n'y a rien pour vous empêcher de fonder une famille dans le futur.

Je fis signe que non de la tête alors que des larmes me montaient aux yeux.

— Je suis sincèrement désolé pour votre perte.

Je ne pouvais pas le regarder. Je sentis son poids se soulever du bord du lit tandis qu'il parlait à voix basse à l'infirmière.

— Mademoiselle Daniels? Est-ce que je peux faire entrer votre fiancé?

Mon cœur commença à battre la chamade et les bips de la machine à côté de moi s'accélérèrent en même temps. Je priai pour qu'elle soit en train de parler de Tucker et pour que Jackson ne soit pas ici pour en finir avec moi. Il ne pouvait pas me faire plus de mal qu'il ne l'avait déjà fait.

— Calmez-vous, mon cœur.

— Ne m'appelez pas comme ça.

Je plissai les yeux dans sa direction.

— Vous avez traversé une grande épreuve. Je peux dire à monsieur White que vous ne désirez pas avoir de visiteur.

— Non. Il peut entrer.

Je m'efforçai de m'asseoir. L'infirmière fit un signe de la tête et quitta la chambre. Je fis de mon mieux pour passer mes doigts dans mes cheveux. C'était inutile. C'était un fouillis plein de nœuds. Ma mère elle-même ne serait pas capable d'arranger ça. Je sentis mon cœur se déchirer en pensant à elle.

— Cass...

Tucker se tenait dans l'embrasure de la porte avec mon ourson en peluche dans les mains.

— J'ai pensé que tu voudrais ça.

Il s'approcha de moi pendant qu'il découvrait tristement mon piètre état. Je tendis la main et il me remit mon ourson.

— Merci. Il me vient de ma mère.

Il s'assit au bord du lit et il fronça les sourcils.

— Je pensais qu'il venait de ton père.

— Je pensais ça aussi.

Je tirai sur la fourrure abîmée de l'une de ses pattes.

— Mon cœur, le bébé

— Je sais.

Je ne quittai pas l'ourson des yeux. Je ne pouvais pas supporter de voir la tristesse dans les yeux de Tucker. La douleur que Jax m'avait infligée était minuscule en comparaison avec la douleur que j'avais causée à Tucker.

— Il y a autre chose.

Il tendit la main vers la mienne, entremêlant nos doigts. Son pouce caressa le dos de ma main tandis qu'il semblait rassembler tout son courage pour me dire ce qu'il devait me dire.

Je m'armai de courage pour me préparer à l'entendre me dire qu'il ne voulait plus être avec moi. Je ne l'en blâmerais pas ; en fait, je savais qu'il valait mieux m'éloigner de lui le plus loin possible avant que les dommages que je lui ai déjà causés ne soient irréversibles.

— Jackson est ici.

J'agrippai la main de Tucker comme si ma vie en dépendait. J'avais l'impression de me noyer.

— Pourquoi? Pourquoi il est ici? Oh, mon Dieu, gardez-le loin de moi!

Tucker m'enveloppa dans ses bras pour former un cocon sécuritaire autour de moi.

— Chut... Il ne peut plus te faire de mal. La police est avec lui. Il a fait une overdose hier soir. Ils l'ont trouvé à environ un kilomètre de ta maison.

— Alors, il va s'en sortir? Après tout ce qu'il a fait?

Tucker m'embrassa sur le dessus de la tête pendant qu'il me berçait.

— Il a une hémorragie interne à cause de notre bagarre. Trois côtes fêlées, un nez cassé et une mâchoire fracturée.

— Oh, mon Dieu. Est-ce que t'as des ennuis? Ils vont te poursuivre? Tucker, je suis tellement désolée de tout ça!

— Non. C'était pas ta faute. Ni la mienne. C'était de la légitime défense. Il ne peut plus te faire de mal. C'est tout ce qui compte.

Je m'accrochai à Tucker comme s'il était l'oxygène que je respirais.

— Plus personne ne te fera de mal. Promis.

Des larmes commencèrent à rouler sur ses joues tandis qu'il m'étreignait avec force contre lui.

J'obtins mon congé de l'hôpital le lendemain matin. Tucker loua une voiture pour que je n'aie pas à m'asseoir à l'arrière de sa motocyclette. Il m'amena à la pharmacie pour que je puisse me procurer ma prescription. La femme au comptoir sembla horrifiée lorsqu'elle vit mon visage gonflé et couvert d'ecchymoses. Elle jeta un regard noir à Tucker, mais il ne dit pas un mot. Il se foutait de ce que les gens pensaient. Pour une fois, mon mec ne se souciait que d'une chose : moi.

Nous restâmes enfermés dans une chambre d'hôtel où personne ne pouvait nous trouver, ne la quittant que pour les funérailles de ma mère. Nous la fîmes enterrer dans le cimetière d'Eddington, à un peu plus d'un kilomètre du parc à roulottes. Aggie et Larry vinrent pour m'offrir leur soutien et lui rendre hommage. Le pasteur qui dirigeait les réunions de Narcotiques Anonymes auxquelles nous avions assisté dit des mots gentils sur elle, sans jamais mentionner ses déboires et ses dépendances. Je laissai l'ourson en peluche qu'elle m'avait donné quand j'étais enfant devant la petite plaque là où était sa tombe.

Je n'assistai pas aux funérailles de Jax, mais je savais qu'un jour, il me faudrait visiter sa tombe. Pour le condamner ou lui pardonner, je l'ignorais… mais un jour, j'allais devoir faire la paix avec tout ce que Jax m'avait donné et enlevé.

— Tu n'es pas obligée d'y aller, Cass. Ça ne fera que rendre les choses plus dures pour toi.

Tucker s'affala sur le lit de l'hôtel et il se frotta le visage avec les mains.

— Plus dures ? Je ne dors pas, je ne peux pas manger. Je me déteste pour ce que tu as dû subir. Je ne vois pas comment ça pourrait être plus dur.

— Je t'en prie, ne t'inflige pas plus de mal. Donne à ton corps et à ton cœur le temps de guérir.

Il passa son pouce sur ma pommette blessée, me faisant tressaillir.

Je sortis de ma position entre ses jambes et partis en trombe vers la salle de bain, verrouillant la porte derrière moi.

Il fut à la porte en quelques secondes.

— Allons, mon cœur. J'essaie seulement de te faire te sentir mieux.

Je ne réagis pas. J'ignorais totalement quoi répondre.

— Bien. Fais ce que tu veux.

Il donna un tout petit coup de pied sur la porte, mais ça me fit quand même sursauter.

— Tu n'es pas la seule qui souffre ici, Cass.

— Je sais.

Je serrai la mâchoire.

— Il a *tué* notre bébé. Il ne mérite pas ta sympathie. Il mérite de rôtir en enfer.

Je m'affalai sur le sol et laissai pendre ma tête dans mes mains. Je n'avais aucune sympathie pour Jax, plus maintenant. Mais je méritais d'avoir mon mot à dire, de ressentir ce que je ressentais. Et je méritais de lui dire comment je me sentais. La porte de la chambre d'hôtel claqua et je sus qu'il faudrait des heures avant que Tucker revienne. J'ouvris la porte de la salle de bain puis fermai les lumières avant de me mettre au lit et de m'endormir en pleurant.

Tucker rata d'innombrables concerts et son groupe dut annuler le reste de la tournée. Il s'en foutait, mais je savais que plus il restait avec moi, plus je détruisais ses rêves. Je savais qu'ils devaient maintenant me détester, mais Tucker m'assura qu'ils voulaient seulement ce qu'il y avait de mieux pour nous. Je ne le croyais pas. Je ne croyais plus aux contes de fées. Comment n'importe quelle relation pouvait-elle survivre à ce que nous avions traversé ?

Jax m'avait tuée dans cette roulotte. Je ne vivais plus, je ne souriais plus. Je ne pouvais ressentir que de la tristesse et de la douleur.

Je m'obligeai à sortir du lit chaque matin et à me préparer pour la journée, même si rien ne m'attendait. Je n'étais pas retournée au parc à roulottes depuis cette fameuse nuit. Je ne pouvais pas travailler avant que mes ecchymoses guérissent. Le médecin m'avait prescrit des médicaments pour supporter la douleur. Je refusais de les prendre. Je m'étais habituée à la douleur et il serait trop facile de me laisser glisser sur la voie de la dépendance, cette dépendance qui avait déjà tué trois personnes. Je méritais de souffrir à travers tout ce que le destin m'envoyait.

Tucker passait ses journées à écrire des chansons et à vivre silencieusement sa propre douleur. Je l'encourageai à voir son groupe. Il avait besoin de se remettre à ce qu'il adorait faire. Il me dit qu'il ne voulait plus jamais me laisser seule, mais je savais que son ancienne vie lui manquait et j'étais certaine qu'il m'en voulait pour tout ce que je lui faisais endurer. Je savais qu'il regrettait d'avoir mis le pied ce jour-là au Aggie's Diner. Je devais arranger les choses pour lui.

Pendant qu'il prenait une douche un matin, j'appelai Dorris pour lui révéler où nous étions. Le groupe attendait Tucker au moment où il sortait de la salle de bain.

— C'est quoi ça, merde ?

— Je savais que tu n'allais jamais leur téléphoner.

— Alors, tu as agi à mon insu ?

— Je ne fais pas ça *contre* toi. Je fais ça *pour* toi.

— Amusant. Je pensais que j'avais mon mot à dire à propos de ce que je veux faire de ma vie.

— Tuck, nous savons que tu souffres mec, mais nous aussi nous avons besoin de toi. Tu ne peux pas abandonner toute ta vie juste comme ça.

Terry s'avança, se plaçant momentanément dans la ligne de tir. Je lui en fus reconnaissante.

— Je n'abandonne rien, Terry. Au cas où tu ne l'aurais pas remarqué, je n'ai rien demandé de tout ça.

— Et nous ?

Eric croisa les bras sur son torse.

— C'est pas juste.

Tucker arpentait le sol comme un animal piégé.

— Non, c'est pas juste. Y a rien de juste dans tout ça. Tu vas le laisser gagner ? Il a détruit tout ce pour quoi tu as travaillé toute ta vie et tu permets ça ? intervint Chris.

— OK. Je vais essayer. C'est le mieux que j'peux faire. J'fais aucune promesse.

Tucker se passa une main sur son visage mal rasé.

Il était en colère, mais il ne me dit pas un mot. En fait, on peut dire qu'il cessa pratiquement de me parler. Je m'en prenais à lui, n'ayant personne d'autre sur qui diriger ma colère. Ni l'un ni l'autre ne savions comment absorber une perte aussi grande. Comment décrire l'amour que l'on peut ressentir pour un être que l'on n'avait jamais rencontré ?. Les membres du groupe dirent à Tucker qu'ils attendraient aussi longtemps qu'il lui faudrait pour surmonter ce qu'il avait traversé. S'ils attendaient qu'il soit prêt, ils attendraient toute leur vie.

Une semaine plus tard, après plusieurs appels secrets à Dorris, le groupe avait organisé son premier spectacle en plus d'un mois. Il jouerait sur une petite scène au Lucas Theatre à Savannah. Ça lancerait la deuxième partie de leur tournée. Je passai la matinée à chercher des appartements dans le journal local pendant qu'il se préparait. Il était nerveux.

— Je dois y aller. Les gars veulent répéter la nouvelle chanson avant le concert ce soir.

Je souris quand il m'embrassa sur le front.

— Es-tu sûr d'être d'aplomb pour ce soir ?

— Tu ne m'as pas laissé beaucoup de choix, Cass.

Je le regardai dans les yeux et il se fendit d'un sourire.

— Merci pour ça.

— Tu refusais de faire le saut. Je t'ai poussé. Merde pour ce soir.

Je lui décochai un clin d'œil et il rit en se passant une main dans les cheveux.

Il m'embrassa encore et il baissa les yeux sur le journal.

— J'ai retiré de l'argent au guichet automatique. Tu peux aller visiter certains de ces appartements et si tu en trouves un à ton goût, laisse un dépôt. Le concert commence à dix-huit heures. Ne sois pas en retard.

Il sortit une pile de billets de banque de son portefeuille et il les déposa sur le lit à côté de moi.

— Je t'aime.

— Je t'aime aussi.

Il sourit largement tandis qu'il m'attirait dans ses bras et m'étreignait avec force. Je l'étreignis à mon tour, ne voulant pas le lâcher, mais je savais qu'il le fallait. Je devais le laisser partir afin qu'il puisse continuer à suivre son destin de rock star.

— Bye, Tucker.

— À plus tard, Cass.

Il quitta la chambre et je laissai enfin mes larmes couler. Encore une fois, il était temps de le laisser poursuivre sa vie.

Je pris mon sac à main et courus dans la pièce à toute vitesse, rassemblant mes affaires. J'avais quatre heures devant moi avant qu'il sache que j'étais partie. Quatre heures avant de lui briser le cœur. Je n'avais pas d'autre choix.

Je descendis sur le trottoir sous le soleil vif de l'après-midi. Je devais agir rapidement. Je me hâtai sur quelques pâtés de maisons et traversai Bay Street vers la rivière. Je dépassai le restaurant Chart pour aller chez Scarlett's.

— J'ai vu votre offre d'emploi dans le journal, dis-je à la femme derrière la caisse enregistreuse.

Elle sourit avec éclat tandis qu'elle remettait sa monnaie à une cliente.

— As-tu de l'expérience dans la vente au détail?

— J'ai travaillé comme serveuse, mais j'ai toujours adoré votre boutique.

Je repensai à la fois où Tucker m'avait acheté ma première robe ici. J'espérais qu'il allait me pardonner ce que j'étais en train de faire.

— Bien, j'ai seulement besoin d'une personne qui peut s'occuper de la caisse enregistreuse et aider les clientes à trouver leur taille. Penses-tu pouvoir t'en sortir avec ça?

— Absolument.

— Merveilleux. Sois ici à sept heures demain matin et je vais t'enseigner tous les rouages.

— Merci beaucoup, criai-je, d'une voix tout excitée.

Je sortis à la hâte de la boutique pour exécuter la deuxième partie de mon plan. Il me fallait trouver un appartement abordable pas trop loin. Le journal annonçait des logements pour personne à revenu modique à quelques pâtés de maisons seulement de Bay Street et je savais qu'avec l'argent que m'avait donné Tucker, je pourrais payer le dépôt et le premier mois de loyer et qu'il m'en resterait suffisamment pour la nourriture jusqu'à ce que je reçoive mon premier chèque de paie.

Je savais que Tucker serait dévasté lorsqu'il ne me verrait pas au concert, mais je savais aussi que je lui devais ça. Un jour, il me remercierait de l'avoir laissé partir. Et si je voulais remettre ma vie sur les rails, je devais être mon propre chevalier servant pour une fois.

Je trouvai mon chemin jusqu'aux édifices à logements. Ils ne payaient pas de mine, mais n'importe quoi valait mieux que le parc à roulottes. Je ne retournerais jamais là-bas. Je rencontrai le gérant et après lui avoir donné le nom de ma mère pour m'assurer que Tucker ne puisse pas me retrouver, je louai mon tout premier appartement. Je me dis que c'était mon histoire et que je pouvais la réécrire, en commençant par me donner un nouveau nom pour ma nouvelle vie, exactement comme Tucker l'avait fait.

— Voilà, Anne.

Le gérant me tendit un trousseau de clés.

— Merci.

Je pivotai pour regarder mon nouveau foyer tandis qu'il partait. Il avait à peu près la taille d'une boîte en carton, mais si je me tenais sur la pointe des pieds, je pouvais voir un bout de la rivière depuis la fenêtre du salon. L'ameublement était vieux et il sentait le moisi, mais il ferait l'affaire jusqu'à ce que je puisse économiser pour acheter des meubles un peu plus neufs.

Je me recroquevillai dans le coin d'un affreux sofa vert chasseur et relevai les genoux sur ma poitrine tandis que j'attendais que la prochaine heure et demie s'écoule. Je ne pouvais plus revenir en arrière maintenant. Je laissai mes larmes couler librement pendant que les minutes passaient lentement jusqu'à ce qu'il soit dix-huit heures.

Je savais que je faisais ce qu'il y avait de mieux pour Tucker, mais ça me faisait quand même souffrir le martyre. Je ne regrettais pas le temps que j'avais passé avec lui. J'avais enfin ressenti l'amour et j'étais capable d'aimer une autre personne et ça, c'était vraiment merveilleux. Tucker m'avait aidée à comprendre que je valais quelque chose, que je méritais mieux dans la vie et je ne pourrais jamais assez le remercier pour ça. Mais, je pouvais agir en conséquence.

J'espérai qu'il me pardonnerait un jour de lui avoir fait subir tout ça et j'espérai qu'il ne regrettait pas le temps que nous avons passé ensemble.

CHAPITRE 25

*L*es semaines passèrent lentement et je commençais tranquillement à trouver ma place dans la vie. Je travaillais des heures interminables pour gagner de l'argent pour les factures et même un peu plus. Maintenant que je n'avais que ma propre personne à soutenir financièrement, j'étais aussi capable d'économiser un peu. Je refusais de me permettre de faire la gueule à cause de ce qui m'était arrivé. Je savais que si je travaillais assez dur, il se pouvait qu'un jour, nos chemins à moi et à Tucker se croisent de nouveau. J'avais l'intention de devenir digne d'une personne aussi gentille et aimante que Tucker lorsque le temps viendrait.

Je commençai à assister aux réunions locales de NA. J'étais encore aux prises avec la colère et la douleur qu'avait causées la drogue à ceux que j'aimais. J'en appris beaucoup sur moi-même. Mes ecchymoses avaient guéri, mais la douleur dans mon cœur était toujours présente. Il me fallait apprendre à vivre avec elle et pardonner à ceux qui m'avaient causé du tort dans la vie.

Je rassemblai mes affaires lorsque je regardai l'horloge suspendue dans la cuisine. Le premier groupe allait bientôt jouer à City Market. Je m'emparai de mon sac à main et me frayai un chemin à travers les rues bondées jusqu'au Café.

— Allô, Anne. Il y a un bon groupe ce soir.

L'hôtesse arrangea sa flamboyante queue de cheval rousse.

— J'en ai entendu parler. J'ai vraiment hâte de les entendre

— Un thé alcoolisé?

Je hochai la tête et m'assis sur le banc juste devant le restaurant. L'air était chaud et lourd aujourd'hui, même si le soleil commençait à baisser derrière les bâtiments.

— Tiens, mignonne.

Je tendis un billet de dix dollars à Jewels.

Elle le chassa d'une main dédaigneuse.

— Tu sais que c'est la maison qui paye tant que tu restes et me tiens compagnie.

— Où est-ce que je pourrais aller à part ici?

Je lui décochai un sourire alors que le groupe commençait à jouer derrière moi. Je reconnus les premiers accords de *Loved* instantanément. Ils étaient enracinés dans mon cœur. Je bondis et faillis renverser mon verre tandis que mes yeux cherchaient le groupe. Le chanteur avait une longue chevelure hirsute et une grosse barbe. Ce n'était pas Tucker. Je me rassis sur le banc avec un bruit sourd pendant que mon cœur se brisait encore une fois.

— Ça va, Anne? On dirait que tu as vu un fantôme.

— J'aurais préféré ça.

La boule qui se formait dans ma gorge bloquait presque complètement mes voies respiratoires.

— Respire, ma belle.

— Ça va. Je suis désolée, Jewels. J'me sens pas bien. Je pense que je devrais rentrer et m'allonger.

— Ouais, d'accord. Veux-tu que je passe te voir lorsque j'aurai terminé?

Je me levai et bus mon thé aussi rapidement que possible, espérant que l'alcool allait engourdir la douleur dans ma poitrine.

— Non. Ça ira. J'ai juste besoin de plus de temps.

Elle fronça les sourcils, mais elle m'offrit un sourire compatissant et elle hocha la tête.

— La fin de semaine prochaine, peut-être.

Ma vie ressemblait au film *Le jour de la marmotte*. Chaque fin de semaine, je m'obligeais à aller à City Market. La plupart du temps, je réussissais à écouter deux ou trois chansons avant que les souvenirs deviennent trop douloureux pour que je puisse les ignorer.

La musique m'aidait à m'évader auparavant et j'avais désespérément envie de ça encore.

Je revins à mon appartement, vaincue une fois de plus. Devenir une autre personne était presque impossible quand nos vieux souvenirs refusent de disparaître.

Je pris une bière dans le frigo et retirai mes sandales d'un coup de pied, m'installant ensuite sur mon sofa. La maison était si calme. C'était une chose que j'avais souvent souhaitée ardemment lorsque je rentrais chez moi après une journée au Aggie's Diner. Aujourd'hui, le calme prenait toute la place. Le silence était assourdissant. Mon prochain achat allait être un téléviseur, décidai-je alors que je buvais une longue gorgée de ma bière. Je jouai avec l'étiquette pendant que les minutes s'écoulaient lentement, se transformant en heures. Enfin, l'épuisement prit le dessus et je ne pus plus combattre le sommeil. Je me recroquevillai sur le sofa et laissai la journée céder sa place à la suivante.

Je m'éveillai au son des coups frappés à la porte.

— Pas aujourd'hui, gémis-je et je posai un coussin sur ma tête.

— Pas de repos pour les braves.

— Argh.

Je lançai le coussin sur la porte et me relevai du sofa. Je fis courir mes doigts dans mes cheveux avant d'ouvrir brusquement la porte d'entrée.

— Alors, si ce n'est pas mam'selle Bonne humeur. Tiens.

Jewels me tendit une tasse de café et elle entra.

Je gémis.

— Il est seulement midi et c'est mon jour de congé.

— Oui, alors tu as le temps d'aller à la réunion cet après-midi.

J'avais rencontré Jewels aux réunions de NA.

— Je n'ai pas envie d'y aller aujourd'hui.

Je bus une gorgée de café, me brûlant la langue.

— Personne n'a *envie* d'y aller, mais nous devons le faire. Aie la sagesse de reconnaître la différence, plaisanta-t-elle.

Je levai les yeux au ciel tout en ouvrant la porte du congélateur et je pris un glaçon que je laissai tomber dans mon café.

— Je ne suis même pas toxicomane.

— Oh, tu as bien une dépendance et, un de ces jours, tu me diras comment il s'appelle.

— Tu sais pas de quoi tu parles.

Je passai devant elle pour me rendre dans ma chambre à coucher afin de pouvoir changer de vêtements.

— Ma belle, j'sais pas grand-chose, mais je sais à quoi ressemble un cœur brisé.

Je l'ignorai tandis que je passais une brosse dans mes cheveux.

— Bien. Laissons tomber cette réunion alors. Allons faire quelque chose d'amusant.

— D'amusant ?

Je sortis la tête par la porte.

Elle sourit et but une autre gorgée de café.

— Bien sûr. Pourquoi pas ? Je connais l'endroit parfait.

— Parfait.

Ça ne pouvait pas être si mal. Je sortis de ma chambre et pris mon sac à main.

— Là tu parles.

Elle rit et me tint la porte ouverte.

Nous sortîmes devant l'édifice et balayâmes la rue du regard.

— Hé ! Là-bas ! cria Jewels à l'homme de l'autre côté de la rue sur son vélo taxi.

Il traversa la rue vers nous et s'arrêta au coin.

— Où allez-vous ?

— McDonough's.

Elle se tourna vers moi en souriant.

Je montai sur la banquette derrière le chauffeur et Jewels se serra contre moi.

— Alors, qu'est-ce qu'il y a, chez McDonough's ?

— Une thérapie.

Elle sourit tandis que notre vélo-taxi retournait sur la route pour se frayer un chemin à travers la ville.

Je regrettais déjà d'avoir quitté la maison, mais je n'étais pas certaine que sauter en bas d'un vélo taxi au milieu d'une rue animée était très sage.

Nous nous arrêtâmes à l'extérieur du restaurant quelques minutes plus tard. Jewels paya le trajet et je levai les yeux vers l'auvent vert qui bordait le bâtiment.

— Cet endroit semble chic.

Elle passa un bras sous le mien et m'entraîna par la porte.

— Nous ne sommes pas ici pour manger.

— Pourquoi nous sommes ici?

— Pour ça.

Elle pointa de l'autre côté de la salle. Je suivis la direction de son doigt jusqu'à une femme sur une petite scène se préparant à chanter au karaoké.

— Tu veux que je chante? J'peux à peine écouter une chanson sans m'effondrer et tu veux que je *chante*?

— T'es pas obligée de le faire aujourd'hui. Penses-y, c'est tout.

— C'est stupide.

— Stupide comme tout garder à l'intérieur de toi jusqu'à ce qu'un jour, tu exploses et que tu partes dans une folle expédition meurtrière.

J'en restai bouche bée.

— Quoi?

Elle me regarda comme si j'étais devenue folle.

— J'ai besoin d'un verre.

— Là tu parles!

Elle m'entraîna vers un box en coin et elle leva la main pour faire signe au serveur.

Il vint et Jewels commanda une tournée de bières. Elle lui dit de continuer à les amener jusqu'à ce que nous soyons sur scène pour chanter ou bien tombées dans les vapes.

Je pris ma bouteille et je bus jusqu'à ce que mes poumons brûlent en réclamant de l'air.

— Allez, Anne. C'est pas si effrayant. Personne ici ne sait qui tu es. Si tu te tournes en ridicule, tu n'auras plus jamais à les revoir.

Elle avait raison quand elle disait que personne ne savait qui j'étais. Je n'avais pas encore pris l'habitude de me retourner lorsque j'entendais le prénom Anne.

— Alors, comment il s'appelle??

— J'peux pas le dire.

— D'accord. Choisis une chanson.

Je bus une nouvelle gorgée de ma bière et levai la bouteille en direction du serveur. Il hocha la tête et il remplaça rapidement ma bouteille vide par une bouteille pleine.

— Merci.

Je jouai avec l'étiquette, pensant à la fois où j'étais assise en face de Tucker dans un box.

— Bien. Je vais y aller en premier.

Elle s'éclaircit la gorge.

— Jason et moi, nous nous sommes rencontrés il y a deux ans. Il était incroyablement séduisant. C'était un tatoueur, alors évidemment, il avait des tatous partout.

Je la regardai brièvement et elle poursuivit.

— Il adorait sortir et passer d'un bar à l'autre toute la nuit. J'arrivais tout juste à le suivre et à me rendre au travail à l'heure. Nous avons commencé à prendre de la cocaïne, simplement pour continuer à suivre ce mode de vie dément.

Je bus ma bière tandis que la musique de la chanteuse de karaoké disparaissait en arrière-plan.

— Alors, qu'est-ce qui s'est passé?

— Je l'ai surpris dans la salle de bain à baiser ma meilleure amie. Il planait tellement qu'il a souri en me voyant.

— Mon dieu.

— Ouais.

Elle but sa bière.

— Mais ce n'est pas le pire. J'étais tellement perdue que je ne pouvais pas réfléchir correctement. Je m'en suis pris à la seule chose que je savais qu'il aimait. Son camion. J'ai fait péter ses vitres et j'ai crevé ses pneus. La crise. C'était comme une mauvaise chanson country.

— As-tu eu des ennuis ?

— J'ai passé trois semaines en prison et je travaillerai probablement le reste de ma foutue vie pour rembourser les dommages au camion.

Elle rit.

— Mais je suis sobre et je ne prends pas de drogue, alors c'est déjà ça.

Elle but une autre gorgée de bière.

— Bien, pas tout à fait sobre.

Une autre chanteuse monta sur scène et commença à chanter une chanson d'amour des années quatre-vingt.

— Il s'appelait Tucker.

Jewels se cala dans son siège.

— Que s'est-il passé ?

— Jax est passé par là.

La boule recommença à se former dans ma gorge.

Jewels se redressa vivement, posant sa main sur la mienne.

— Gardons ça pour une autre journée. Je pense que nous avons bien avancé aujourd'hui, Anne. Tu as réussi à rester assise ici et à écouter trois *horribles* chanteuses sans t'enfuir.

Elle sourit.

— C'est Cass. Mon nom, c'est Cass.

— Tu sais, d'après mon expérience, quand on tente de chasser ses démons, ils nous trouvent toujours quand même.

— Moi, mon démon est mort. Il peut plus me faire de mal.

Je reposai la bouteille sur la table et me levai.

— Allons chanter une foutue chanson avant que je change d'avis.

Nous restâmes en lieu sûr en évitant les chansons arrache-cœur à propos de l'amour et, pour le bien de Jewels, les chansons country parlant de vengeance.

Nous nous mîmes d'accord pour une interprétation d'ivrogne de *Let's Talk About Sex*. Malheureusement, à la moitié de la chanson, je me rendis compte que j'en ignorais totalement les paroles. Ça n'avait pas d'importance. Les clients nous encouragèrent à continuer tandis que nous nous balancions au rythme de la musique et que nous chantions à tue-tête la chanson en faisant tout notre possible.

Pour une fois, je ne m'enfuis pas en choisissant la solution facile et je réussis même à m'amuser vraiment.

Nous restâmes quelques heures de plus jusqu'à ce que la foule excitée de fin de soirée commence à venir en flots des rues.

— Je me suis vachement amusée.

— Attends la prochaine fois, quand nous ajouterons une chorégraphie à notre numéro.

Elle rit.

C'était bon de rire et de plaisanter pour vaincre nos peurs et s'avouer nos secrets. Peut-être que tout ce dont j'avais toujours eu besoin, c'était simplement d'avoir une personne avec qui partager de bons moments. Je pouvais maintenant croire que vivre seule allait devenir un peu plus facile.

Nous marchâmes dans la rue bondée, nous faufilant parmi les hordes de gens en revenant vers mon appartement.

— Jewels, t'as déjà pensé que tu pourrais pas t'en sortir ?

— Tous les jours ; mais le soleil se lève toujours le lendemain. Le karaoké commence à midi.

CHAPITRE 26

*J*e n'étais pas retournée à une réunion depuis que j'avais commencé ma thérapie au karaoké avec Jewels. Elle n'insistait pas pour entendre les détails concernant ce qui m'était arrivé, mais elle écoutait quand je sentais le besoin de lui confier quelque chose. C'était bon d'avoir une amie dans ma vie sur laquelle je pouvais compter. Les autres personnes que j'avais dans ma vie étaient Aggie et Larry et, sans voiture, je les voyais rarement. Il faut dire que je n'avais pas trop envie de remettre le pied dans le parc à roulottes. C'était douloureux. Larry m'avait dit qu'ils avaient enlevé ma roulotte et qu'aucune ne l'avait remplacée. Ça me semblait logique. C'était comme si une tornade l'avait emportée et qu'elle avait ainsi éliminé ce chapitre de ma vie. J'étais contente de ne plus jamais avoir à le regarder. Deux mois s'étaient écoulés depuis que j'avais laissé Tucker derrière moi et commencé ma propre vie. Je travaillais aussi souvent que possible pour m'empêcher de me sentir seule et d'avoir trop de temps pour réfléchir. J'avais assez économisé pour m'acheter un petit téléviseur et j'avais le câble.

La semaine dernière, j'avais vu dans une émission à potins sur le showbiz que le groupe de Tucker allait jouer en direct dans un gala de remise de prix et que ses membres avaient signé une entente avec une importante compagnie de disques. J'étais tellement fière de lui. J'avais encore mal, mais j'avais fait ce qu'il fallait pour lui. Sa carrière était importante pour lui.

L'émission avait aussi mentionné qu'il avait une relation avec une actrice en vogue. Il avait été cité ainsi : « Je suis très amoureux. »

Il ne voulait révéler aucun autre détail à ce sujet. J'étais heureuse pour lui et je me dis que les larmes qui tombaient sur mes joues étaient des larmes de joie et non de regret pour ce que j'avais sacrifié.

J'étais contente que le groupe ait pu rester uni après tout ce que nous lui avions fait subir. Je n'aurais pas pu vivre avec moi-même si j'avais détruit leurs rêves. Je n'étais toujours pas capable d'écouter leur musique, mais je savais que ce n'était qu'une question de temps avant que je puisse entendre Tucker sans penser à notre passé. C'était Tucker, la rock star maintenant et non mon Tucker ; je devais m'habituer à ça.

J'enfilai une robe de soleil blanche avec des fleurs mauves qui était identique à celle que Tucker m'avait achetée et que Jax avait détruite. Je portai mon pendentif en cœur à mes lèvres et l'embrassai avant de mettre mes sandales.

L'air était frais, car l'hiver arrivait à pas de loup. Je me rendis à City Market pour prendre un café avant de commencer mon quart de travail chez Scarlett's. Des calèches tirées par des chevaux s'alignaient dans les rues, se préparant pour leur prochaine promenade. Je caressai le nez d'un cheval alors que je marchais à côté d'eux en me rendant chez Vinnie Van Go-Go's. J'adorais m'asseoir à l'une des tables bistro et me rappeler ma période avec Tucker.

Ouais, j'étais très bonne pour continuer ma vie, pensais-je avec un soupir.

— J'ai entendu dire que cet endroit est épatant.

La voix de Tucker fit frissonner mon corps tandis que je me tournais pour voir s'il était vraiment là. Le monde imaginaire que je m'étais construit sans lui s'effondra immédiatement autour de moi.

— Parfois, on ne sait pas ce que l'on rate tant que l'on ne l'a pas trouvé.

Je répétai les paroles qu'il avait prononcées lors de notre dernière visite ici. J'étais debout sur mes jambes tremblantes à un mètre de lui. La douleur de le voir me plia presque en deux. Dieu qu'il m'avait manqué.

— J'ai su ce que je ratais à la minute où je t'ai perdue.

Sa voix tremblait et il s'approcha de moi.

— Je pensais que tu étais sortie pour nous trouver un endroit où nous pourrions commencer notre nouvelle vie ensemble. J'ai attendu des heures. Quand j'ai trouvé ton téléphone, j'ai su que tu m'avais quitté pour de bon.

— Je suis désolée, Tucker.

— Merde, Cass. Sais-tu ce que j'ai enduré ? Je suis retourné dans ce foutu trou à rats pour te chercher. Je suis retourné à cette roulotte.

Il avala péniblement, essayant de ne pas s'effondrer.

— Je ne pensais pas que tu me chercherais.

— Tu ne pensais pas que je te *chercherais* ? J'ai passé toute la nuit devant le restaurant à attendre que tu te montres. J'ignorais où tu pourrais aller sinon. Chris et Terry ont dû m'emmener de force. Je n'ai *jamais* arrêté de te chercher.

Ma main couvrit inconsciemment mon cœur en essayant de le protéger de la douleur.

— Pourquoi t'as fait ça, Cass ? Pourquoi tu m'as quitté comme ça ?

— Je gâchais ta vie. Tu avais un rêve et tu allais l'abandonner pour moi. Je ne pouvais pas te laisser faire ça. Je t'avais déjà suffisamment blessé.

Ma voix commença à trembler.

— Me blesser ? Tu as failli me tuer quand tu es partie. J'étais tellement inquiet.

— Tu n'as pas à t'inquiéter. Jax est parti depuis longtemps.

— Si je te connais ne serait-ce qu'un peu, je sais que tu te tues toi-même avec la culpabilité que tu ressens pour tout ce qui s'est passé.

— Comment m'as-tu trouvée ? demandai-je, comme j'avais su que ce moment finirait par arriver.

Tucker sourit.

— Larry est très loyal envers toi. Je l'appelle tous les jours depuis six semaines. Il m'avait convaincu que tu étais déménagée en Ohio chez une tante. J'ai fouillé l'État, mais tu n'étais nulle part. Dès que j'ai eu un moment plus tranquille, j'ai pris l'avion et j'ai exigé la vérité. J'imagine qu'il a aimé que je me batte pour toi. Il a finalement admis que tu vivais dans la ville sous le nom de ta mère.

J'avais parlé à Larry au moins une fois par semaine depuis que j'étais partie et il n'avait jamais mentionné que Tucker lui avait téléphoné.

— Tucker, je…

Il posa son doigt sur mes lèvres pour m'empêcher de parler.

— La seule chose que j'ai voulue dans la vie, c'est quelqu'un avec qui la partager.

Ses yeux bleus scrutèrent les miens.

— J'ai entendu dire que tu l'avais trouvé.

Je haussai les épaules et baissai les yeux sur mes chaussures. *C'est ce que tu voulais pour lui*, me rappelai-je à moi-même.

Il retira son doigt et souleva légèrement mon menton doucement.

— Oui, Cass, je suis très amoureux.

Mon cœur se tordit dans ma poitrine. Je méritais d'entendre ses mots. Je méritais tout ce qu'il voulait me faire subir. J'étais partie comme une lâche. J'aurais au moins pu rester pour lui expliquer qu'il serait mieux sans moi, mais au lieu de ça, je m'étais enfuie.

— Je suis heureuse pour toi.

Ma voix craqua alors que je clignais des yeux pour refouler mes larmes.

Il sourit et passa son pouce sur ma mâchoire.

— C'est *toi* que j'aime, Cass, ou Anne, ou qui diable tu souhaites être. Je n'ai jamais, jamais voulu qui que ce soit d'autre. Je te l'ai dit : l'argent, la célébrité, les fans…, rien de tout ça n'a de signification pour moi. Ça ne rend pas heureux. Si l'on n'a personne avec qui partager ses trucs, on restera toujours seul. Je suis seul sans toi, Cass. J'ai besoin de toi dans ma vie.

— Je t'aime aussi, admis-je dans un sanglot tremblant.

Il se précipita pour m'envelopper et me souleva du sol tandis qu'il me serrait si fort que je pouvais à peine respirer.

— Ce ne sera pas toujours la vie en rose, mais je te promets que je ferai tout mon possible pour te rendre heureuse, Cass. Seulement, ne me quitte plus jamais. Promets-le-moi, murmura-t-il à mon oreille.

— C'est promis.

CHAPITRE 1

J'avançai de quelques pas hésitants dans ce qui restait de mon ancienne vie. Il n'avait pas plu depuis l'incendie et les cendres recouvraient tout; il était difficile de savoir où mettre le pied. La structure en métal bon marché était tordue et calcinée. Les marches d'entrée en béton étaient toujours là, noircies et ne menant nulle part. C'était l'endroit où j'avais vu mon père en pensée pour la dernière fois. Je progressai dans les débris, refusant de m'appesantir sur la personne que j'avais perdue parce que mon père ne voulait pas faire partie de ma vie. «Jax, au moins...» Je ne pus même pas terminer ma pensée. Penser à lui autrement qu'à l'animal qu'il était me retournait l'estomac. Des morceaux de notre vieux téléviseur craquèrent sous mes pieds et je sus que j'étais en face de ce qui avait été notre corridor. Ma gorge commença à se serrer tandis que je m'efforçais d'affronter mon passé et de parcourir ce chemin une dernière fois. C'est étrange comme les souvenirs peuvent nous tenir en otage grâce à quelque chose qui n'existe plus. Je pris une profonde respiration, inspirant l'air qui sentait le feu de camp et je relevai légèrement le visage vers le ciel. Le soleil brillait, me réchauffant la peau, et les oiseaux s'interpellaient au loin. Il n'y avait pas de cris, pas de haine, seulement la vie qui continuait dans le sillage de l'indicible tragédie.

Je contemplai l'arrière de la vieille roulotte voisine tout en me dirigeant vers elle. Mon corps évita par réflexe le vieux seau qui servait à recueillir l'eau de pluie, même s'il avait depuis longtemps disparu et fusionné avec la terre. Je m'arrêtai, jetant un coup d'œil à ma chambre sur la gauche. Un petit sourire joua sur mes lèvres alors que les larmes commençaient à me brouiller la vue. C'était mon minuscule coin dans l'univers et pendant des années, ça m'avait davantage semblé être une prison. Mes yeux survolèrent le voisinage, observant la vie et les familles qui m'avaient entourée pendant des années, mais qui m'avaient été cachées par ces murs. Je donnai un coup de pied sur une planche de bois avec le bout de ma chaussure et je levai le menton en un signe muet de défi à l'égard de tout ce qui m'avait été infligé à l'intérieur de cette prison. C'était maintenant que je prenais conscience que cet endroit n'était qu'une coquille. Ma

véritable captivité était dans ma tête. J'étais si démolie mentalement que je m'étais convaincue que je ne pouvais pas
partir, mais c'était la peur qui me gardait ici et non ces murs
frêles.

Je m'avançai dans ce qui avait été ma salle de bain.
L'ensemble de son contenu ne s'était pas désintégré dans le
néant et je m'accordai un moment pour absorber ce qui restait de toutes ces années. La douleur, la tristesse et les êtres
chers brutalement arrachés à moi se résumaient à un vieux
tube en caoutchouc fragile et des souvenirs qui me hante-
raient pour le reste de mon existence. Je regardai en direction de la chambre à coucher de l'ancienne Cass et je sus que
cet endroit ne contenait aucun bon souvenir. Les souvenirs
que je chérissais vraiment étaient dans mon cœur et rien ne
pouvait me les enlever.

Je poussai un long et profond soupir lorsque dans mon dos,
j'entendis des pneus sur le gravier du stationnement. Je jetai
un coup d'œil par-dessus mon épaule, plissant les paupières
sous le soleil tandis que je regardais l'élégante Cadillac
noire garée à quelques mètres du Aggie's Diner. Il était
enfin temps de mettre fin à ce chapitre de ma vie. J'avais
beaucoup appris et pris beaucoup de maturité au cours des
derniers mois et j'étais prête à recommencer à zéro. Plus
question de fuir et de me cacher sous des secrets. Je posai
un dernier regard sur l'endroit où se trouvait auparavant
ma roulotte, puis je traversai le stationnement et me glissai
à l'arrière de la voiture par la portière ouverte. Le chauffeur
hocha la tête une fois vers moi avant de reprendre sa place
et de sortir du stationnement poussiéreux.

Il était impossible de faire taire les voix de ceux qui avaient autrefois formé tout mon univers. Je pouvais encore entendre Jax s'excuser. Je pouvais encore voir le regard vide dans les yeux de ma mère quand elle tombait dans un oubli confus provoqué par la drogue. Les événements de cette journée qui allait changer ma vie à jamais rejouaient en boucle dans ma tête tandis que nous traversions la ville.

Je fermai fortement les paupières et posai la tête contre le dossier de la banquette. Je repoussai la culpabilité en tentant de me concentrer sur les moments les plus heureux qui avaient amené ma vie à ce point-ci. Les souvenirs que je considérais comme sacrés dans mon cœur n'appartenaient pas à Jax. Ils appartenaient à Tucker. Il était la raison pour laquelle je pouvais voir au-delà de ces murs.

Je souris et laissai mes paupières s'ouvrir en papillotant. En regardant par les vitres teintées et sombres, je sus que nous approchions. Je me redressai sur mon siège et passai mes mains dans ma chevelure blonde emmêlée.

— Une journée importante, dit le chauffeur d'une voix rocailleuse.

Mes yeux se fixèrent sur ses cheveux poivre et sel. Il avait au moins vingt ans de plus que moi. Pendant un bref moment, je me demandai si les cheveux de mon père allaient grisonner ou s'il en avait encore. Je chassai son souvenir de mon esprit et m'éclaircis la gorge.

— Très, répondis-je alors que nous nous frayions un chemin dans la ville.

Je commençai à fredonner la chanson à la radio tandis que nous tournions vers City Market.

Lorsque j'avais fui mes problèmes la première fois, j'avais tout fait de la mauvaise façon. Je pensais que tout ce que je voulais était de fuir ma vie de merde et mon petit ami violent... Je ne m'attendais pas du tout à tomber profondément et follement amoureuse d'un autre homme. Mais je ne m'attendais pas non plus à me perdre en chemin et à être avalée dans l'univers plus grand que nature d'une autre personne, là où il n'y avait pas vraiment de place pour moi.

Je sortis de la voiture, perdue dans mes propres pensées, alors que je levais les yeux sur l'édifice à logements que j'avais appelé mon foyer.

Le chauffeur me fit un signe de tête et un sourire que je lui rendis, espérant pouvoir garder ma nervosité à distance encore quelque temps.

— Merci, dis-je par-dessus mon épaule alors que je me dirigeais vers la porte d'entrée, puis je soupirai avant de l'ouvrir et de monter l'escalier.

Tout allait changer encore une fois. J'ouvris la porte de mon appartement et je balayai du regard le salon rempli de boîtes de carton contenant le peu que j'avais accumulé pendant les quelques mois où j'avais vécu seule.

Je passai la main sur l'une des boîtes alors qu'on frappa doucement à la porte derrière moi. Je me tournai pour la regarder quand elle s'ouvrit dans un grincement, et je vis Tucker debout dans l'embrasure de la porte.

— Noix de coco?

Il rit et il fit courir une main dans sa chevelure avant de fermer la porte d'un coup de pied. Je pouvais sentir mon visage rougir d'embarras.

— Ça me fait penser à toi.

J'emprisonnai ma lèvre inférieure entre mes dents et je la mordillai nerveusement.

Tucker avança de deux pas rapides, éliminant la distance entre nous avant de prendre mon visage dans le creux de ses mains.

— Si tu voulais me sentir, Cass, tu n'avais qu'à m'inviter chez toi.

Ses lèvres s'étirèrent en un petit sourire. Je posai ma main sur la sienne tandis qu'il caressait doucement ma joue.

— C'est ce que j'ai fait. Tu étais en retard.

J'eus un petit sourire satisfait quand ses yeux croisèrent les miens.

— Mon vol a été retardé. Je suis désolé.

Ses yeux se promenèrent sur les cartons derrière moi.

— Laisse-moi me faire pardonner.

Son regard passa rapidement de mes yeux à ma bouche. Sa langue roula sur sa lèvre inférieure et je sus que j'étais dorénavant impuissante à lui résister. Ses lèvres se posèrent fermement sur les miennes et mes genoux cédèrent immédiatement à son contact. Son bras gauche entoura dos et il me retint fermement contre lui, m'empêchant de tomber. Même sans tomber, j'avais succombé à cet homme il y avait longtemps.

Je laissai ma bouche s'entrouvrir et Tucker passa sa langue sur mes lèvres, provoquant un gémissement de ma part tandis que je poussai ma langue contre la sienne. Mes mains remontèrent sur son torse musclé et dans ses cheveux emmêlés. Je les empoignai, les tirant délicatement lorsque son baiser se fit plus profond.

La panique commença à se frayer un chemin en moi lorsque je me rappelai où ça nous avait déjà menés auparavant. Mon corps se raidit involontairement à ce souvenir. Tucker interrompit notre baiser et il scruta mes yeux, l'inquiétude déformant son beau visage.

— Qu'est-ce qui ne va pas? demanda-t-il en s'efforçant de calmer sa respiration.

— Je suis désolée. Je ne pense pas pouvoir... pas encore.

Sa main glissa de ma joue jusqu'à l'arrière de ma tête alors qu'il me pressait contre son torse.

— Je vais attendre une éternité. Seulement, ne t'enfuis pas une autre fois loin de moi.

Il embrassa le dessus de ma tête.

— Je vais attendre le temps qu'il faut.

J'acquiesçai d'un signe de tête et écoutai le rythme régulier et apaisant de son pouls. J'ignorais comment j'avais fait pour passer ne serait-ce qu'une journée sans l'entendre. Sa voix interrompit mes pensées quand son torse vibra sous mon oreille au son de chacun de ses mots.

— Es-tu prête pour notre propre «et ils vécurent heureux jusqu'à la fin des temps»?

Je reculai pour le regarder dans les yeux. Je voulais qu'il constate la sincérité de chaque mot que j'étais sur le point de prononcer.

— Je ne veux plus être séparée de toi une seule minute.

Je parlai avec toute l'assurance dont j'étais capable, même si j'étais terrifiée à l'idée de passer à l'étape suivante avec Tucker : quitter mon appartement, ce qui avait été ma faible tentative pour prendre un nouveau départ, pour passer les prochains mois en tournée avec lui et son groupe

Damaged. Je jetai un œil dans mon appartement étroit, prenant soudain conscience que, même s'il m'était familier,
il ne me donnait plus l'impression d'être mon foyer. Les
bras de Tucker étaient ma maison, peu importe où ils
m'amenaient.